# Taylor Jenkins Reid

# Dwa szczęścia do wyboru

Przekład
RADOSŁAW JANUSZEWSKI

AMBER

Redakcja stylistyczna
Marek Wilhelmi

Korekta
Magdalena Stachowicz
Barbara Cywińska
Hanna Lachowska


Projekt graficzny okładki
Małgorzata Cebo-Foniok

Zdjęcia na okładce
© Vitaliy Krasovskiy/Shutterstock
© Vitaliy/Fotolia


Tytuł oryginału
Maybe in Another Life

Druk
Drukarnia ReadMe

Ponowna oprawa
Sowa Sp. z o.o.

ISBN 978-83-241-6053-2


Warszawa 2015. Wydanie I

Wydawnictwo AMBER Sp. z o.o.
02-954 Warszawa, ul. Królowej Marysieńki 58

www.wydawnictwoamber.pl

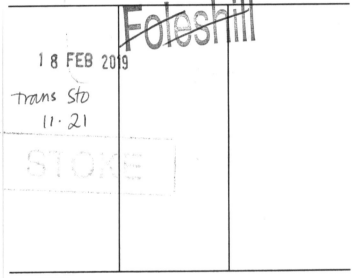

Powieści Taylor Jenkins Reid

*Rozstańmy się na rok*
*Dwa szczęścia do wyboru*
*Jedyna miłość razy dwa*

*Dla Erin, Julii, Sary i Tamary*
*i dla wszystkich kobiet,*
*z którymi los mnie zetknął.*
*Obyśmy się poznały w wielu światach.*

Dobrze, że zarezerwowałam miejsce przy przejściu, bo w samolocie jestem ostatnia. Wiedziałam, że spóźnię się na lot. Spóźniam się prawie na wszystko. Właśnie dlatego zarezerwowałam miejsce przy przejściu. Nie znoszę, kiedy ludzie muszą się podnosić, żebym mogła się przecisnąć. Także dlatego nie wychodzę do toalety podczas filmu, chociaż zawsze muszę wyjść do toalety podczas filmu.

Przeciskam się ciasnym przejściem, trzymam bagaż podręczny blisko siebie, próbuję nikogo nie potrącić. Potrącam jakiegoś mężczyznę w łokieć i przepraszam, chociaż on pewnie nawet nie zauważył. Lekko ocieram się o ramię jakiejś kobiety, ona piorunuje mnie wzrokiem, jakbym dźgnęła ją nożem. Otwieram usta, żeby przeprosić, ale zaraz zmieniam zdanie.

Łatwo znajduję swoje miejsce; jedyne wolne miejsce.

Powietrze jest nieświeże. Muzyka z puszki. Rozmowy wokół mnie punktuje trzaskanie zamykanych schowków nad głowami.

Docieram do swojego fotela i siadam, uśmiecham się do kobiety obok. Jest starsza, z nadwagą, ma krótkie posiwiałe włosy. Upycham przed sobą torbę i zapinam pas. Tacka przede mną podniesiona. Moja elektronika wyłączona. Oparcie w pozycji wyprostowanej. Kiedy człowiek często się spóźnia, wie, jak nadrobić stracony czas.

Wyglądam przez okno. Bagażowi mają na sobie dodatkowe warstwy ubrania i neonowe kamizelki. Cieszę się, że lecę w cieplejsze rejony. Biorę czasopismo z kieszeni fotela. Wkrótce słyszę ryk silnika i czuję, że koła pod nami zaczynają się toczyć. Kobieta obok mnie ściska poręcze fotela, kiedy się wznosimy. Wygląda, jakby skamieniała.

Ja nie boję się latania. Boję się rekinów, huraganów i pomyłkowego uwięzienia. Boję się, że nie zrobię ze swoim życiem niczego sensownego. Ale latania się nie boję.

Kostki jej palców na poręczach bieleją. Wpycham czasopismo z powrotem.

– Nie bardzo lubi pani latać? – pytam. Kiedy jestem zdenerwowana, mówienie pomaga. Przynajmniej tyle mogę, jeśli jej to też coś da.

Kobieta odwraca się i patrzy na mnie.

– Obawiam się, że tak – mówi, uśmiechając się smutno. – Rzadko wyjeżdżam z Nowego Jorku. To mój pierwszy lot do Los Angeles.

– Cóż, jeśli to pani poprawi nastrój, ja sporo latam i mogę pani powiedzieć, że w każdym locie tylko start i lądowanie są nieprzyjemne. Przed nami jeszcze jakieś trzy minuty wznoszenia, a potem jakieś pięć minut na samym końcu. Tylko to może być przykre. Cała reszta… jakby pani jechała autobusem. Razem to tylko osiem złych minut i już jest pani w Kalifornii.

Wznosimy się dalej. Na tyle stromo, że jakaś zabłąkana butelka z wodą toczy się wzdłuż przejścia.

– Tylko osiem minut? – pyta.

Kiwam głową.

– Tylko – mówię. – Pani z Nowego Jorku?

Ona też kiwa głową.

– A pani?

Wzruszam ramionami.

– Mieszkałam w Nowym Jorku. Teraz wracam do LA. Samolot gwałtownie opada, potem prostuje lot, przedzieramy się przez chmury. Ona głęboko wciąga powietrze. Muszę przyznać, że nawet ja czuję się trochę niewyraźnie.

– Ale w Nowym Jorku byłam tylko jakieś dziewięć miesięcy – mówię. Widzę, że im dłużej gadam, tym mniej zwraca uwagę na turbulencje. – Ostatnio trochę się przenosiłam. Do szkoły chodziłam w Bostonie. Potem przeprowadziłam się do Waszyngtonu, potem Portland w Oregonie. Potem Seattle. Potem Austin w Teksasie. Potem Nowy Jork. Miasto, w którym podobno spełniają się marzenia. Chociaż, wie pani, akurat nie moje. Ale wychowywałam się w Los Angeles, więc można powiedzieć, że wracam, skąd przyjechałam, ale nie wiem, czy mogę to nazwać domem.

– A gdzie jest pani rodzina? – pyta. Głos ma spięty. Czeka na odpowiedź.

– Przeprowadzili się do Londynu, kiedy miałam szesnaście lat. Moja młodsza siostra Sarah została przyjęta do Królewskiej Szkoły Baletu. Nie mogli przepuścić takiej okazji. Ja zostałam i skończyłam szkołę w LA.

– Mieszkała pani sama? – Działa. Odwraca uwagę.

– Póki nie skończyłam ogólniaka, mieszkałam u rodziny mojej najlepszej przyjaciółki. Potem poszłam do college'u.

Samolot w końcu wyrównuje. Kapitan podaje nam wysokość. Kobieta zdejmuje ręce z poręczy fotela i głęboko oddycha.

– Widzi pani? – mówię. – Jak w autobusie.

– Dziękuję – odpowiada.

– Do usług.

Ona wygląda przez okno. Ja znów wyjmuję czasopismo. Ona znów odwraca się do mnie.

– Dlaczego pani tyle się przeprowadza? – pyta. – Czy to nie utrudnia życia? – I natychmiast się wycofuje. – Jak tylko przestaję się bać, zaraz zaczynam się zachowywać, jakbym była czyjąś matką.

Śmieję się razem z nią.

– Nie, nie, w porządku – mówię. Nie przeprowadzam się w konkretnym celu. Życie nomady nie jest świadomym wyborem. Chociaż każda przeprowadzka to moja własna decyzja, która bierze się z narastającego uczucia, że nie pasuję tam, gdzie jestem. Z nadzieją, że może gdzieś jest miejsce, do którego naprawdę będę pasowała i które istnieje gdzieś przede mną. – Chyba… nie wiem – mówię. Trudno to wytłumaczyć słowami, szczególnie komuś, kogo nie znam. Ale jednak otwieram usta i słowa się znajdują. – Nigdzie nie czuję się w domu.

Patrzy na mnie z uśmiechem.

– Przykre – mówi. – To musi być przykre.

Wzruszam ramionami, bo to impuls. To zawsze jest mój impuls: nie patrzeć na to, co złe, pędzić ku dobremu.

Ale w tej chwili nie czuję się za dobrze z moimi impulsami. Nie wiem, czy prowadzą mnie tam, gdzie chciałabym się znaleźć.

A potem, ponieważ po zakończeniu lotu nigdy jej już nie zobaczę, posuwam się krok dalej. Mówię jej coś, co ostatnio sama sobie powiedziałam:

– Czasem martwię się, że nigdy nie znajdę miejsca, które nazwę domem.

Kładzie dłoń na mojej dłoni.

– Znajdziesz – mówi. – Jeszcze jesteś młoda. Masz mnóstwo czasu.

Zastanawiam się, czy ona domyśla się, że mam dwadzieścia dziewięć lat i uważa to za młodość, czy myśli, że jestem młodsza, niż jestem.

– Dziękuję – mówię. Wyjmuję słuchawki z torby, zakładam je. – Pod koniec lotu, podczas tych pięciu niebezpiecznych minut, w czasie lądowania, możemy porozmawiać o tym, że ciągle nie wiem, co robić w życiu – mówię, śmiejąc się. – To na pewno odwróci pani uwagę.

Ona uśmiecha się szeroko i wybucha śmiechem.

– Będę to uważała za osobistą przysługę.

KIEDY PRZECHODZĘ PRZEZ WEJŚCIE DO TERMINALU, Gabby trzyma w górze napis „Hannah Marie Martin", jakbym mogła jej nie rozpoznać, jakbym nie wiedziała, że ma mnie podwieźć.

Biegnę do niej, a gdy jestem blisko, widzę, że obok mojego nazwiska narysowała mnie. To prosty szkic, ale całkiem znośny. Hannah na jej rysunku ma wielkie oczy, długie rzęsy, mały nosek i kreskę zamiast ust. Na czubku głowy włosy, upięte w dramatycznie wysoki kok. Jedyna rzecz godna uwagi w narysowanym kreskami moim ciele to przesadnie duża para cycków.

Niekoniecznie tak się widzę, ale przyznaję: jeśli zredukuje się mnie do karykatury, będą to wielkie cycki i wysoki kok. Coś jak Mickey Mouse, cały z okrągłych uszu i dłoni w rękawiczkach, albo Michael Jackson, cały z białych skarpetek i czarnych pantofli.

Wolałabym, żeby przedstawiono mnie z ciemnobrązowymi włosami i jasnozielonymi oczami, ale rozumiem, że kiedy rysuje się długopisem bic, niewiele można zdziałać z kolorami.

Chociaż nie spotkałyśmy się z Gabby od jej ślubu dwa lata temu, ostatnio przez wideoczat widywałam ją co rano w niedzielę. Rozmawiałyśmy bez względu na to, co

miałyśmy do zrobienia tego dnia czy jak skacowana była
któraś z nas. Na swój sposób te rozmowy to najbardziej
niezawodna rzecz w moim życiu.

Gabby jest malutka i szczuplutka. Włosy ma obcięte
na jeża, nie ma na niej grama zbędnego tłuszczu. Kiedy ją
ściskam, przypominam sobie, jak dziwnie jest ściskać kogoś o tyle mniejszego ode mnie i jak bardzo się różnimy
fizycznie. Ja jestem wysoka, rozłożysta i biała. Ona jest
niska, szczupła i czarna.

Nie nosi makijażu, a i tak jest jedną z najpiękniejszych
kobiet na lotnisku. Nie mówię jej tego, bo wiem, co by
odpowiedziała. Że to nieważne. Powiedziałaby, że nie powinnyśmy mówić sobie komplementów, jakie to jesteśmy
ładne, albo porównywać się, która piękniejsza. Ona wie,
że jest ładna, więc zatrzymuję to dla siebie.

Znam Gabby, odkąd miałyśmy po czternaście lat. Sie-
działyśmy obok siebie pierwszego dnia w ogólniaku, na
lekcji o Ziemi. Zaprzyjaźniłyśmy się szybko i na zawsze.
Byłyśmy Gabby i Hannah, Hannah i Gabby, a jedno imię
rzadko było wymawiane bez drugiego.

Przeprowadziłam się do niej i jej rodziców, Carla i Tiny, kiedy moja rodzina wyjechała do Londynu. Carl i Tina
traktowali mnie, jakbym była ich. Przygotowywali mnie do
egzaminów do szkół, sprawdzali, czy odrobiłam pracę domową, i nie pozwalali wracać po nocy. Carl ciągle próbował
mnie przekonać, żebym została lekarzem, tak jak on i jego
ojciec. Wiedział, że Gabby nie pójdzie jego śladem. Ona
już zdecydowała, że chce pracować w służbie publicznej.
Myślę, że widział we mnie swoją ostatnią szansę. A Tina
przeciwnie, zachęcała mnie, żebym znalazła własną drogę. Niestety, ciągle nie jestem pewna, która to droga. Ale
wtedy myślałam, że wszystko się ułoży i ważne życiowe
sprawy same się o siebie zatroszczą.

Kiedy wyjechałyśmy do college'ów, Gabby w Chicago, a ja w Bostonie, nadal ciągle rozmawiałyśmy, ale zaczęłyśmy mieć swoje nowe życie. Jako pierwszoroczniak Gabby zaprzyjaźniła się z Vanessą, inną czarną studentką ze swojej szkoły. Opowiadała mi o wyprawach do pobliskiego centrum handlowego i party, na które chodziły. Skłamałabym, gdybym powiedziała, że wtedy, na swój sposób, nie denerwowałam się. Bałam się, że Vanessa stanie się bliższa Gabby niż ja, że coś je połączy, a ja zostanę wykluczona.

Kiedyś zapytałam o to przez telefon. Leżałam w swoim pokoju w dormitorium na wielkim, podwójnym łóżku, z gorącym i spoconym od godzinnej rozmowy telefonem przy uchu.

– Czy uważasz, że Vanessa lepiej cię rozumie niż ja? – zapytałam. – Bo obie jesteście czarne? – W chwili, gdy zadałam to pytanie, zawstydziłam się. W myśli brzmiało rozsądnie, ale kiedy je usłyszałam, wydało się bezsensowne. Gdyby słowa były rzeczami, rzuciłabym się, żeby wyłapać je w powietrzu i z powrotem włożyć sobie do ust.

Gabby się zaśmiała.

– Myślisz, że biali lepiej cię rozumieją niż ja, bo są biali?

– Nie – odpowiedziałam. – Oczywiście, że nie.

– To siedź cicho – powiedziała Gabby.

I cicho siedziałam. Jeśli jest coś, co uwielbiam w Gabby, to to, że zawsze wie, kiedy powinnam cicho siedzieć. Jest jedynym człowiekiem, który często udowadnia, że zna mnie lepiej niż ja sama.

– Niech zgadnę – mówi teraz, szarmanckim gestem wyjmując mi z ręki torbę. – Będziemy musiały wynająć któryś z tych wózków na bagaż, żeby zabrać wszystkie twoje rzeczy.

Śmieję się.

– Na moją obronę, przeprowadzam się na drugi koniec kraju – odpowiadam.

Już dawno przestałam kupować meble i inne duże przedmioty. Raczej wynajmuję umeblowane mieszkania. Po jednej, dwóch przeprowadzkach człowiek uczy się, że kupowanie łóżka z Ikei, składanie go, a potem rozkładanie, żeby za pięćdziesiąt dolców sprzedać je pół roku później, to strata czasu i pieniędzy. Ale nadal mam trochę rzeczy, a niektóre przetrwały te wszystkie podróże po kraju. Byłoby okrucieństwem pozbywać się ich teraz.

– Zgaduję, że są tu co najmniej cztery butelki mleczka kosmetycznego Orange Ginger – mówi Gabby, zdejmując jedną z moich toreb z transportera.

Kręcę głową.

– Tylko jedna. Kończy mi się.

Zaczęłam używać mleczka kosmetycznego mniej więcej wtedy, kiedy się z nią spotkałam. Chadzałyśmy razem do centrów handlowych i wąchałyśmy wszystkie mleczka we wszystkich sklepach. I za każdym razem, nieodmiennie, kupowałam to samo. Orange Ginger. Kiedyś miałam w zapasie siedem butelek tego towaru.

Zdejmujemy z taśmy resztę moich toreb, pakujemy je, jedną po drugiej, na wózek i pchamy go z całych sił po chodnikach terminalu do wielopoziomowego parkingu. Upychamy je do jej maleńkiego samochodu, a potem sadowimy się z przodu.

Gawędzimy, gdy wyjeżdżamy z garażu i krążymy po ulicach prowadzących do autostrady. Ona pyta mnie o lot i jak przeżyłam wyjazd z Nowego Jorku. Przeprasza, że jej pokój gościnny jest mały. Ja jej mówię, żeby nie była śmieszna, i znowu dziękuję, że pozwoliła mi się zatrzymać u siebie. Nie mogę nie zauważyć, że przygoda się powtarza. Minęło ponad dziesięć lat i znów zatrzymuję się w pokoju gościnnym Gabby. To już szmat czasu, jak ciągle dryfuję z miejsca na miejsce, a moim oparciem jest Gabby i jej rodzina. Tym razem Gabby i jej mąż, Mark, a nie Gabby i jej rodzice. To najlepiej pokazuje różnicę między nami dwiema: jak Gabby zmieniła się od tamtego czasu i jak ja się nie zmieniłam. Gabby jest młodszym wspólnikiem zrzeszenia, które pracuje z zagrożoną młodzieżą. Ja jestem kelnerką. I to nie najlepszą.

Kiedy Gabby pędzi już autostradą i prowadzenie wozu nie zaprząta jej uwagi albo może kiedy jedzie tak szybko, że wie, że nie wyskoczę z samochodu, pyta o to, o co tak bardzo chciała zapytać, odkąd objęłam ją na powitanie.

– Więc co się stało? Powiedziałaś mu, że odchodzisz? Głośno wzdycham i spoglądam przez okno.

– On wie, że ma się ze mną nie kontaktować – mówię. – Wie, że już nigdy więcej nie chcę go widzieć. Więc chyba nie ma znaczenia, czy domyśla się, gdzie jestem.

Gabby patrzy przed siebie, na drogę, ale widzę, że kiwa głową, zadowolona ze mnie.

Właśnie teraz potrzebuję jej uznania. W tej chwili jej zdanie na mój temat jest ważniejsze niż moje własne. Ostatnio było między nami trochę nieprzyjemnie. I chociaż wiem, że Gabby zawsze będzie mnie kochać, wiem też, że wystawiłam na próbę jej bezwarunkowe poparcie.

Głównie dlatego, że zaczęłam sypiać z żonatym mężczyzną. Z początku nie wiedziałam, że jest żonaty. Myślałam, że wszystko jest w porządku. On nawet o tym nie wspomniał. Nie nosił obrączki ślubnej. Nie miał jaśniejszego miejsca na skórze, na palcu serdecznym, tak jak to piszą o żonatych mężczyznach w czasopismach. Był kłamcą. I do tego dobrym kłamcą. Podejrzewałam, jaka jest prawda, ale myślałam, że skoro o tym nie mówił, skoro nie powiedział mi tego w oczy, to nie moja sprawa i nie odpowiadam za to.

Podejrzewałam, że coś jest na rzeczy, gdy raz nie odpowiadał na moje telefony przez sześć dni, a w końcu zadzwonił i udawał, że nic się nie stało. Podejrzewałam, że jest inna kobieta, kiedy nie pozwolił mi skorzystać ze swojego telefonu. Podejrzewałam, że to ja jestem tą inną kobietą, gdy wpadliśmy na jego kolegę z pracy w restauracji w SoHo i zamiast mnie przedstawić, Michael powiedział, że mam coś na zębach i powinnam iść do łazienki, żeby się tego pozbyć. Poszłam i uczciwie mówiąc, trudno mi było patrzeć na siebie w lustrze dłużej niż przez kilka sekund. Kiedy wróciłam, udawałam, że nie zrozumiałam, o co mu chodziło.

A Gabby, oczywiście, wiedziała o wszystkim. Przyznawałam się przed nią w takim samym stopniu, jak przed sobą.

– Myślę, że on jest żonaty – powiedziałam jej w końcu jakiś miesiąc temu. Siedziałam w łóżku, nadal w piżamie, rozmawiałam z nią przez laptop i wiązałam kok.

Widziałam, jak pikselowa twarz Gabby spochmurniała.

– Mówiłam ci, że on jest żonaty – powiedziała; jej cierpliwość zaczynała się wyczerpywać. – Mówiłam ci to trzy tygodnie temu. Mówiłam ci, że musisz z tym skończyć. Bo to jest nie w porządku. Bo to jest mąż innej kobiety. Bo nie powinnaś pozwalać, żeby jakiś mężczyzna traktował cię jak kochankę. Już ci to mówiłam.

– Wiem, ale naprawdę nie myślałam, że jest żonaty. Powiedziałby mi, gdyby był. Wiesz? Więc nie myślałam, że jest. I nie mam zamiaru go pytać, bo to takie poniżające, prawda? – To było moje uzasadnienie. Nie chciałam go poniżyć.

– Hannah, musisz skończyć z tą bzdurą. Mówię serio. Jesteś cudownym człowiekiem, masz wiele do zaoferowania światu. Ale to jest nie w porządku. I ty o tym wiesz.

Słuchałam jej. A potem pozwoliłam, żeby wszystkie jej rady uleciały z wiatrem. Jakby były skierowane do kogoś innego i to nie ja miałam się do nich stosować.

– Nie – powiedziałam, kręcąc głową. – Chyba co do tego nie masz racji. To było przeznaczenie. Spotkaliśmy się z Michaelem w barze w Bushwick, w środowy wieczór. Nie jeżdżę do Bushwick. I rzadko wychodzę w środowe wieczory. On też! Jakie są na to szanse? Na to, że dwoje ludzi spotka się w ten sposób?

– Żartujesz, prawda?

– Dlaczego miałabym żartować? Mówię teraz o przeznaczeniu. Słowo. Powiedzmy, że on jest żonaty...

– Jest.

– Tego nie wiemy. Ale powiedzmy, że jest.

– Jest.

– Powiedzmy, że jest. To nie znaczy, że nie było nam przeznaczone spotkać się. Przeżywam tylko nieuchronne koleje losu. Może jest żonaty. I w porządku, bo tak miało być.

Odgadłam, że Gabby była mną rozczarowana. Widziałam to po jej brwiach i grymasie ust. A ponieważ o tym wiedziałam, musiałam uciec od tego jak najdalej. Więc powiedziałam:

– Wiesz, Gabby, nawet jeśli on jest żonaty, to nie znaczy, że ja nie jestem dla niego lepsza niż ta druga. W miłości i na wojnie wszystkie chwyty są dozwolone.

Dwa tygodnie później jego żona dowiedziała się o mnie i zadzwoniła z krzykiem.

On już to robił wcześniej.

Ona znalazła dwie inne.

A ja, czy ja wiem, że mają troje dzieci?

Tego nie wiedziałam.

Bardzo łatwo jest usprawiedliwiać to, co się robi, kiedy się nie zna twarzy i nazwisk ludzi, których można zranić. Bardzo łatwo jest być po swojej stronie, nie oglądając się na innych, kiedy wszystko dzieje się w abstrakcji.

I myślę, że dlatego we wszystkim widzę abstrakcję.

Bawiłam się w grę „tak, ale". W grę „tego na pewno nie wiemy". W grę „mimo to". Widziałam prawdę przez moje własne, maleńkie końskie okulary, prawdę ograniczoną i różową.

I nagle, jakby te okulary spadły, zobaczyłam w szokującej czerni i bieli, co narobiłam.

Czy liczy się to, że kiedy poznałam prawdę, zachowałam się honorowo? Czy liczy się to, że jak tylko usłyszałam głos jego żony, jak tylko dowiedziałam się, jakie imiona noszą jego dzieci, już więcej się do niego nie odezwałam?

Czy liczy się to, że widzę jasną jak słońce moją własną winę i że czuję głęboką skruchę? Że gdzieś, w głębi, nienawidzę siebie za zasłanianie się udawaną ignorancją, żeby usprawiedliwić to, co naprawdę uważam za niewłaściwe?

Gabby myśli, że tak. Ona myśli, że to mnie zbawia. Ja nie jestem tego taka pewna.

Kiedy Michael wypadł z mojego życia, zrozumiałam, że niewiele innych spraw trzyma mnie w Nowym Jorku. Zima była ostra i tylko podkreślała jeszcze mocniej, jaka jestem samotna w mieście milionów ludzi. W pierwszym tygodniu po zerwaniu z Michaelem bardzo często dzwoniłam do rodziców i siostry, Sarah. Nie po to, żeby opowiadać o moich problemach, ale żeby usłyszeć przyjazny głos. Zawsze do mnie oddzwaniali. Oni zawsze oddzwaniają. Ale ja nigdy nie potrafię zgadnąć, kiedy mogą być dostępni.

A przy różnicy czasu bardzo często zostaje tylko parę godzin, żeby się złapać.

W ostatnim tygodniu wszystko zaczęło się spiętrzać. Dziewczyna, u której wynajmowałam mieszkanie, dała mi dwutygodniowe wypowiedzenie, bo znowu go potrzebowała. Szef czepiał się mnie w pracy i dał do zrozumienia, że lepsze zmiany dostają dziewczyny, które pokazują rowek między piersiami. Utknęłam w pociągu G na godzinę i czterdzieści pięć minut, kiedy się zepsuł przy Bowling Street. Michael ciągle do mnie wydzwaniał i zostawiał pocztę głosową, prosząc, żebym pozwoliła mu się wytłumaczyć, mówił, że chce zostawić żonę dla mnie, a mnie było wstyd, że dzięki temu poczułam się lepiej, chociaż przez to zupełnie koszmarnie.

Więc zadzwoniłam do Gabby. I płakałam. Przyznałam, że sprawy w Nowym Jorku są trudniejsze, niż wcześniej o tym mówiłam. Przyznałam, że nic się nie układa, że moje życie nie toczy się tak, jakbym chciała. Powiedziałam jej, że muszę się zmienić.

A ona na to:

– Przyjeżdżaj do domu.

Zajęło mi chwilę, zanim zrozumiałam, że chodzi jej o to, żebym sprowadziła się z powrotem do Los Angeles. Bo tyle czasu minęło, odkąd myślałam o swoim rodzinnym mieście jako o domu.

– Do LA? – zapytałam.

– Tak – powiedziała. – Przyjeżdżaj do domu.

– Wiesz, tam jest Ethan – powiedziałam. – Wrócił chyba parę lat temu.

– Więc się z nim spotkasz – zdecydowała Gabby. – Zdarzały ci się gorsze rzeczy niż ponowne spotkanie z dobrym facetem.

– U ciebie jest cieplej – powiedziałam, wyglądając przez okno na ulicę pokrytą brudnym śniegiem.

– Parę dni temu były dwadzieścia trzy stopnie – powiedziała.

– Ale zmiana miast nie rozwiąże problemu – wydusiłam z siebie, chyba po raz pierwszy w życiu. – Chodzi o to, że to ja muszę się zmienić.

– Wiem – powiedziała. – Przyjeżdżaj do domu. Zmieniaj się tutaj.

Po raz pierwszy od dawna coś miało sens.

Teraz Gabby łapie mnie na chwilę za rękę i ściska ją, patrząc na jezdnię.

– Jestem z ciebie dumna, że przejmujesz kontrolę nad swoim życiem – mówi. – Wystarczyło, że wsiadłaś rano do samolotu, żebyś zaczęła zbierać się w sobie.

– Tak myślisz? – pytam.

Kiwa głową.

– Myślę, że Los Angeles dobrze ci zrobi. Powrót do korzeni. To zbrodnia, że mieszkałyśmy tak daleko od siebie przez tyle lat. Naprawiasz niesprawiedliwość.

Śmieję się. Próbuję w tej przeprowadzce zobaczyć zwycięstwo, a nie porażkę.

Wreszcie zajeżdżamy na ulicę Gabby, parkujemy przy krawężniku.

Jesteśmy przed kompleksem budynków na stromej, pagórkowatej ulicy. W ubiegłym roku Gabby i Mark kupili dom. Patrzę na rząd budynków i szukam numeru cztery, żeby zobaczyć ten ich dom. Od miesięcy wysyłałam Gabby kartki, ciasta i różne podarunki. Znam jej adres na pamięć. Kiedy w wieczornym świetle dostrzegam numer na drzwiach, widzę, jak wychodzi Mark i idzie w naszą stronę.

Jest wysokim, banalnie przystojnym mężczyzną. Bardzo silny fizycznie, bardzo tradycyjnie męski. Zawsze miałam

upodobanie do facetów z pięknymi oczami
stem i myślałam, że Gabby też. Ale skończ
ku, chłopaku z plakatu, eleganckim i stat
z tych facetów, którzy chodzą na siłown...
nigdy tego nie robiłam.

Otwieram drzwi samochodu i chwytam jedną z moich
toreb. Gabby chwyta drugą. Mark spotyka nas przy wozie.

– Hannah! – mówi i ściska mnie mocno. – Tak miło cię
widzieć. – Wyjmuje z samochodu resztę toreb i idziemy do
domu. Rozglądam się po ich salonie. Mnóstwo naturalnych
kolorów i drewna w wykończeniu. Spokojnie i okazale.

– Twój pokój jest na górze – odzywa się Gabby i w
trójkę wchodzimy po wąskich schodach na piętro. Tam
jest główna sypialnia i jeszcze jedna sypialnia po drugiej
stronie korytarza.

Gabby i Mark prowadzą mnie do pokoju gościnnego,
stawiamy wszystkie torby.

Pokój jest mały, ale w sam raz dla mnie. Jest w nim
podwójne łóżko z białą kołdrą, biurko i komoda.

Już późno, jestem pewna, że oboje, i Gabby, i Mark, są
zmęczeni, więc szybko się uwijam.

– Kochani, idźcie do łóżka. Sama się rozgoszczę – mówię.

– Jesteś pewna? – pyta Gabby.

Nalegam.

Mark ściska mnie i idzie do ich sypialni. Gabby mówi
mu, że będzie za chwilę.

– Naprawdę cieszę się, że jesteś tutaj – mówi do mnie. –
Przy tych wszystkich twoich przeprowadzkach z miasta do
miasta zawsze miałam nadzieję, że wrócisz. Przynajmniej
na krótko. Lubię, kiedy jesteś blisko mnie.

– Cóż, masz mnie – uśmiecham się. – Może nawet
bliżej, niż chciałaś.

Nie bądź głupia – mówi. – Jeśli o mnie chodzi, to mieszkaj w moim pokoju gościnnym, aż obie dożyjemy dziewięćdziesiątki.

Ściska mnie i wychodząc rzuca:

– Jeśli wstaniesz przed nami, nie krępuj się i zrób sobie kawy.

Kiedy słyszę, że drzwi do sypialni się zamykają, chwytam torbę z przyborami toaletowymi i idę do łazienki. Światło jest tu jaskrawe i bezlitosne; nawet przykre. Przy umywalce jest powiększające lustro. Przyciągam je do twarzy. Widzę, że muszę nawoskować brwi, ale ogólnie nie mam na co narzekać. Gdy zaczynam odsuwać lustro z powrotem na miejsce, odbicie obejmuje zewnętrzną stronę twarzy, koło lewego oka.

Naciągam skórę, jakbym chciała zaprzeczyć temu, co widzę. Pozwalam jej wrócić na miejsce. Naciągam jeszcze raz, przyglądam się, sprawdzam.

Mam początki kurzych łapek.

Nie mam mieszkania ani pracy. Nie mam stałego związku ani nawet miasta, które mogę nazwać rodzinnym. Nie mam pojęcia, co chcę zrobić z życiem ani co robić w ogóle, ani realnej wskazówki, jaki mam cel życia. A jednak czas mnie dopadł. Lata, podczas których obijałam się między różnymi zajęciami, w różnych miastach, pokazują się na mojej twarzy.

Mam zmarszczki.

Zostawiam lustro. Myję zęby. Myję twarz. Postanawiam kupić krem na noc i zacząć smarować się filtrem UV. A potem odrzucam kołdrę i idę do łóżka.

Moje życie to może katastrofa. Może czasem nie podejmuję najlepszych decyzji. Ale nie będę tutaj leżeć, gapić się w sufit i martwić się przez całą noc.

Przeciwnie, smacznie zasnę z przekonaniem, że jutro będzie mi lepiej. Jutro wszystko będzie lepiej. Jutro znajdę sposób na wszystko.

Jutro, dla mnie, to zupełnie nowy dzień.

W JASNYM, SŁONECZNYM POKOJU BUDZI MNIE DZWONEK.

– Ethan! – szepczę do telefonu. – Jest dziewiąta rano, sobota!

– Tak – mówi, a jego chrypliwy głos jest jeszcze bardziej chrypliwy w telefonie. – Ale ty nadal funkcjonujesz według czasu Wschodniego Wybrzeża. Dla ciebie to południe. Powinnaś już być na nogach.

Szepczę dalej:

– Okej, ale Gabby i Mark jeszcze śpią.

– Kiedy się z tobą spotkam? – pyta.

Ethana spotkałam w drugiej klasie ogólniaka w Homecoming.

Nadal mieszkałam w domu z rodzicami. Tamtego wieczoru Gabby dostała pracę babysitterki i postanowiła ją wziąć, zamiast iść na tańce. Skończyło się na tym, że poszłam sama, nie dlatego, że chciałam, ale dlatego, że tato dokuczał mi, że nigdy nie wychodzę bez niej. Poszłam, żeby udowodnić, że nie ma racji.

Prawie cały wieczór stałam pod ścianą, zabijałam czas, czekając, aż będę mogła wyjść. Tak mi się nudziło, że chciałam zadzwonić do Gabby i namówić ją, żeby dołączyła do mnie, kiedy skończy się jej babysitterska chałtura. Ale Jessie

Flint tańczył powoli z Jessicą Campos przez cały wieczór, pośrodku parkietu. A Gabby kochała Jessie Flinta; marniała przez niego, odkąd zaczęła się szkoła. Nie mogłam jej tego zrobić.

Wieczór się kończył, a pary zaczynały się już pieścić w przyciemnionej sali gimnastycznej. Popatrzyłam wtedy na jedyną osobę stojącą pod ścianą. Był wysoki i szczupły, miał rozczochrane włosy i zmiętą koszulę. Krawat rozluźniony. Spojrzał wprost na mnie. A potem podszedł do miejsca, w którym stałam i się przedstawił.

– Ethan Hanover – powiedział, wyciągając rękę.

– Hannah Martin – powiedziałam, wyciągając swoją rękę.

Był trzecioklasistą z innej szkoły. Powiedział, że jest tutaj z uprzejmości wobec Katie Franklin, która nie miała chłopaka. Znałam Katie całkiem nieźle. Wiedziałam, że jest lesbijką, niegotową jeszcze, by powiedzieć o tym rodzicom. Cała szkoła wiedziała, że ona i Teresa Hawkins były więcej niż przyjaciółkami. Więc pomyślałam, że nikogo nie skrzywdzę, flirtując z chłopakiem, którego przyprowadziła jako przykrywkę.

Ale od razu, natychmiast, zapomniałam, że na tańcach jest ktoś poza nami. Kiedy Katie wreszcie przyszła, żeby go zabrać, i powiedziała, że czas iść, czułam się, jakby coś mi odebrano. Kusiło mnie, żeby sięgnąć, złapać go i powiedzieć, że jest mój.

W następny weekend Ethan robił party w domu swoich rodziców i mnie zaprosił. Gabby i ja zazwyczaj nie chadzałyśmy na wielkie przyjęcia, ale zmusiłam ją, żeby poszła. W chwili, gdy stanęłam w drzwiach, chwycił mnie za rękę i przedstawił kolegom. Zgubiłam Gabby gdzieś przy chipsach.

Wkrótce poszliśmy z Ethanem na górę. Siedzieliśmy na najwyższym stopniu schodów, biodro przy biodrze, roz-

24

mawialiśmy o naszych ulubionych zespołach. Pocałował mnie tam, w ciemności, a szalona impreza rozgrywała się tuż u naszych stóp.

– Zorganizowałem party tylko dlatego, żeby do ciebie zadzwonić i zaprosić cię – powiedział. – Czy to głupie?

Pokręciłam głową i pocałowałam go.

Kiedy jakąś godzinę później przyszła Gabby i znalazła mnie, wargi miałam obrzmiałe i wiedziałam, że mam malinkę.

Dziewictwo straciliśmy razem półtora roku później.

Byliśmy w jego sypialni, kiedy jego rodzice wyjechali do miasta. Kiedy pod nim leżałam, powiedział mi, że mnie kocha i w kółko pytał, czy było dobrze.

Niektórzy ludzie mówią o swoim pierwszym razie jako o komicznym albo żałosnym doświadczeniu. Ja nie mogę tak powiedzieć. Mój pierwszy raz był z kimś, kogo kochałam, z kimś, kto też nie miał pojęcia, co robimy. Gdy pierwszy raz uprawiałam seks, byłam zakochana. Właśnie z tego powodu zawsze miałam słabość do Ethana.

A potem wszystko się rozpadło. On dostał się na uniwersytet w Berkeley. Sarah dostała się do Królewskiej Szkoły Baletu, a moi rodzice spakowali się i przeprowadzili do Londynu. Ja przeprowadziłam się do Hudsonów. A później, w balsamiczny sierpniowy poranek, tydzień przed rozpoczęciem mojej ostatniej klasy w ogólniaku, Ethan wsiadł do samochodu rodziców i wyjechał do Północnej Kalifornii.

Kochaliśmy się do końca października, zanim zerwaliśmy. Wtedy mówiliśmy sobie, że to tylko dlatego, bo czasu mało, a odległość duża. Powiedzieliśmy sobie, że zejdziemy się znowu latem. Powiedzieliśmy sobie, że to niczego nie zmienia, że nadal jesteśmy bratnimi duszami.

Ale to były głodne kawałki, które mówi się w każdym college'u każdej jesieni.

Zaczęłam zastanawiać się nad szkołami w Bostonie i Nowym Jorku, bo mieszkając na Wschodnim Wybrzeżu, łatwiej było przenieść się do Londynu. Kiedy Ethan przyjechał do domu na Boże Narodzenie, chodziłam z facetem o nazwisku Chris Rodriguez. Gdy Ethan przyjechał do domu na lato, chodził z dziewczyną o nazwisku Alicia Foster.

Potem dostałam się na Uniwersytet Bostoński, i to był koniec.

Między nami były ponad trzy tysiące mil i żadnych planów, żeby skrócić tę odległość.

Sporadycznie kontaktowaliśmy się z Ethanem: od czasu do czasu telefon, taniec czy dwa na weselach wspólnych znajomych. Ale zawsze towarzyszyło temu ogromne napięcie. I świadomość, że nie zrealizowaliśmy naszych planów.

On nadal, po tych wszystkich latach, lśni dla mnie jaśniej od innych. Nawet kiedy go przebolałam, nigdy nie byłam w stanie całkowicie wygasić tego ognia, jakby to był płomyk wskazujący drogę, mały, ale bardzo żywy.

– Według moich obliczeń jesteś w tym mieście od dwunastu godzin – mówi Ethan. – I nich mnie diabli, jeśli pozwolę, żebyś spędziła tu kolejne dwanaście godzin bez spotkania ze mną.

Śmieję się.

– Hm, chyba zostawimy sobie trochę czasu – mówię do niego. – Gabby mówi, że jest jakiś bar w Hollywood, do którego powinniśmy pójść dziś wieczór. Zaprosiła paczkę znajomych z ogólniaka, więc znowu wszystkich zobaczę. Ona nazywa to parapetówką. Ale to chyba bez sensu.

Ethan się śmieje.

– Wyślij mi esemesa z miejscem i czasem. Będę tam.

– Wspaniale.

Zaczynam się żegnać, ale jego głos znów się wtrąca.

– Hej, Hannah – mówi.

– Tak?

– Cieszę się, że postanowiłaś wrócić do domu.

Śmieję się.

– Cóż, raczej uciekałam z różnych miast.

– Bo ja wiem – mówi. – Wolę myśleć, że po prostu wróciłaś do zdrowych zmysłów.

WYCIĄGAM RZECZY Z WALIZKI i rozrzucam je po pokoju gościnnym.

– Przysięgam, że to posprzątam – mówię do Gabby i Marka. Są ubrani i stoją przy drzwiach. Są gotowi do wyjścia od co najmniej dziesięciu minut.

– To nie pokaz mody – mówi Gabby.

– To mój pierwszy wieczór po powrocie do Los Angeles – usprawiedliwiam się. – Chcę ładnie wyglądać.

Mam na sobie czarną koszulę i czarne dżinsy, długie kolczyki i oczywiście wysoki kok. Ale potem uświadamiam sobie, że tego popołudnia na dworze jest szesnaście stopni.

– Tylko znajdę bezrękawnik – mówię. Zaczynam przeszukiwać ubrania, które dopiero co rozrzuciłam po pokoju. Znajduję perłowy bezrękawnik i narzucam go na siebie. Ślizgam się na czarnych obcasach. Patrzę w lustro i poprawiam kok. – Obiecuję, że to posprzątam, gdy wrócimy.

Widzę, że Mark śmieje się ze mnie. Dobrze wie, że ja czasem nie robię dokładnie tego, co zapowiedziałam, że zrobię. Nie mam wątpliwości, że kiedy Gabby zapytała Marka, czy mogę tutaj zostać, przygotowała go, mówiąc, „Pewnie wszędzie porozrzuca swoje rzeczy". Nie mam też wątpliwości, że on powiedział, że dobrze, jest okej, więc nie czuję się szczególnie speszona.

Ale właściwie nie sądzę, żeby Mark śmiał się z tego. Mówi:

– Jak na kogoś tak zdezorganizowanego wyglądasz całkiem składnie.

Gabby uśmiecha się do niego, a potem do mnie.

– Tak wyglądasz. Wyglądasz olśniewająco. – Chwyta klamkę i dodaje: – Ale wygląd nie jest miarą kobiety. – Nie może się powstrzymać. Ta poprawność sądów jest po prostu częścią tego, kim ona jest. Uwielbiam ją za to.

– Dziękuję wam obojgu – mówię, idąc za nimi do ich samochodu.

Kiedy docieramy do baru, jest jeszcze całkiem spokojnie. Gabby i Mark siadają, a ja wstaję, żeby przynieść nam drinki. Zamawiam piwo dla Marka i dla siebie, a kieliszek chardonnay dla Gabby. Rachunek wynosi dwadzieścia cztery dolary, podaję swoją kartę kredytową. Nie wiem, ile pieniędzy mam na koncie, bo boję się sprawdzać. Ale wiem, że wystarczy na parę tygodni życia i na wynajęcie mieszkania. Nie chcę wyciągać drobnych.

Przynoszę piwa do stolika i wracam po wino Gabby. Zanim usiadłam, dołączyła do nas inna kobieta. Pamiętam, że spotkałam ją parę lat temu na ślubie Gabby i Marka. Na imię ma chyba Katherine. Kilka lat temu biegła w Maratonie Nowojorskim. Twarze i nazwiska zapamiętuję całkiem nieźle. Łatwo też zapamiętuję szczegóły dotyczące ludzi, których spotkałam tylko raz. Ale już dawno temu nauczyłam się, żeby to ukrywać. Ludzie dostają od tego trzęsionki.

Katherine wyciąga rękę.

– Katherine – przedstawia się.

Ściskam jej dłoń i podaję swoje imię.

– Miło cię widzieć – mówi. – Witamy z powrotem w Los Angeles!

– Dziękuję – mówię. – Właściwie to chyba już się spotkałyśmy.

– Tak?

– Tak, na ślubie Gabby i Marka. – Udaję, że właśnie sobie przypomniałam. – Opowiadałaś mi, jak biegłaś w jakimś maratonie, prawda? Boston czy Nowy Jork?

Uśmiecha się.

– Nowy Jork! Tak! Świetna pamięć!

I teraz Katherine mnie lubi. Gdybym od razu z tym wyskoczyła, gdybym powiedziała: „Och, już się spotkałyśmy. Na ich ślubie byłaś ubrana w żółtą sukienkę i powiedziałaś, że bieg w Maratonie Nowojorskim był najtrudniejszą, ale najbardziej satysfakcjonującą rzeczą w twoim życiu", Katherine pomyślałaby, że jestem dziwadłem. Przekonałam się o tym na własnej skórze.

Wkrótce zaczęły przychodzić moje dawne koleżanki z ogólniaka, dziewczyny, z którymi łaziłyśmy z Gabby: Brynn, Caitlin, Erica. Wrzeszczę i krzyczę z całych sił na widok każdej z nich. Tak miło widzieć znajome twarze, spotkać się i wiedzieć, że ludzie, którzy cię znali, kiedy miałaś piętnaście lat, nadal cię lubią. Brynn wygląda starzej, Caitlin wygląda chudziej, Erica wygląda dokładnie tak samo.

Paru kolegów Marka z pracy pojawia się z żonami i wkrótce kłębimy się wokół za małego dla nas stolika.

Ludzie zaczynają stawiać sobie drinki. Kolejka dla tej, kolejka dla tego. Mam swoje piwo i kilka dietetycznych coli. W Nowym Jorku piłam dużo. Z Michaelem piłam dużo. Teraz zaczyna się to zmieniać.

Znowu jestem przy barze, gdy widzę, jak przez drzwi wchodzi Ethan.

Jest nawet wyższy, niż zapamiętałam, nosi luźną, zapinaną na guziki bawełnianą bluzę i ciemne dżinsy. Włosy ma krótkie i zmierzwione, kilkudniowy zarost. W ogólniaku był śliczny. Teraz jest przystojny. Podejrzewam, że z wiekiem będzie coraz przystojniejszy.

Zastanawiam się, czy ma kurze łapki, tak jak ja.

Patrzę, jak rozgląda się za mną, szuka mnie w tłumie. Płacę za drinki, które trzymam w dłoni, i idę w jego stronę.

Kiedy już zaczynam się bać, że mnie nie zobaczy, wreszcie spogląda na mnie. Rozjaśnia się i szeroko uśmiecha.

Szybko idzie w moją stronę, przestrzeń między nami niemal natychmiast sprowadza się do zera. Obejmuje mnie ramionami i mocno ściska. Na chwilę stawiam drinki na brzegu baru, żeby ich nie rozlać.

– Cześć – mówi on.

– Jesteś tutaj! – mówię ja.

– To ty tutaj jesteś! – mówi on.

Znowu go ściskam.

– To naprawdę wspaniale cię widzieć – mówi do mnie. – Piękna jak zwykle.

– Dziękuję bardzo – mówię do niego.

Podchodzi do nas Gabby.

– Gabby Hudson – mówi on i nachyla się, żeby ją uściskać.

– Ethan! – mówi ona. – Miło cię widzieć.

– Idę wziąć drinka i zaraz do was wracam – mówi do nas.

Kiwam do niego głową i razem z Gabby wracamy do naszego stolika.

Ona unosi brwi, patrząc na mnie.

Ja podnoszę oczy i patrzę na nią.

Wymiana zdań, chociaż żadne słowo nie pada.

Wkrótce muzyka jest tak głośna, a bar tak przepełniony, że rozmowa staje się trudna.

Próbuję usłyszeć, co mówi Caitlin, kiedy Ethan dociera do stolika. Staje obok i opiera o mnie rękę, zupełnie nieświadomie. Sączy swoje piwo i zwraca się do Katherine, oboje próbują siebie usłyszeć mimo muzyki. Przez chwilę przyglądam się, widzę, że on patrzy na nią z natężeniem, gestykuluje, jakby opowiadał dowcip. Widzę, jak ona odrzuca głowę do tyłu i się śmieje.

Jest piękniejsza, niż mi się wydawało. Wcześniej wyglądała zwyczajnie. Ale teraz widzę, że jest piękna. Jej długie blond włosy opadają prosto. Szafirowoniebieska sukienka podkreśla figurę. Wygląda na to, że ona nawet nie musi nosić biustonosza.

Ja nigdzie nie mogę wyjść bez biustonosza.

Gabby ciągnie mnie za rękę i wlecze na parkiet. Dołącza do nas Caitlin, a potem dołączają się także Erica i Brynn. Tańczymy przy paru piosenkach, wreszcie widzę, że Ethan i Katherine dołączają do nas. Mark zostaje z innymi, trzyma swoje piwo.

– On nie tańczy? – pytam Gabby.

Gabby unosi oczy. Śmieję się, gdy Katherine, wirując, łapie moje spojrzenie. Ethan obraca ją w kółko.

Zastanawiam się, czy zabierze ją do domu. Jestem zaskoczona, jak bardzo dręczy mnie ta myśl, jak bardzo oczywiste są moje uczucia.

On się śmieje, kiedy piosenka się kończy. Rozchodzą się, on przybija z nią piątkę. To wygląda na gest przyjacielski, bez odrobiny romantyzmu.

Gdy teraz na niego patrzę, gdy przypominam sobie, co między nami było, jak lubiłam z nim być, jaki dobry był świat i moje w nim miejsce przy jego boku, jak cierpiałam, kiedy wyjechał do college'u... pamiętam, jak to jest, gdy kogoś naprawdę się kocha. Z właściwych powodów. We właściwy sposób.

Gabby klepie mnie po ramieniu i przywraca do rzeczywistości. Odwracam się, żeby na nią popatrzeć. Próbuje mi coś powiedzieć. Nie słyszę jej.

– Trochę powietrza! – krzyczy, wskazując patio. Macha ręką jak wachlarzem. Śmieję się i wychodzę za nią.

Gdy tylko wychodzimy, świat robi się zupełnie inny. Powietrze jest chłodniejsze, a muzyka stłumiona przez ściany.

– Jak się czujesz? – pyta mnie Gabby.

– Ja? Świetnie, a co?

– Tak pytam – mówi.

– Więc Mark nie tańczy, tak? – pytam, zmieniając temat. – Ty uwielbiasz tańczyć! On nie zabiera cię na tańce?

Ona kręci głową i ściąga brwi.

– Wcale. Nie jest tego typu facetem. Jest w porządku. To znaczy, nikt nie jest doskonały poza tobą i mną – żartuje.

Otwierają się drzwi, wchodzi Ethan.

– O czym gadacie tutaj, na zewnątrz? – pyta.

– Mark nie lubi tańczyć – mówię.

– Właściwie to mam zamiar sprawdzić, czy potrafi zatańczyć raz, ale naprawdę dobrze – mówi Gabby. Uśmiecha się do mnie, odchodząc.

Teraz na zewnątrz zostaliśmy tylko Ethan i ja.

– Wyglądasz, jakby ci było trochę zimno – mówi, siadając na pustej ławce. – Dałbym ci swoją koszulę, ale nie mam nic pod spodem.

– Mógłbyś złamać przepisy dotyczące stroju – mówię. – Myślałam, że skoro jestem w LA, powinnam nosić bezrękawnik, ale…

– Ale jest luty – przerywa mi. – A to jest Los Angeles, nie równik.

– Można dostać bzika. To miasto wydaje mi się nowe, chociaż tak długo tu mieszkałam. – Siadam obok niego.

– Tak, ale miałaś osiemnaście, kiedy wyjechałaś. Teraz masz prawie trzydzieści.

– Wolę określenie dwadzieścia dziewięć – mówię.

Śmieje się.

– Miło, że wróciłaś – mówi. – Nie mieszkaliśmy w tym samym mieście od… chyba prawie trzynastu lat.

– No, no – mówię. – Teraz czuję się nawet starsza, niż gdy powiedziałeś, że mam prawie trzydzieści.

On znowu się śmieje.

– Jak ci się powodzi? – pyta. – W porządku?

– Ze mną jest okej – odpowiadam. – Muszę dociągnąć parę spraw.

– Chcesz o nich porozmawiać?

– Może – mówię, uśmiechając się. – Kiedyś.

Patrzy na mnie.

– Chętnie posłucham. Kiedyś.

– Co jest między tobą a Katherine? – pytam beztrosko. Staram się, żeby to zabrzmiało na luzie i udaje mi się.

Ethan kręci głową.

– Nie, nie – mówi. – Nic. Po prostu zaczęła ze mną rozmawiać, a mnie było miło ją bawić. – Uśmiecha się do mnie. – Nie ją przyszedłem zobaczyć.

Teraz patrzymy na siebie oboje, żadne z nas nie odwraca wzroku. On wpatruje się w moje oczy, koncentruje się na nich, jakbym była jedyna na świecie. A ja zastanawiam się, czy w ten sposób patrzy na wszystkie kobiety.

A potem pochyla się i całuje mnie w policzek.

To, co czuję, jego wargi na mojej skórze, uświadamia mi, że całe lata szukałam tego uczucia i nie mogłam go odnaleźć. Zadowalałam się przypadkowymi, chwilowymi romansami, marnymi przygodami miłosnymi, żonatymi mężczyznami i szukałam tej właśnie chwili, kiedy serce chce wyskoczyć z piersi.

I myślę, czy powinnam pocałować go naprawdę, czy powinnam leciutko odwrócić głowę i dotknąć wargami jego warg.

Przez drzwi wchodzą Gabby i Mark.

– Hej – mówi Gabby i na nas patrzy. – Och, przepraszam.

– Nic, nic – mówię. – Hej.

Ethan się śmieje.

– Ty jesteś Mark, prawda? – mówi, wstaje i podaje mu rękę. – Ethan. Wcześniej nie było okazji, żeby się przedstawić.

– Tak. Hej. Miło, że się spotkaliśmy.

– Przepraszam – mówi Gabby. – Musimy jechać.

– Właśnie się dowiedziałem, że mam wcześnie rano robotę – mówi Mark.

– W niedzielę? – pytam.

– Tak, jedna sprawa w pracy, muszę to zrobić.

Patrzę na zegarek. Jest po północy.

– Och, w porządku – mówię i zaczynam wstawać.

– Mogę cię później podwieźć do domu, do Gabby – mówi Ethan. – Gdybyś chciała jeszcze trochę zostać. Jak wolisz.

Prze ułamek sekundy widzę nikły uśmieszek na twarzy Gabby.

Śmieję się w duchu. Takie to oczywiste, prawda?

Wracając do LA, nie próbuję wyłącznie stworzyć sobie lepszego życia z pomocą najlepszej przyjaciółki. Zadaję sobie też pytanie, czy między Ethanem a mną jest jakaś niedokończona sprawa.

Całe lata spędziliśmy osobno. Mieliśmy bardzo różne życie. I jesteśmy z powrotem tutaj. Flirtujemy obok, kiedy wszyscy inni tańczą. Tak jak wtedy.

Będziemy czy nie będziemy? – myślę. Jeśli pozwolę mu odwieźć się do domu, czy to będzie więcej znaczyło dla mnie, czy dla niego?

Patrzę na Ethana, potem patrzę na Gabby.

Życie jest długie, pełne nieskończonej liczby decyzji.

Muszę wierzyć, że te drobne nie mają znaczenia i że znajdę się tam, gdzie powinnam, bez względu na to, co zrobię.

Moje przeznaczenie mnie znajdzie.

Więc decyduję się...

Więc DECYDUJĘ SIĘ NA POWRÓT Z GABBY.

Nie chcę w nic wpadać na oślep.

Odwracam się i ściskam Ethana na pożegnanie. Przez drzwi słyszę, że didżej właśnie puścił *Express Yourself* Madonny i przez chwilę żałuję swojej decyzji. Uwielbiam tę piosenkę. Razem z Sarah śpiewałyśmy ją przez cały czas w samochodzie. Mama nie pozwalała nam śpiewać zwrotki o satynowych prześcieradłach. Ale my po prostu uwielbiałyśmy tę piosenkę. Mogłyśmy jej słuchać bez końca.

Zastanawiam się, czy nie odwołać pożegnania, jakby cały wszechświat mówił mi: zostań i tańcz.

Ale nie odwołuję.

– Powinnam jechać do domu – mówię do Ethana. – Jest późno, a ja chcę przestawić się na czas Zachodniego Wybrzeża, wiesz?

– Doskonale rozumiem – mówi. – Dziś wieczór świetnie się bawiłem.

– Ja też. Zadzwonić do ciebie?

Ethan kiwa głową i podchodzi do Gabby, żeby uścisnąć ją na pożegnanie. Podaje rękę Markowi. Odwraca się do mnie i szepcze mi do ucha:

– Jesteś pewna, że nie przekonam cię, żebyś została?

Kręcę głową i uśmiecham się do niego.

– Wybacz – mówię.

Uśmiecha się i leciutko wzdycha, po minie widać, że przyjął porażkę.

Wchodzimy z powrotem do baru i mówimy wszystkim do widzenia – Erice, Caitlin, Brynn, Katherine i innym, których dziś wieczór spotkałam.

– Byłam pewna, że wrócisz do domu z Ethanem – odzywa się Gabby, kiedy idziemy do samochodu.

Kręcę głową na jej słowa.

– Myślisz, że tak dobrze mnie znasz?

Ona patrzy na mnie z powątpiewaniem.

– Okej, znasz mnie doskonale, ale ja po prostu uważam, że to, co się zdarzy między mną a Ethanem, musi się zdarzyć we właściwym czasie, rozumiesz? Nie ma co przyspieszać sprawy.

– Więc chcesz, żeby coś się zdarzyło?

– Nie wiem! – mówię. – Może? Kto wie? Chyba powinnam żyć z takim uczciwym, stabilnym, miłym facetem jak on. To chyba ruch we właściwą stronę, w stronę właściwego mężczyzny.

Kiedy docieramy do samochodu, Mark otwiera dla nas drzwi i mówi Gabby, że ma zamiar jechać do domu Wilshire Boulevard.

– Tak będzie najłatwiej, prawda? Mniejszy ruch.

– Tak – mówi Gabby, potem odwraca się i pyta mnie, czy słyszałam o instalacji Urban Light w Muzeum Sztuki Hrabstwa Los Angeles.

– Nie – mówię. – Chyba nie.

– Myślę, że naprawdę ci się spodoba – mówi Gabby. – Postawili to parę lat temu. Będziemy przejeżdżali obok, to ci pokażę. Przy okazji, to jest część mojej kampanii, żebyś znowu zakochała się w LA.

– Nie mogę się doczekać, kiedy to zobaczę – mówię.

– Ludzie zawsze mówią, że w Los Angeles nie ma kultury – mówi Gabby. – Więc rozumiesz, chcę ci udowodnić, że się mylą, i mam nadzieję, że tu zostaniesz.

– Ja naprawdę pamiętam, że mieszkałam tutaj prawie dwadzieścia lat – mówię jej.

– Właśnie miałam cię zapytać. – Odwraca się do mnie. Mark, kierując, nadal patrzy na drogę. – Jak się miewają twoi rodzice i Sarah?

– Z mamą i tatą w porządku – odpowiadam. – Sarah jest teraz w London Ballet Company i mieszka ze swoim chłopakiem George'em. Nie spotkałam go, ale moi rodzice go lubią, więc jest dobrze. Tacie doskonale idzie w pracy, więc mama zastanawia się nad wzięciem posady na niepełny etat.

Nie przysyłali mi pieniędzy w tradycyjnym sensie. Ale od lat, na każde Boże Narodzenie, dawali mi tak wielkie sumy, że czułam się prawie, jakbym dostawała premię bożonarodzeniową. Nie wiem, ile moja rodzina ma właściwie pieniędzy, ale wygląda na to, że mnóstwo.

– Twoja rodzina już nie przyjeżdża do Stanów? – pyta Mark.

– Nie. To ja zawsze wyjeżdżam, żeby się z nimi spotkać.

– Pretekst, żeby pojechać do Londynu, zgadza się? – dopytuje się Mark.

– Zgadza się – przyznaję, chociaż to niezupełnie prawda. Nigdy nie zaproponowali, że przylecą do Stanów. A skoro to oni kupują bilet, niewiele mam do powiedzenia w tej sprawie.

Odwracam się do okna i patrzę na mijane ulice. Nigdy tu, jako nastolatka, nie byłam. Jesteśmy w części miasta, której nie znam za dobrze.

– Dobrze się dzisiaj bawiłaś? – pyta mnie Gabby.

– Tak, świetnie – odpowiadam, nie odwracając wzroku od chodników i sklepów, które mijamy. – Masz wszędzie mnóstwo wspaniałych przyjaciół i cudownie było spotkać się z dziewczynami. Caitlin straciła jakieś piętnaście kilo.

– Chyba należy do tych, co się odchudzają – mówi Gabby. – Dobrze jej idzie. Ale wcześniej też jej dobrze szło. Kobiety nie muszą być chude, żeby coś znaczyć.

Widzę, jak Mark uśmiecha się do lusterka wstecznego, odpowiadam mu uśmiechem. To nasza mała tajemnica, oboje po cichu trochę kpimy z poprawności poglądów Gabby. Mam ochotę się zaśmiać, ale tłumię to w sobie. Gabby ma rację. Kobiety nie muszą być chude, żeby coś znaczyć. Caitlin, zanim straciła na wadze, była tą samą osobą, jaką jest teraz. Ale to zabawne, że Gabby zawsze musi coś takiego powiedzieć.

Odzywa się telefon Gabby. Patrzę, jak odczytuje wiadomość i natychmiast go chowa. Jest koszmarna z tym ukrywaniem spraw przede mną.

– Co to takiego? – pytam.

– Niby co?

– W twoim telefonie.

– Nic.

– Gabby, daj spokój – mówię.

– Nic ważnego. Naprawdę.

– Pokaż.

Niechętnie daje mi telefon do ręki. To wiadomość tekstowa od Katherine.

„Wracam do domu z Ethanem. Czy to coś strasznego?"

Ogarnia mnie przygnębienie. Odwracam wzrok i bez słowa oddaję telefon Gabby.

Gabby odwraca się i patrzy na mnie.

– Hej – mówi cicho.

– Nie martwi mnie to – odpowiadam, ale głos mam cienki i piskliwy. Właśnie jakbym była zmartwiona.

– Daj spokój – mówi Gabby.

Śmieję się.

– Nie ma sprawy. On może robić, co chce. – Cieszę się, że nie zostałam z nim, żeby sprawdzić, czy między nami coś jest. Nie chciałam być dla niego na jedną noc, jeśli coś było. No i masz. Oszczędziło mi to wstydu.

Gabby marszczy brwi.

Śmieję się w obronie własnej, a im bardziej się śmieję, tym trudniej jest mi odepchnąć jej litość.

– To wspaniały facet. Nie mówię, że nie, ale wiesz, jeśli tak ma z nim być, to ja tego nie potrzebuję.

Znów wyglądam przez okno, a potem natychmiast przenoszę wzrok na Gabby.

– Właściwie to lubię Katherine – mówię. – Fajna jest.

– Jeśli wolno – wtrąca się Mark. – Niewiele wiem na temat historii między wami dwojgiem, ale to, że on się prześpi z kimś innym, niekoniecznie znaczy…

– Wiem – mówię. – Ale jednak. To mi uświadomiło, że on i ja najlepsze mamy za sobą. To znaczy, chodziliśmy ze sobą sto lat temu. Jest w porządku.

– Chcesz zmienić temat? – pyta mnie Gabby.

– Tak – mówię. – Proszę.

– Hm, może jutro, jak Mark pojedzie do pracy, wybierzemy się na śniadanie?

– Jasne – mówię, odwracam się od niej i dalej wyglądam przez okno. – Porozmawiajmy o jedzeniu.

– Dokąd powinnam ją zabrać? – pyta Gabby Marka i oboje zaczynają wyrzucać z siebie nazwy restauracji, o których nie słyszałam.

Mark pyta mnie, czy lubię śniadania na słodko, czy na pikantnie.

– Pytasz, czy wolę naleśniki, czy jajka?

– Tak – mówi.

– Ona lubi bułeczki cynamonowe – odpowiada Gabby w chwili, gdy ja mówię:

– Lubię bary z bułeczkami cynamonowymi.

Kiedy byłam dzieckiem, tato zabierał mnie do sklepu z pączkami, który nazywał się Primo's Doughnuts. Mieli wielkie, ciepłe bułki cynamonowe. Chodziliśmy tam w każdą niedzielę rano. Kiedy byłam starsza, mieliśmy więcej zajęć. W końcu rodzice zaczęli wozić Sarah na różne próby i recitale, więc trudniej było znaleźć czas, żeby tam pójść. Ale kiedy już dotarliśmy, zawsze zamawiałam cynamonową bułeczkę. Po prostu je uwielbiam.

Kiedy przeprowadziłam się do rodziny Gabby, jej mama, Tina, kupowała puszki z surowymi bułkami cynamonowymi i piekła je dla mnie w weekendy. Od spodu zawsze były przypalone, a Tina miała lekką rękę do lukru z paczki, ale mnie to nie przeszkadzało. Nawet niesmaczna bułeczka cynamonowa zawsze jest bułeczką cynamonową.

– Z mnóstwem lukru – mówię Markowi. – To dzienna porcja kalorii, ale trudno. Gabby, jeśli masz ochotę, spróbuję znaleźć Primo's i jutro pójdziemy tam razem.

– Zrobione – mówi Gabby. – Okej, jesteśmy prawie przy muzeum. Tam, po prawej. Już możesz zobaczyć światła, dokładnie po prawej.

Patrzę przed siebie i chyba widzę to, o czym Gabby mówi. Przejeżdżamy na zielonym, stajemy na czerwonym przed Muzeum Sztuki Hrabstwa Los Angeles i teraz widzę doskonale.

Latarnia uliczna za latarnią uliczną, całe rzędy, ustawione gęsto i zapalone. To nie są latarnie, które widuje się dzisiaj, strzelające wysoko w niebo, a potem zakrzywione nad ulicą. To latarnie zabytkowe. Wyglądają tak, że Gene Kelly mógłby pod nimi tańczyć i śpiewać w deszczu.

Patrzę na instalację, oglądam ją przez okno. Myślę, że to coś bardzo prostego i że jest w tym jakieś piękno. Światła miasta na tle czarnej jak smoła nocy mają w sobie magię. I może to jakaś przenośnia, coś jasnego pośrodku... O, do diabła, kłamię. Prawda jest taka, że tego nie rozumiem.

– Właściwie – mówi Gabby – może byśmy wysiedli? Odpowiada ci, Mark? Możemy zaparkować i zrobić szybko fotki pod latarniami? Pierwsza prawdziwa noc Hannah po powrocie do LA!

Mark kiwa głową i kiedy światła zmieniają się na zielone, podjeżdża do krawężnika. Wysiadamy z samochodu i idziemy w sam środek świateł.

Na przemian robimy sobie zdjęcia, każde każdemu. Gabby i ja stajemy między dwoma rzędami świateł, a Mark robi nam fotki, gdy trzymamy ręce na ramionach. Uśmiechamy się przesadnie. Całujemy się w policzki. Stajemy po dwóch stronach słupa latarni i pozujemy przed aparatem. A potem ja proponuję, że zrobię zdjęcia Markowi i Gabby.

Zamieniam się miejscami z Markiem, wyjmuję własną komórkę. Gabby i Mark przytulają się, ściskają się, pozują pod latarniami. Cofam się troszeczkę, próbuję skadrować obraz tak, jak sobie wyobrażam.

– Nie ruszajcie się – mówię. – Chcę ogarnąć wszystko. – Górna część latarń nie mieści się w kadrze, więc idę na skraj chodnika. Nadal jest za blisko, więc naciskam guzik dla pieszych i czekam na światło, żeby stanąć na ulicy.

– Jeszcze sekundka! – krzyczę do nich.

– Niech to dobrze wypadnie! – wrzeszczy Gabby.

Światła zmieniają się na czerwone. Pomarańczowa dłoń zmienia się na biało podświetlonego ludzika, schodzę na przejście.

Odwracam się. Kadruję zdjęcie: Mark i Gabby pośrodku morza świateł. Naciskam migawkę. Sprawdzam. Na wszelki wypadek robię drugie.

Kiedy słyszę pisk opon, jest już za późno, żeby uciec.

Rzuca mną przez ulicę. Świat wiruje. A potem wszystko robi się szokująco nieruchome.

Patrzę na światła. Patrzę na Gabby i Marka. Oboje biegną do mnie, usta mają otwarte, ramiona wyciągnięte. Chyba krzyczą, ale ich nie słyszę.

Niczego nie czuję. Nie mogę niczego czuć.

Chyba mnie wołają. Widzę, że Gabby pochyla się nade mną. Widzę, że Mark wystukuje numer na swoim telefonie.

Czuję metal.

Krwawię. Nie wiem skąd.

Głowę mam ciężką. Pierś obciążoną, jakby cały świat na niej spoczywał.

Gabby jest bardzo wystraszona.

– Ze mną w porządku – mówię do niej. – Nie martw się. Czuję się świetnie.

Ona tylko na mnie patrzy.

– Wszystko będzie w porządku – mówię jej. – Wierzysz mi?

A potem jej twarz się rozmywa, świat milknie, a światła gasną.

Więc postanawiam zostać z Ethanem.

Chętnie spędzę trochę czasu z dobrym człowiekiem.

Odwracam się i mówię do widzenia Gabby i Markowi. W tej samej sekundzie z baru dobiega *Express Yourself* i wiem, że podjęłam właściwą decyzję. Po prostu uwielbiam tę piosenkę. Razem z Sarah zmuszałyśmy rodziców, żeby w kółko ją puszczali w samochodzie i śpiewałyśmy wniebogłosy. Postanowiłam zostać i zatańczyć przy tym.

– Nie gniewasz się, co? – pytam Gabby i przytulam ją. – Chcę po prostu zostać trochę dłużej. Zobaczę, dokąd zaprowadzi mnie noc.

– Och, proszę, rób, na co masz ochotę! – mówi, kiedy ściskam Marka na do widzenia. Widzę na jej twarzy znaczący uśmieszek, przeznaczony tylko dla mnie. Patrzę na jej minę i staram się nie reagować, ale w ostatniej chwili też wymyka mi się uśmieszek. Potem Gabby i Mark idą do drzwi.

– A więc – mówi Ethan, odwracając się do mnie – noc należy do nas. – Sposób, w jaki to powiedział, trochę dwuznaczny, sprawia, że znów czuję się, jakbyśmy byli nastolatkami.

– Zatańczysz ze mną? – pytam.

Ethan uśmiecha się i otwiera drzwi do baru. Przytrzymuje je przede mną.

– Więc tańczmy – mówi.

Do końca piosenki została nam minuta, puszczają kolejną. W tej nowej jest coś hiszpańskiego, latynoski rytm. Czuję, że biodra poruszają się bez mojego zezwolenia. Kołyszą się przez chwilę, w tył i w przód, jakby badając grunt. Po chwili ulegam i pozwalam ciału poruszać się, jak chce.

Ręce Ethana obejmują mnie nisko, u dołu pleców. Jego noga leciutko ociera się o wnętrze mojej. Potem przyciąga mnie szybko do siebie. Obraca mną. Zapominamy o wszystkich wokół i tak trwamy, piosenka po piosence, poruszając się zgodnym ruchem. Nasze twarze są blisko siebie, ale się nie dotykają. Co chwila przyłapuję go na tym, że na mnie patrzy i czuję, że leciutko się czerwienię.

Kiedy kończy się noc i tańce, a tłumek w barze maleje, rozglądam się i widzę, że z naszej grupy wszyscy już poszli do domu.

Ethan bierze mnie za rękę i wyprowadza na zewnątrz. Stajemy na chodniku, z dala od zgiełku baru, a ja czuję efekt nocy spędzonej w małym lokalu przy głośnej muzyce. W porównaniu z barem na zewnątrz panuje niemal głucha cisza. Oczy mam suche. Pięty bolą jak diabli.

Ethan prowadzi mnie ulicą, bar niknie za nami.

– Gdzie masz samochód? – pytam.

– Przyszedłem piechotą. Mieszkam tylko kilka przecznic stąd. Tędy – mówi. – Mam pomysł.

Potykam się, próbując dotrzymać mu kroku. Idzie za szybko, a mnie strasznie bolą stopy.

– Czekaj, czekaj, czekaj – mówię.

Schylam się i zdejmuję pantofle. Chodnik jest brudny. Widzę ślady gumy, tak stare, że są czarnymi, wyschniętymi plamami na betonie. Drzewo tak mocno wrosło w ziemię, że rozłupało chodnik, tworząc ostre krawędzie i szczeliny. Ale stopy za bardzo mnie bolą. Biorę pantofle w ręce i idę za Ethanem.

Patrzy na moje nogi i staje jak wryty.

– Co ty robisz?

– Stopy mnie bolą. Nie mogę w tym chodzić. Jest w porządku – mówię. – Chodźmy.

– Chcesz, żebym cię niósł?

Zaczynam się śmiać.

– Co w tym śmiesznego? – pyta. – Mogę cię zanieść.

– Nic mi nie będzie. Nie pierwszy raz idę boso po mieście.

Śmieje się i znów zaczyna iść.

– Jak mówiłem… mam świetny pomysł.

– Mianowicie?

– Tańczyłaś – mówi i ciągnie mnie za sobą.

– Oczywiście.

– I piłaś.

– Troszeczkę.

– I pociłaś się za wszystkie czasy.

– Hm… Chyba tak.

– Ale jednej rzeczy zabrakło.

– No?

– Jedzenia.

W chwili, kiedy to mówi, nagle czuję wilczy apetyt.

– O, tak, tak! Gdzie zjemy?

Przyspiesza kroku, idąc w kierunku wielkiego skrzyżowania przed nami. Zaczynam coś czuć. Coś wędzonego. Biegnę obok niego, przy każdym stąpnięciu uderzam stopami o chropawy beton. Wreszcie dochodzimy do tłumu gęstniejącego na chodniku.

Ja patrzę na Ethana. On mi mówi, co to za zapach.

– Bekon. Owinięty. Na hot dogach.

Przebija się przez tłum do wózka z jedzeniem. Zamawia dla nas dwojga. Wózek wygląda jak jeden z tych pojazdów lodziarzy, które czasem widuje się w parkach. Ale kobieta prowadząca interes dobrze radzi sobie z zamówieniami podpitych ludzi.

Ethan wraca z hot dogami wciśniętymi w bułki. Jednego podtyka mi pod nos.

– Powąchaj.

Wącham.

– Czy czułaś coś równie dobrego o tak późnej godzinie w którymkolwiek z miast, w których byłaś?

W tej chwili, w tej sekundzie nie potrafię myśleć o tym, która jest godzina.

– Nie.

Skręcamy w przecznicę i wchodzimy na ulicę z domami mieszkalnymi. Odgłosy tłumu i dym z wózka nikną. Słyszę świerszcze. A przecież stoję w środku miasta. Zapomniałam, że tak jest w Los Angeles. Zapomniałam, że jest miejskie i podmiejskie jednocześnie.

Wzdłuż ulicy rosną palmy tak wysokie, że trzeba od-chylać głowę do tyłu, żeby zobaczyć je całe. Są wszędzie. Przy tej ulicy i wzdłuż sąsiednich. Ethan podchodzi do jednej z nich, siada na cienkim krawężniku oddzielającym palmy od ulicy. Stawia stopy na jezdni, opiera się plecami o drzewo. Robię to samo obok niego.

Teraz podeszwy stóp mam już czarne. Mogę sobie tylko wyobrazić, jak jutro rano nabrudzę pod prysznicem u Gabby.

– Daj hot doga. – Wyciągam rękę i czekam, żeby Ethan dał tego, który jest mój.

Daje.

– Dziękuję – mówię – że kupiłeś mi kolację. Albo śnia-danie. Nie jestem pewna, co to jest.

Kiwa głową, już odgryzł kawałek. Przełyka i mówi:

– Cóż, popełniłem błąd naiwniaka. Powinienem przy-nieść też wodę.

Świat teraz, kiedy już wyszliśmy z baru, trochę bar-dziej nabiera ostrości. Słyszę lepiej. A co może ważniejsze, czuję smak tego pysznego hot doga w całej jego otulonej bekonem chwale.

– Wiem, że to zabrzmi banalnie – mówię ja – ale dzięki bekonowi wszystko smakuje lepiej.

– Wiem – mówi on. – Nie chcę się chwalić, ale naprawdę wiedziałem o tym, zanim inni się dowiedzieli. Od lat uwielbiam bekon.

Ja się śmieję.

– Byłeś wielbicielem bekonu, kiedy jeszcze jadali go tylko na śniadanie.

On się śmieje i przybiera afektowany ton.

– Teraz jest inaczej. Bekon to komercja.

– Tak – mówię. – Pewnie wtedy, w dwa tysiące trzecim, jadłeś bekon do pączka.

– Żarty na bok – mówi Ethan. – Naprawdę uważam, że to ja wymyśliłem bekon kandyzowany.

Zaczynam się śmiać między jednym a drugim kęsem.

– Nie żartuję! Kiedy byłem dzieckiem, zawsze polewałem bekon syropem klonowym. Syrop klonowy plus bekon równa się... bekon kandyzowany. Witaj, Ameryko.

Śmieję się i kładę mu rękę na plecach.

– Przykro mi wyjawiać ci tę tajemnicę, ale wszyscy to robią od dawna.

Patrzy na mnie.

– Ale nikt mi o tym nie powiedział. Sam do tego doszedłem – żartuje. – I dlatego to jest mój własny pomysł.

– Jak sądzisz, skąd ludzie wzięli pączki z syropem klonowym i bekonem albo bekon w brązowym cukrze? W całym kraju od lat ludzie polewają bekon syropem klonowym i jedzą ze smakiem.

On uśmiecha się do mnie.

– Właśnie zniszczyłaś jedyną rzecz, którą uważałem za moje osobiste osiągnięcie.

Ja się śmieję.

– Och, daj spokój. Rozmawiasz z kobietą bez pracy, bez domu, prawie bez pieniędzy i bez potencjału – mówię. – Dajmy spokój osobistym osiągnięciom.

Ethan odwraca się do mnie. Dawno już nie ma hot doga.

– Nie myślisz tak naprawdę.

Normalnie zbyłabym to żartem. Ale żarty wymagają wysiłku. Kiwam głową na boki, jakbym podejmowała decyzję.

– Bo ja wiem. Chyba naprawdę tak myślę.

Ethan kręci głową, ale ja mówię dalej:

– Wcale nie myślałam, że tak potoczy się moje życie. Patrzę na takich ludzi jak Gabby, na takich ludzi jak ty i widzę, że zostałam z tyłu. To nic takiego... – W końcu dociera do mnie, że narzekam. – To tylko sprawa, nad którą muszę popracować. Myślę, że wreszcie, już niedługo, znajdę miasto, w które się wpasuję.

– Zawsze uważałem, że powinnaś tu wrócić – mówi Ethan, patrząc mi w oczy.

Uśmiecham się, ale kiedy Ethan nie odwraca wzroku, denerwuję się. Lekko klepię się dłońmi po udach.

– Cóż... idziemy?

Ethan przez chwilę patrzy przed siebie, wzrok ma utkwiony w ziemi pod stopami. Potem, jakby się ocknął, wyrywa się z tego stanu.

– Tak. Powinniśmy wracać. – Wstaje, ja także wstaję i przez chwilę nasze ciała są bliżej, niż się spodziewaliśmy. Czuję ciepło jego skóry.

Zaczynam się cofać. Lekko chwyta mnie za rękę, żeby mnie zatrzymać. Patrzy mi w oczy. Z początku odwracam wzrok.

– Jest coś, o co od dawna chciałem cię zapytać – mówi.

– Okej.

– Dlaczego zerwaliśmy?

Patrzę na niego, czuję, że przechylam głowę leciutko na bok. Naprawdę jestem zaskoczona tym pytaniem. Uśmiecham się łagodnie.

– Cóż. Chyba tak postępują osiemnastolatki. Zrywają. Napięcie nie maleje.

– Wiem – mówi. – Ale czy mieliśmy dobry powód?

Patrzę na niego i uśmiecham się.

– Czy mieliśmy dobry powód? – powtarzam jego pytanie. – Nie wiem. Nastolatkom naprawdę nie są potrzebne dobre powody.

On zaczyna iść w kierunku, z którego przyszliśmy. Ja idę z nim.

– Złamałaś mi serce – mówi i uśmiecha się do mnie. – Wiesz o tym, prawda?

– Że co proszę? Och, nie, nie, nie – mówię. – To ja miałam złamane serce. To ja byłam tą porzuconą, kiedy mój chłopak poszedł do college'u.

On kręci głową, patrząc na mnie, uśmiecha się chyba wbrew sobie.

– Co za bzdura. To ty zerwałaś ze mną.

Ja uśmiecham się i kręcę głową, patrząc na niego.

– Chyba musimy napisać historię od nowa. To ja chciałam, żebyśmy zostali razem.

– Bez sensu! – mówi on. Ręce trzyma głęboko w kieszeniach, jest przygarbiony. Idzie powoli. – Zupełnie bez sensu. Kobieta łamie ci serce, wraca do miasta po dziesięciu latach i zwala to na ciebie.

– Już dobrze, dobrze – przytakuję. – Możemy się zgodzić, że się nie zgadzamy.

Patrzy na mnie i kręci głową.

– Nie! – mówi ze śmiechem. – Nie przyjmuję tego.

– Och, głupstwa gadasz – mówię.

– Nieprawda – odpowiada. – Mam dowód.

– Dowód?

– Twardy, niepodważalny dowód.

Staję, zakładam ręce na piersi.

– To musi być przekonywające. Jaki jest ten twój dowód?

Zatrzymuje się, podchodzi bliżej.

– Dowód rzeczowy A: Chris Rodriguez. – Mój chłopak z ostatniej klasy ogólniaka.

– Och, proszę – mówię. – Czego dowodzi Chris Rodriguez?

– Że ty wykonałaś pierwszy ruch. Wróciłem do domu z Berkeley na Boże Narodzenie, chciałem zapukać do twoich drzwi i rzucić się na ciebie – mówi. – A kiedy tylko docieram do miasta, słyszę, że chodzisz z Chrisem Rodriguezem.

Śmieję się i unoszę oczy.

– Chris nic nie znaczył. Już z nim nie byłam, gdy wróciłeś ze szkoły na lato. Wiesz, pomyślałam, że może wróciłeś do domu na te trzy miesiące...

Porusza brwiami w górę i w dół, patrząc na mnie. Mimiczna wersja „ładnie, ładnie".

Śmieję się, trochę zawstydzona.

– Cóż, przecież to i tak nie miało znaczenia, prawda? Wtedy byłeś z Alice.

– Tylko dlatego, bo myślałem, że byłaś z Chrisem – mówi. – To był jedyny powód, dla którego z nią chodziłem.

– To straszne! – mówię.

– Hm, wtedy tego nie wiedziałem – mówi. – Myślałem, że ją kocham. Wiesz, wtedy miałem dziewiętnaście lat. I samoświadomość ciołka.

– Więc może naprawdę ją kochałeś – ciągnę. – Może to właśnie ty ode mnie odszedłeś.

Kręci głową.

– Nie – mówi. – Ona ze mną zerwała, kiedy wróciłem do szkoły w tamtym roku. Powiedziała, że potrzebuje kogoś, kto jej powie, że jest tą jedyną.

– A ty nie mogłeś tego zrobić?

Patrzy na mnie z ironią.

– Nie.

Na chwilę zapada cisza. Żadne z nas nie ma wiele do powiedzenia, a może dokładniej: żadne z nas nie wie, co ma powiedzieć.

– Więc nawzajem złamaliśmy sobie serca – mówię w końcu. Znów zaczynam iść przed siebie.

On do mnie dołącza i się uśmiecha.

– Zgadzam się, że się nie zgadzamy – mówi.

Idziemy dalej ulicą, zatrzymujemy się na czerwonym świetle i czekamy, aż będzie można przejść.

– Nigdy nie uprawiałam seksu z Chrisem – odzywam się, gdy wchodzimy coraz głębiej w zabudowaną uliczkę.

– Nie? – mówi Ethan.

– Nie – mówię ja, kręcąc głową.

– Jakiś powód? – pyta Ethan.

Kiwam głową z boku na bok, próbując znaleźć słowa, które wyjaśniłyby, co wtedy czułam.

– Ja… ja nie mogłam znieść myśli, że robiłabym to z kimś innym niż ty – mówię w końcu. – Nie wydawało mi się w porządku sypiać po prostu z kimkolwiek.

Dopiero jak miałam dwadzieścia jeden lat, znów uprawiałam seks. To był Dave, mój chłopak z college'u. Spałam z nim nie dlatego, żebym uznała, że on może dla mnie znaczyć tyle, ile znaczył Ethan. Robiłam to, bo nierobienie tego doprowadziłoby mnie to do dziwactwa. Jeśli mam być uczciwa, to gdzieś po drodze straciłam poczucie, że osoba musi być szczególna, że to jest czymś świętym.

– Idę o zakład, że nie odrzuciłeś zalotów Alice – drażnię się z nim. Przez chwilę wydaje mi się, że się zaczerwienił.

Prowadzi mnie do obrośniętego bluszczem budynku w ciemnej, spokojnej uliczce. Otwiera drzwi do klatki schodowej i wpuszcza mnie przodem.

– Tu mnie masz. Wstyd przyznać, były w moim życiu przypadki, kiedy odrzucenie przez kobietę, którą kocham, posłużyło tylko jako zachęta do sypiania z innymi. Nie mam się czym chwalić. Ale to rzeczywiście zagłusza ból.

– O, na pewno zagłusza – mówię.

Prowadzi mnie do swojego mieszkania na pierwszym piętrze.

– Ale to nie ma znaczenia – ciągnie dalej. – Sypianie z Alice nie znaczyło, że cię nie kochałem. Że nie rzuciłbym wszystkiego, żeby z tobą być. Gdybym myślał... cóż, wiesz, do czego zmierzam.

Patrzę na niego.

– Tak, wiem.

Otwiera drzwi i gestem wskazuje, żebym weszła. Patrzę na niego i wchodzę przed nim do jego mieszkania. To kawalerka, ale duża, przytulna, bez wrażenia ciasnoty. Jest schludna, ale niekoniecznie czysta, to znaczy wszystko jest na miejscu, ale w rogach są koty, a na stoliku kółka po naczyniach. Pomalował ściany głębokim, ale nie agresywnym błękitem. Płaski ekran telewizora wisi na ścianie naprzeciwko kanapy, całą wolną przestrzeń zajmują półki obładowane książkami. Jego pościel ma ciemny, lekko szarawy odcień.

Czy wtedy wiedziałam, że wyrośnie na takiego człowieka? Nie wiem.

– Bardzo ciężko było przebolę brak ciebie – mówi on.

– Naprawdę? – Ściska mnie w gardle, ale staram się to ukryć za lekkością i flirtem. – Co tak trudno było przebolę?

Rzuca klucze na stolik.

– Trzy rzeczy.

Uśmiecham się, dając mu do zrozumienia, że jestem gotowa wysłuchać.

– Coś takiego!

– Mówię poważnie. Jesteś gotowa, żeby się dowiedzieć? Nie będę kręcił.

– Jestem gotowa – mówię.

Ethan podnosi kciuk, żeby zacząć odliczanie.

– Po pierwsze zawsze nosiłaś włosy upięte do góry, dokładnie tak jak teraz, w taki wysoki kok. A rozpuszczałaś je w dół bardzo rzadko. – Przerywa i znów zaczyna: – Uwielbiałem tę chwilę. Tę chwilę, kiedy opadały ci na szyję i na twarz.

Łapię się na tym, że majstruję przy koku na czubku głowy. Muszę się powstrzymać, żeby go nie poprawiać.

– Rozumiem – mówię.

– Po drugie – ciągnie – zawsze smakowałaś jak cynamon i cukier.

Chichoczę. Jeśli wcześniej nie byłam pewna, teraz wiem, że mówi poważnie.

– Od bułeczek cynamonowych.

On potakuje.

– Od bułeczek cynamonowych

– A co jest po trzecie? – pytam. Właściwie nie chcę wiedzieć, jakby to, co powie, mogło nieodwołalnie otworzyć drzwi przed wszystkimi uczuciami nastolatki, zalać moje policzki rumieńcem i przyspieszyć bicie serca. To najbardziej odurzające nastoletnie uczucia, te, które mają moc obezwładniania człowieka.

– Pachniałaś jak mandarynki – mówi.

Rzucam mu spojrzenie.

– Orange Ginger.

– Tak – mówi. – Zawsze pachniałaś jak Orange Ginger. – Zbliża twarz do mojej szyi. – Nadal tak pachniesz.

Jest tak blisko, że też czuję jego zapach, mieszankę detergentu z pralni i potu.

Czuję, że skóra na policzkach mi płonie, a puls zaczyna przyspieszać.

– Ty też dobrze pachniesz – mówię. Nie odsuwam się.

– Dziękuję – mówi.

– W ogólniaku pachniałeś perfumami Tide.

– Chyba używała ich moja mama.

– Kiedy odszedłeś, wąchałam twoje stare T-shirty – mówię. – Sypiałam w nich.

Chłonie moje słowa, odgaduje przenośnie i przekuwa je w fakty.

– Kochałaś mnie.

– Tak. Kochałam. Tak bardzo, że czasem czułam, jak cała płonę.

Pochyla się leciutko.

– Chcę cię pocałować.

Oddycham głęboko.

– Okej.

– Ale nie chcę… żeby to było na jeden raz.

– Nie wiem, co to znaczy – odpowiadam. – Ale to nie jest na jeden raz.

Uśmiecha się i nachyla jeszcze bardziej.

Z początku jest łagodny, lekki dotyk warg, ale ja w to wchodzę, a wtedy robi się gorąco.

Cofamy się do zamkniętych drzwi wejściowych za nami, lekko ocieram się ramionami o framugę.

Jego usta całują tak jak kiedyś, jego ciało jest takie jak kiedyś i jeśli dwoje ludzi może cofnąć zegar, wymazać czas, to właśnie my.

Zanim poszliśmy do łóżka, było tak, jakbyśmy nigdy się nie rozdzielali. Jakbyśmy nie zerwali, jakby moi rodzice nie przeprowadzili się, ja nie zaczęłam chodzić z Chrisem Rodriguezem, a Ethan nie spotkał Alice Foster. Jest tak, jakbym nigdy nie czuła chłodu Bostonu na dłoniach czy wiatru Waszyngtonu we włosach. Jakbym nigdy nie czuła na ramionach deszczu w Portland i Seattle albo upału w Austin. Jest tak, jakby Nowy Jork i wszystkie jego rozczarowania nigdy nie wdarły mi się do serca.

Chyba w końcu, chociaż raz, podjęłam dobrą decyzję.

*Trzy dni później*

OTWIERAM OCZY.

Głowę mam ciężką. Świat jest rozmazany. Wzrok z trudem się akomoduje.

Leżę na szpitalnym łóżku. Nogi mam wyciągnięte, przykryte kocem. Ramona wzdłuż boków. Przede mną stoi blondynka ze stoicką, ale uprzejmą miną. Nie jestem pewna, ale chyba nigdy jej nie widziałam.

Ubrana jest w biały fartuch, trzyma papierową teczkę.

– Hannah? – pyta. – Kiwnij głową, jeśli mnie słyszysz, Hannah. Nie próbuj jeszcze mówić. Tylko kiwnij.

Kiwam. Boli nawet takie krótkie kiwnięcie. Czuję to w plecach. Głuchy ból w całym ciele gwałtownie się nasila.

– Hannah, nazywam się Winters, jestem lekarką. Jesteś w Angeles Presbyterian. Miałaś wypadek samochodowy.

Znowu kiwam. Nie wiem, czy miałam kiwać. Ale kiwam.

– O szczegółach porozmawiamy później, ale teraz chcę sprawdzić najważniejsze sprawy, okej?

Kiwam głową. Nie wiem, co jeszcze mogę zrobić.

– Po pierwsze, w skali jeden do dziesięciu, jak bardzo cię boli? Przy dziesięciu tak boli, że nie wytrzymasz ani sekundy. Jeden, czujesz się doskonale.

Zaczynam mówić, ale ona mnie powstrzymuje.

– Pokaż na palcach. Nie podnoś ich. Nie ruszaj ramionami. Tylko pokaż na palcach.

Spoglądam w dół, na ręce i zaginam cztery palce lewej dłoni.

– Sześć? – mówi. – W porządku.

Zapisuje coś w teczce i zaczyna majstrować przy jednej z maszyn za mną.

– Chcemy, żeby zeszło do jednego – uśmiecha się. To pocieszający uśmiech. Chyba myśli, że wszystko będzie w porządku. – Wkrótce łatwiej ci będzie poruszać ramionami i tułowiem, a potem bez specjalnych trudności zaczniesz mówić. Straciłaś sporo krwi i masz połamane kości. To uproszczenie, ale na teraz wystarczy. Wyjdziesz z tego. Z początku trudno będzie ci chodzić. Będziesz musiała trochę poćwiczyć, zanim stanie się to dla ciebie czymś zupełnie normalnym, ale pewnego dnia tak będzie. Chcę, żebyś to zapamiętała z tej rozmowy.

Kiwam głową. Tym razem mniej boli. Nie wiem, co ona zrobiła, ale boli mniej.

– Byłaś nieprzytomna przez trzy dni. Najpierw, bo podczas wypadku doznałaś urazu głowy, a potem, bo wzięliśmy cię na operację.

Na chwilę milknie; widzę, że spogląda w bok. Znów odwraca się do mnie.

– To zupełnie normalne, jeśli nie pamiętasz wypadku. Minie pewnie trochę czasu, zanim sobie przypomnisz. Pamiętasz, co się stało?

Zaczynam odpowiadać.

– Tylko kiwnij albo pokręć głową – mówi.

Lekko kręcę głową.

– Doskonale. To całkowicie normalne. Nie ma się czym przejmować.

Kiwam głową, żeby wiedziała, że rozumiem.

– No dobrze… jak mówiłam, porozmawiamy o szczegółach twoich obrażeń i operacji, kiedy poczujesz się silniejsza. Ale jest jedna rzecz, o której powinnaś dowiedzieć się jak najszybciej.

Gapię się na nią. Czekam, żeby usłyszeć, co powie.

– Byłaś w ciąży – mówi. – Wtedy, kiedy zdarzył się wypadek.

Podnosi moją kartę i wczytuje się w jej treść.

Chwileczkę, co ona właśnie powiedziała?

– Chyba byłaś w dziesiątym tygodniu. Wiedziałaś? Kiwnij albo pokręć głową, jeśli czujesz się na siłach.

Czuję, że serce zaczyna mi szybciej bić. Kręcę głową.

Ona patrzy ze zrozumieniem.

– W porządku – mówi. – To zdarza się częściej, niż myślisz. Jeśli nie starasz się zajść w ciążę i nie zawsze masz regularne okresy, na tym etapie można nie wiedzieć.

Nadal się gapię; nie bardzo wiem, co się dzieje, zamurowało mnie.

– Dziecko nie przeżyło – mówi. – Co, niestety, też często się zdarza.

Ona czeka na moją reakcję, ja nie wiem, jak zareagować. W głowie mam pustkę. Czuję tylko, że gwałtownie mrugam oczami.

– Przykro mi – mówi ona. – Może to dla ciebie za dużo informacji na raz. Mamy tu, w szpitalu, sposoby, żeby ci pomóc w przejściu przez to wszystko. Dobra wiadomość, i mam nadzieję, że ją przyjmiesz, jest taka, że fizycznie wkrótce wrócisz do normy.

Ona na mnie patrzy. Ja odwracam oczy. Potem kiwam głową. Mam wrażenie, włosy opadają mi na twarz. Musiałam zgubić przepaskę do włosów. Trochę to niewygodne, gdy opadają w dół. Chcę je znowu upiąć w kok.

Czy ona właśnie powiedziała, że straciłam dziecko? Ja straciłam dziecko?

– Oto, co zrobimy – ciągnie lekarka. – Mnóstwo ludzi tęskniło za tobą przez ostatnie parę dni. Mnóstwo ludzi nie mogło się doczekać chwili, kiedy się obudzisz.

Powoli zamykam oczy.

Dziecko.

– Ale niektórzy pacjenci muszą pobyć trochę sami po przebudzeniu. Nie są gotowi, żeby zobaczyć się z mamą, tatą, siostrą i przyjaciółmi.

– Moja mama i tata? – zaczynam mówić. Mój głos to niezrozumiały szept, skrzypiący i bez wyrazu.

– W gardle miałaś przez jakiś czas rurkę. Będzie ci trudno mówić, ale będzie lepiej, im więcej będziesz mówić. Tylko zabierz się do tego powoli. Na początku jedno, dwa słowa na raz, dobrze? Kiwaj i kręć głową, kiedy możesz.

Kiwam. Ale nie mogę się oprzeć.

– Oni tutaj są? – mówię. Mówienie boli. Boli mnie gardło.

– Tak. Mama, tata, twoja siostra Gabby, zgadza się? Czy… Sarah? Przepraszam. Twoja siostra to Sarah, przyjaciółka to Gabby, tak?

Uśmiecham się i kiwam głową.

– Więc mam pytania: czy potrzeba ci trochę czasu w samotności? A może już jesteś gotowa zobaczyć rodzinę? Podnieś lewą rękę, jeśli wolisz samotność. Prawą, jeśli rodzinę.

Boli, ale podnosi się moja lewa ręka. Wyżej niż myślałam, że da radę.

Otwieram oczy.

Głowę mam ciężką. Świat jest rozmazany. Mój wzrok z trudem się akomoduje.

A potem szeroko się uśmiecham, bo tuż obok leży Ethan Hanover i patrzy na mnie.

Powoli się przeciągam i głębiej wciskam głowę w poduszkę. Ma takie miękkie łóżko. Takie łóżko, z którego nie chce się wstawać. Mam wrażenie, że przez ostatnie parę dni naprawdę z niego nie wstawałam.

– Cześć – mówi cicho. – Dzień dobry.

– Dzień dobry – odpowiadam. Jestem zamroczona. Głos mam ochrypły. Odchrząkuję.

– Cześć – mówię. Teraz lepiej.

– Nie jadłaś bułek cynamonowych, odkąd tutaj jesteś – mówi. – To daje co najmniej trzy pełne dni bez bułek cynamonowych. – Nie ma koszuli, leży pod prześcieradłem. Włosy ma rozczochrane. Jego popołudniowy zarost jest już więcej niż popołudniowy. Z bliska dociera do mnie jego oddech.

– Twój oddech śmierdzi – mówię, drażniąc się z nim. Nie mam wątpliwości, że mój czuć tak samo. Powiedziałam to z ręką na ustach. Słowa przechodzą między palcami. – Może powinniśmy umyć zęby – dodaję.

Próbuje odciągnąć moją rękę, opieram się. Nurkuje pod prześcieradła. Mam na sobie jeden z T-shirtów i bieliznę, które wyciągnęłam wczoraj, w domu Gabby, z mojej walizki. Nie licząc wyprawy do niej, żeby wziąć parę rzeczy, nie ruszaliśmy się z mieszkania Ethana, odkąd weszliśmy do niego w sobotnią noc.

On nurkuje pod prześcieradła, żeby mnie znaleźć. Chwyta mnie za ręce, odciąga je od mojej twarzy.

– Mam zamiar cię pocałować – mówi.

– Nie – mówię. – Mam paskudny oddech. Uwolnij mnie ze swojego nadludzkiego chwytu i pozwól umyć zęby.

– Dlaczego robisz z tego taką wielką rzecz? – mówi, śmieje się, nie puszcza mnie. – Ty śmierdzisz. Ja śmierdzę. Śmierdźmy razem.

Wystawiam głowę spod prześcieradeł, żeby złapać świeżego powietrza, i znowu chowam się pod nimi.

– Doskonale – mówię i chucham mu w twarz.

– Brr – mówi. – Absolutnie odrażające.

– A jeśli mój oddech co rano będzie tak śmierdział? Nadal będziesz chciał być ze mną? – mówię, drażniąc się z nim.

– Tak! – zapewnia i mocno mnie całuje. – Nie jesteś za dobra w te klocki.

To dowcip, który wymyśliliśmy w niedzielny wieczór. Co musi się zdarzyć, żeby zniszczyć to, co jest między nami? Co może zrujnować wspaniałą sprawę, którą rozpoczęliśmy?

Do tej pory ustaliliśmy, że nawet jeśli zostanę odtwórczynią Elvisa i będę nalegać, żeby przychodził na wszystkie moje występy, on nadal będzie chciał być ze mną. Jeśli postanowię udomowić węża i nazwę go Bartholomew, on nadal będzie chciał być ze mną. Cuchnący oddech też nie jest czynnikiem odstraszającym.

– A jeśli wszystko, co włożę do pralki, zbiegnie się? – To nie jest hipotetyczne. To jest bardzo rzeczywiste.

– Nie szkodzi. – Osuwa się ode mnie i wstaje z łóżka. – Sam sobie piorę.

Znowu kładę głowę na poduszce.

– A jeśli przez cały czas będę źle wymawiała słowo komputer?

– Nic dziwnego, już je źle wymawiasz. – Podnosi swoje dżinsy z podłogi i wkłada je.

– Nieprawda! – mówię. – Komputer.

– Mówi się kompiuter. – Wkłada koszulę.

– O mój Boże! – Siadam oburzona. – Proszę, powiedz, że żartujesz. Powiedz, że nie mówisz kompiuter.

– Nie mogę – mówi. – Bo to byłoby kłamstwo.

– Więc nareszcie wiem. To jest ta rzecz, która stoi nam na drodze.

Rzuca mi moje spodnie.

– Przepraszam, ale nic z tego. Będziesz musiała to po prostu przezwyciężyć. Jeśli to ci poprawi nastrój, to nie będziemy używali komputerów przez resztę naszego życia, w porządku?

Wstaję i wkładam spodnie. Zostaję w jego koszuli, ale chwytam z podłogi stanik i wkładam go pod spód. To taka dziwaczna i nieskoordynowana czynność, wkładać stanik, kiedy nadal ma się na sobie koszulę; w połowie drogi zastanawiam się, dlaczego najpierw nie zdjęłam koszuli.

– W porządku – mówię. – Jeśli obiecasz, że nigdy nie będziemy rozmawiać o komputerach, to świetnie, możemy być razem.

– Dziękuję – mówi, biorąc portfel. – Włóż buty.

Sczesuję na chwilę włosy w dół, żeby poprawić kok. Przez chwilę patrzy na mnie, kiedy włosy opadają. Uśmiecha się, gdy znowu je podnoszę.

– Dokąd idziemy? – pytam. – Dlaczego wstaliśmy z łóżka?

– Powiedziałem ci – mówi, wkładając buty. – Od trzech dni nie jadłaś bułeczek cynamonowych.

Zaczynam się śmiać.

– Ruszaj się, szefowo – mówi. Jest już ubrany i gotowy do wyjścia. – Nie mam na to całego dnia.

Wkładam buty.

– Owszem, masz.

Wzrusza ramionami. Chwytam torebkę i tak szybko wychodzę za drzwi, że musi mnie doganiać. Zanim wchodzimy do garażu, wyprzedza mnie troszeczkę i otwiera przede mną drzwi.

– Ostatnio zrobił się z ciebie dżentelmen – mówię, kiedy zapala silnik. – Nie pamiętam takiej rycerskości z ogólniaka.

Znowu wzrusza ramionami.

– Byłem nastolatkiem. Mam nadzieję, że od tamtego czasu dorosłem. Jedziemy?

– Na bułeczki cynamonowe! Najlepiej te z dodatkowym lukrem.

Uśmiecha się i rusza z podjazdu.

– Twoje życzenie jest dla mnie rozkazem.

Tato siedzi z prawej strony i trzyma mnie za rękę. Mama stoi w nogach łóżka i patrzy na moje nogi. Sarah stoi przy kroplówce z morfiną.

Gabby przyszła z nimi przed godziną. Jako jedyna spojrzała mi najpierw w oczy. Uściskała mnie, powiedziała, że mnie kocha i że zostawi nas samych, żebyśmy porozmawiali. Obiecała, że wkrótce wróci. Wyszła, żeby moja rodzina miała trochę prywatności, ale myślę też, że potrzebowała trochę czasu, żeby wziąć się w garść. Widziałam, że kiedy odwróciła się, żeby odejść, ocierała oczy i pociągała nosem.

Chyba trudno na mnie patrzeć.

Domyślam się, że mama, tata i Sarah popłakiwali dzisiaj nieraz. Oczy mają szkliste. Wyglądają na zmęczonych, są bladzi.

Nie widziałam ich od Bożego Narodzenia ubiegłego roku. To szok mieć ich teraz przed sobą. W Stanach Zjednoczonych. W Los Angeles. Nasza czwórka, rodzina Martin, nie była razem w Los Angeles, odkąd chodziłam do trzeciej klasy ogólniaka. Potem nasze spotkania rodzinne odbywały się w ich londyńskim apartamencie, który Sarah bardzo swobodnie i wcale nie ironicznie nazywa z brytyjska mieszkaniem.

Ale teraz oni są tutaj, w moim świecie, w moim kraju, w mieście, które kiedyś było nasze.

– Lekarka powiedziała, że wkrótce będziesz mogła chodzić – mówi Sarah, majstrując przy ramie łóżka. – To chyba dobra wiadomość? – Przerywa i patrzy na podłogę. – Nie wiem, co powiedzieć.

Uśmiecham się do niej.

Ubrana jest w czarne dżinsy i kremowy, elegancki i kosztowny sweter. Jej długie blond włosy są suche i proste. Obie mamy ten sam naturalny kolor włosów: głęboki brąz. Ale rozumiem, dlaczego wybrała blond. Jako blondynka dobrze wygląda. Kiedyś spróbowałam, ale Jezu, wiecie, że trzeba chodzić do fryzjera co jakieś sześć tygodni, żeby pofarbować odrosty? Kto ma tyle czasu i pieniędzy?

Sarah ma teraz dwadzieścia sześć lat. Mogłaby być trochę bardziej do mnie podobna, mieć pełniejsze kształty, gdyby nie tańczyła całymi dniami. Ale ona jest umięśniona i szczupła. Postawę ma tak sztywną, że ktoś, kto jej dobrze nie zna, mógłby pomyśleć, że jest robotem.

Jest z tych, co robią wszystko według przepisu, we właściwy sposób. Lubi eleganckie ubrania, dobre jedzenie i sztukę wysokich lotów.

Parę lat temu na Boże Narodzenie ofiarowała mi torebkę Burberry. Podziękowałam i naprawdę bardzo się starałam, żeby jej nie porysować, nie zniszczyć. Ale w marcu ją zgubiłam. Było mi przykro, ale jednocześnie myślałam: co ona sobie myśli, że daje mi torebkę Burberry?

– Przynieśliśmy ci czasopisma – mówi teraz. – Dobre, brytyjskie. Pomyślałam, że gdybym leżała w szpitalu, chciałabym coś dobrego.

– Jestem… jesteśmy tacy szczęśliwi, że z tobą w porządku – mówi mama. Znowu jest na skraju płaczu. – Ależ nas nastraszyłaś – dodaje. Mama ma włosy naturalne, brudny blond.

Tato ma włosy czarne jak smoła, tak grube i lśniące, że – jak zwykłam mawiać – jego zdjęcie powinno być na farbie do włosów Just For Men. Dopiero w college'u przyszło mi do głowy, że pewnie używa Just For Men. Ściska mnie za rękę, odkąd usiadł. Teraz przez chwilę ściska ją mocniej, żeby poprzeć słowa mamy.

Kiwam głową i uśmiecham się. Jest dziwacznie. Czuję się niezręcznie. Nie mam im nic do powiedzenia, a chociaż i tak nie mogłabym nic powiedzieć, to wszystkich nas krępuje, że tak siedzimy i nie rozmawiamy.

Są moją rodziną i kocham ich. Ale nie powiedziałabym, że jesteśmy sobie szczególnie bliscy. A czasem, kiedy widzę ich troje razem, z ich nieamerykańskim zachowaniem i brytyjskimi czasopismami, czuję się jak dziwaczka.

– Chce mi się spać – mówię.

Po tych słowach wszyscy koncentrują na mnie uwagę.

– Och, to dobrze – mówi mama. – Nie będziemy ci przeszkadzać.

Tato wstaje i całuje mnie w skroń.

– W porządku. Mamy wyjść i pozwolić ci spać? Nie powinniśmy tu zostawać, prawda? – mówi mama, a Sarah i tato zaczynają się z niej śmiać.

– Maureen, z nią wszystko w porządku. Może spać bez nas, a my będziemy w korytarzu, gdyby nas potrzebowała. – Tato mruga do mnie.

Kiwam głową.

– Tylko to zostawię – mówi Sarah, wyjmując z torby stos czasopism. Kładzie je na tacy przy moim łóżku. – Wiesz, to na wypadek, gdybyś się obudziła i chciała popatrzeć na zdjęcia Kate Middleton. Hm, ja to robię przez cały dzień, kiedy mogę.

Uśmiecham się do niej.

I oni wychodzą.

I ja jestem wreszcie sama.

Byłam w ciąży.

A teraz nie jestem.

Straciłam dziecko, o którym nawet nie wiedziałam. Straciłam dziecko, którego nie planowałam i nie chciałam.

Jak mam je opłakiwać? Jak opłakiwać coś, o czym się nie wiedziało, że się ma? Coś, czego się nie chciało, ale co było rzeczywiste i ważne. Życie.

Cofam się myślami do pytania, kiedy zaszłam w ciążę. Cofam się do czasu, gdy wzięłam pigułkę później, niż miałam wziąć, albo kiedy przypadkiem wtoczyła się pod łóżko i nie mogłam jej znaleźć. Przypominam sobie, jak powiedziałam Michaelowi, że powinniśmy przez parę dni pomocniczo używać prezerwatywy, a Michael powiedział, że jemu to obojętne. I z jakichś powodów pomyślałam, że tak jest w porządku. Zastanawiam się, kiedy to dokładnie było. Kiedy popełniliśmy pomyłkę, z której wynikło dziecko.

Dziecko, którego teraz nie ma.

Pierwszy raz, odkąd się obudziłam, zaczynam płakać. Straciłam dziecko.

Zamykam oczy i pozwalam emocjom wziąć nade mną górę. Słucham, co serce i głowa próbują mi powiedzieć. Jestem zadowolona i smutna. Jestem wystraszona. Jestem zła. Nie jestem przekonana, czy cokolwiek, co się zdarzy, będzie w porządku.

Łzy płyną mi po twarzy tak obficie, że nie mogę sobie z nimi poradzić. Wsiąkają w szpitalny szlafrok. Zaczyna ciec mi z nosa. Brakuje mi sił, żeby go wytrzeć rękawem.

Głowa mnie boli od ciśnienia. Przekręcam się w stronę poduszki i zakrywam twarz prześcieradłem. Czuję, że robi się wilgotne.

Słyszę, że otwierają się drzwi, nie chce mi się spojrzeć, żeby zobaczyć, kto to jest. Wiem, kto to jest.

Ona wzdycha i siada na łóżku obok mnie, ja się nie odwracam. Nie mam ochoty słuchać jej głosu. Gabby.

Czekam, aż to samo wybuchnie. Strach, gniew, niepewność. Żal, ulga i niesmak.

Ktoś uderzył mnie samochodem. Ktoś po mnie przejechał. Połamał mi kości, poszarpał arterie i zabił dziecko, którego jeszcze nie pokochałam.

Gabby jest jedyną osobą na tej planecie, której powierzę mój ból.

Wyję w poduszkę. Przytrzymuje mnie mocno.

– Wyrzuć to z siebie – mówi. – Wyrzuć to.

Oddycham tak gwałtownie, że czuję się wykończona. Jestem oszołomiona tlenem i udręką.

A potem odwracam głowę w jej stronę. Widzę, że ona też płakała.

Dzięki temu czuję się jakoś lepiej. Jakby mogła wziąć na siebie trochę mojego bólu, jakby mogła zabrać go z moich rąk.

– Oddychaj – mówi. Patrzy mi w oczy i robi powolny wdech, a potem powoli robi wydech. – Oddychaj – mówi znowu. – Tak jak ja. No, dalej.

Nie rozumiem, o co chodzi, póki nie dociera do mnie, że teraz w ogóle nie oddycham. Powietrze zatrzasnęło mi się w piersi. Trzymam je w płucach. I kiedy dociera do mnie, co robię, wypuszczam je. Wypływa ze mnie, jakby w tamie zrobiła się dziura.

Powietrze wraca krótkimi wdechami. Słyszalnym, bolesnym sapnięciem.

I czuję, chyba po raz pierwszy, odkąd się obudziłam, że żyję. Ja żyję.

Ja dzisiaj żyję.

– Byłam w ciąży – mówię i znowu zaczynam płakać. – W dziesiątym tygodniu. – To pierwsza ważna rzecz, jaką powiedziałam, odkąd się obudziłam, i teraz czuję, jak szarpało mi to wnętrzności, jakby to była kula rykoszetująca w bebechach.

Mówienie nie jest tak trudne, jak myślałam. Chyba mogę to robić normalnie. Ale nie muszę mówić niczego więcej.

Nie muszę mówić Gabby, że nie wiedziałam. Nie muszę mówić Gabby, że nie byłabym przygotowana na dziecko, którego nie mam.

Ona już wie. Gabby zawsze wie. A może lepiej powiedzieć: ona wie, że nie ma o czym mówić.

Więc trzyma mnie za rękę i słucha, jak płaczę. I co dwie minuty przypomina, żebym oddychała.

I oddycham. Bo żyję. Może jestem połamana i wystraszona. Ale żyję.

Wyjeżdżamy z przecznicy wprost na kawiarnię, do której Ethan chce pójść. Mimo że to wtorkowy poranek i można by pomyśleć, że większość ludzi jest w pracy, ulica zapchana jest samochodami.

– Przy okazji, kiedy wracasz do pracy? – pytam go. Już dwa razy zgłosił chorobowe.

– Jutro – mówi. – Mam trochę zaoszczędzonych dni z urlopu, więc to nie problem.

Nie chcę, żeby jutro wracał do pracy, chociaż, oczywiście, powinien. Ale… dobrze mi było w tym oderwaniu od rzeczywistości. Bardzo mi się spodobała kryjówka w jego mieszkaniu, życie w kokonie gorących ciał i dań na wynos.

– A jeśli zjem tyle cynamonowych bułek, że przybędzie mi czterysta funtów? Co wtedy?

– Jak to co? – odpowiada. Prawie mnie nie słucha. Skupia się na szukaniu miejsca do zaparkowania.

– Wtedy będzie koniec? Czy to zniszczy nasz związek?

Śmieje się.

– Hannah, rób, co chcesz – mówi. – Ale nie ma niczego, co zniszczyłoby ten związek.

Odwracam się i wyglądam przez okno.

– Och, panie Hanover, znajdę twój słaby punkt. Znajdę, choćby nie wiem co.

On śmieje się, kiedy zwalniamy przed czerwonym. Patrzy na mnie.

– Wiem, co to znaczy tęsknić za tobą – mówi. Światła zmieniają się na zielone, dodaje gazu na bulwarze. – Będziesz musiała znaleźć jakiś problem nie do pokonania, żebym znowu pozwolił ci odejść.

Uśmiecham się do niego, chociaż nie wiem, czy to widzi. Ostatnio często się uśmiecham.

Wreszcie znajdujemy miejsce względnie blisko kawiarni.

– Wiesz, to dlatego ludzie wyjeżdżają z tego miasta – mówię, gdy wciska się na miejsce parkingowe.

Przekręca kluczyk i wyjmuje go z zapłonu. Wysiada z samochodu.

– Nie musisz mi tego mówić. Nienawidzę tego miasta za każdym razem, kiedy krążę po ulicach jak sęp.

– Hm, mówię tylko, że w Nowym Jorku jest metro. A w Austin można parkować, gdzie się chce. Metro w Waszyngtonie jest takie czyste, że można jeść z podłogi.

– Nigdzie nie jest idealnie. Ale wiesz, nie wyszukuj powodów, żeby zaraz wyjeżdżać.

– Nie wyszukuję – mówię. Trochę się bronię. Nie chcę być kimś, o kim ludzie myślą, że nigdzie nie zatrzyma się na dłużej.

– W porządku – mówi. – Dobrze.

Odwraca się, otwiera drzwi do kawiarni, wpuszcza mnie przodem. Stajemy w kolejce i tak się składa, że kolejka zawija się wokół gabloty z wypiekami. Na górnej półce widzę bułki cynamonowe. Są wielkie jak połowa mojej głowy. Pokryte lukrem.

– Ho, ho! – mówię ja.

– Wiem – mówi on. – Chciałem cię tutaj przyprowadzić, odkąd odkryłem to miejsce.

– Dawno to było? – pytam, drażniąc się z nim.

Uśmiecha się. Przez chwilę zastanawiam się, czy czuje się skrępowany.

– Dawno. Niech ci się nie wydaje, że mnie podstępnie zmusisz, żebym przyznał, że od lat miałem przez ciebie problemy emocjonalne. Jestem na tyle pewny siebie, żeby powiedzieć ci o tym wprost. – Uśmiecham się do niego, a on robi krok do przodu. – Poproszę bułkę z cynamonem – mówi do kasjerki.

– Zaraz, a ty nie chcesz?

– Są ogromne – mówi Ethan. – Myślałem, że się podzielimy.

Ja spoglądam na niego zezem.

On się śmieje.

– Przepraszam – mówi do kasjerki. – Niech będą dwie bułki cynamonowe. Proszę wybaczyć.

Próbuję zapłacić, ale Ethan mi nie pozwala.

Łapiemy jakąś wodę, siadamy przy oknie i czekamy, aż obsługa podgrzeje bułki. Bawię się dozownikiem serwetek.

– Gdybym w sobotę nie została z tobą dłużej, próbowałbyś przespać się z Katherine? – pytam. Miałam to w głowie od tamtego wieczoru. Uważam, że lepiej jest zadawać pytania niż ich unikać.

On zaczyna popijać wodę. Ja domyślam się, że pytanie go zaskoczyło.

– O czym ty mówisz?

– Flirtowałeś z nią. I to mnie drażniło. I tylko chcę upewnić się, że… że jestem tylko ja i ty i że nie jesteśmy… że nie ma nikogo innego.

– Jeśli chodzi o mnie, nie ma innej kobiety na tej planecie. Jestem twój. Tylko twój.

– Ale gdybym dłużej nie została…

Ethan odstawia wodę i patrzy mi prosto w oczy.

– Słuchaj, przyszedłem do tamtego baru z nadzieją, że będziesz sama, z nadzieją, że z tobą porozmawiam, wyczuję, co myślisz. Kupiłem gumę i trzymałem ją w tylnej kieszeni na wypadek, gdybym miał nieświeży oddech. Stałem przed lustrem i próbowałem zrobić z moimi włosami coś, czego nigdy z nimi nie robiłem. Dla ciebie. Ty jesteś tą jedyną. Tańczyłem z Katherine, bo denerwowałem się rozmową z tobą. A skoro chcę być wobec ciebie szczery, przyznam, że nie wiem, co bym zrobił, gdybyś mi w sobotę odmówiła, ale cokolwiek bym zrobił, to dlatego, bobym uznał, że nie byłaś zainteresowana. A skoro ty jesteś zainteresowana, to ja też. I tylko tobą.

– Ja jestem zainteresowana – mówię. – Jestem bardzo zainteresowana.

On się uśmiecha.

Cynamonowe bułki lądują na stole. Zapach przyprawy i cukru jest… relaksujący. Czuję, że jestem w domu.

– Może przez cały ten czas – mówię do Ethana – szukałam domu i nie zdawałam sobie sprawy, że dom jest tam, gdzie są bułki cynamonowe.

Ethan śmieje się.

– Coś ci powiem, jeśli chcesz przejechać cały kraj w poszukiwaniu swojego miejsca, to już dawno temu mogłem ci powiedzieć, że twoje miejsce jest przed bułką cynamonową.

Biorę nóż i widelec, robię nacięcie w samym środku. Podnoszę widelec do ust.

– Żeby tylko była dobra – mówię, zanim wreszcie poczuję smak.

Jest absolutnie doskonała. Cudownie, łaskawie, przepysznie doskonała. Odkładam sztućce i podnoszę wzrok do sufitu, rozkoszując się chwilą.

Śmieje się do mnie.

– Zaskoczyłoby cię, gdybym sama zjadła całą tę bułkę? – pytam.

– Nie, bo chciałaś mieć jedną dla siebie. – Odgryza kawałek swojej. Patrzę, jak od niechcenia przeżuwa, jakby to była kanapka z szynką, czy coś takiego. Pofolgował mojej słabości do słodyczy, ale jej nie podziela.

– A może twoją też zjem? – pytam.

– Tak, dopiero to by mną wstrząsnęło.

– Przyjmuję wyzwanie – mówię, chociaż niezbyt wyraźnie. Za dużo ciasta mam w ustach. Przypadkiem pluję na niego cynamonem.

Ethan podnosi dłoń do policzka, żeby go zetrzeć. W skali od jednego do dziesięciu osiągnęłam szósty poziom zakłopotania. Chyba poczerwieniałam. Przełykam.

– Przepraszam – mówię. – Nie zachowałam się jak dama.

– Fakt, dość ordynarnie – mówi, drażniąc się ze mną. Kręcę głową.

– A gdyby weszło mi w zwyczaj plucie na ciebie kawałkami cynamonu, zniszczyłoby to nasz związek?

Ethan opuszcza wzrok i kręci głową.

– Dajmy temu spokój, dobrze? Oboje. Zdarza się. Przestań szukać dziury w całym. – Odkłada nóż i widelec. – Może w ogóle nie ma dziury. Dasz sobie z tym radę?

– Tak – mówię. – Dam sobie radę.

Dam sobie radę, prawda? Dam radę.

---

W SERIALACH TELEWIZYJNYCH odwiedziny w szpitalu ograniczają się do określonych godzin. „Przykro nam, godziny odwiedzin się skończyły" i tego typu sprawy. Może to działa gdzie indziej, ale tutaj, na którymś tam piętrze, na którym jestem, nikt nie zwraca na to uwagi. Moi rodzice i Sarah byli tutaj do dziewiątej. Wyszli tylko dlatego, że uparłam się, żeby wracali do swojego hotelu. Moja pielęgniarka, Deanna, wchodziła i wychodziła przez cały dzień i nie powiedziała im, że mają już wyjść.

Gabby pokazała się jakieś dwie godziny temu. Uparła się, że rozbije u mnie obozowisko pod kiepskim pretekstem, że tutaj jest kanapa. Powiedziałam jej, że nie musi zostawać ze mną na całą noc, że dam sobie radę, ale odmówiła. Powiedziała, że już rozmawiała z Markiem, że będzie tu spała. Potem wręczyła mi bukiet, który przesłał za jej pośrednictwem. Położyła go na stoliku i dała wizytówkę. Potem posłała sobie łóżko i rozmawiała ze mną, póki nie skleiły się jej powieki.

Zasnęła jakieś pół godziny temu. Chrapie co najmniej od dwudziestu minut. Też zasnęłabym z chęcią, ale jestem zbyt podenerwowana, zbyt niespokojna. Nie ruszałam się, nawet nie wstawałam, odkąd przed czterema dniami stałam przed muzeum sztuki nowoczesnej. Chcę wstać i pochodzić. Chcę rozruszać nogi.

Ale nie mogę. Ledwie udaje mi się podnieść ramiona nad głowę. Włączam lampkę przy łóżku i otwieram jedno z czasopism od Sarah. Kartkuję je. Zdjęcia kobiet w absurdalnych ubraniach, w dziwacznych miejscach. Jedno wygląda, jakby je zrobiono na Syberii i przedstawia kobiety w kropkowanych bikini. Najwyraźniej kropki są modne. Przynajmniej w Europie.

Odkładam czasopismo na bok i znów włączam telewizor ze ściszonym głosem. Nie dziwię się, że idzie *Prawo i bezprawie*. Jeszcze nie udało mi się znaleźć pory, kiedy to nie idzie.

Gdy zaczynają się znajome dźwięki serialu, do mojej salki wchodzi pielęgniarz.

Jest wysoki i silny. Ciemne włosy, ciemne oczy, dokładnie wygolony. W ciemnoniebieskim ubraniu szpitalnym, mocno opalony. Pod spodem nosi biały T-shirt.

Dopiero teraz dociera do mnie, że Deanna zapewne nie pracuje okrągłą dobę. Ten facet musi być nocnym pielęgniarzem.

– Och – mówi szeptem. – Nie wiedziałem, że pani ma towarzystwo.

Spostrzegam, że na lewym przedramieniu ma wielki tatuaż. Wygląda na jakiś tekst pisany wielką kursywą, ale nie widzę dokładnie, co tam jest napisane.

– Nie obudzi się – odpowiadam szeptem.

Patrzy na Gabby i mruży oko.

– Kurczę – mówi cicho. – Chrapie jak buldożer.

Uśmiecham się do niego. Ma rację.

– To nie potrwa długo – mówi. Podchodzi do moich maszyn. Przez cały dzień byłam do nich podłączona, aż wreszcie zaczęło mi się wydawać, że są częścią mnie.

Zaczyna sprawdzać według listy, tak jak to wcześniej robiła Deanna. Słyszę skrzypienie długopisu na podkładce. „Sprawdzone. Sprawdzone. Sprawdzone. Zapisane". Wkłada kartę choroby z powrotem do kieszeni. Zastanawiam się, czy jest tam napisane, że właśnie straciłam dziecko. Wyrzucam tę myśl z głowy.

– Pozwoli pani? – pyta, wskazując gestem na stetoskop, który trzyma ręku.

– Och – mówię. – Oczywiście. Proszę robić, co trzeba.

Ściąga niżej górę mojej szpitalnej piżamy i wsuwa rękę między materiał a moją skórę. Kładzie stetoskop na wysokości serca. Prosi, żebym oddychała normalnie.

Wcześniej robiła to Deanna i nawet tego nie zauważyłam. Ale teraz, gdy robi to on, wydaje się to czymś intymnym, prawie nieprzyzwoitym. Ale oczywiście tak nie jest. Mimo wszystko czuję się trochę zawstydzona. Jest przystojny, w moim wieku, jego ręka spoczywa na mojej nagiej piersi. Teraz z całą mocą dociera do mnie fakt, że nie mam biustonosza. Odwracam głowę, żeby na niego nie patrzeć. Pachnie męskim żelem do kąpieli, czymś takim jak Alpine Rush albo Clean Arctic.

Odrywa ode mnie stetoskop, kiedy już sprawdził, co miał sprawdzić. Zapisuje coś w karcie pacjenta. Czuję, że rozpaczliwie pragnę zmiany nastroju. Nastroju, którego on pewnie nawet nie jest świadomy.

– Od dawna pan tutaj pracuje? – pytam szeptem, żeby nie obudzić Gabby. To dobrze, że muszę szeptać, bo nie można się zorientować, że drży mi głos.

– Och, jestem tutaj, odkąd przeprowadziłem się do LA, jakieś dwa lata temu – szepcze, patrząc na moją kartę. – Pochodzę z Teksasu.

– Skąd?

– Z Lockheart – mówi. – Pewnie pani o nim nie słyszała. Miasteczko pod Austin.

– Mieszkałam w Austin – mówię. – Przez jakiś czas.

Spogląda na mnie i się uśmiecha.

– Tak? Kiedy się tu pani przeprowadziła?

Trudno zwięźle odpowiedzieć, skoro mam problemy z mówieniem, więc upraszczam sprawę.

– Tu dorastałam, ale wróciłam w ubiegłym tygodniu.

Próbuje to ukryć, ale szeroko otwiera oczy.

– W ubiegłym tygodniu?

Kiwam głową.

– W ostatni piątkowy wieczór – mówię.

Kręci głową.

– To dopiero.

– Wygląda, że to nie fair, prawda?

Kręci głową i z powrotem spogląda na kartę. Klika długopisem.

– Nie powinna pani o tym myśleć – mówi, znów patrząc na mnie. – Z własnego doświadczenia mogę pani powiedzieć, że jeśli próbuje się ocenić, co jest w życiu fair i czy się na coś zasługuje, czy nie, to wpada się w dziurę, z której trudno się wygrzebać.

Uśmiecham się do niego.

– Pewnie ma pan rację – mówię i zamykam oczy. Rozmowa zużywa więcej energii, niż myślałam.

– Coś pani przynieść? – szepcze przed odejściem.

Lekko kręcę głową.

– Hm, właściwie… może przepaskę do włosów? – Pokazuję na głowę. Włosy mam opuszczone na ramiona. Leżę na nich. Nie znoszę leżeć na swoich włosach.

– Nic trudnego – mówi. Wyciąga przepaskę z kieszeni koszuli. Patrzę na niego zdumiona.

– Znajduję je po całym szpitalu. Któregoś dnia opowiem pani może o wymyślnym systemie przypomnień, do którego ich używam. – Podchodzi i wkłada mi przepaskę do ręki. Teraz trochę lepiej widzę jego tatuaż. Nadal nie potrafię go odczytać.

– Dziękuję – mówię. Nachylam się do przodu, próbując uzyskać odpowiedni kąt, by zebrać włosy. Ale idzie mi kiepsko. Boli mnie całe ciało. Nie mogę podnieść dość wysoko ramion.

– Proszę poczekać – szepcze. – Pozwoli pani?

– Hej – mówię – nie chcę kucyka.

– Dobrze… – mówi on. – Nie będę musiał ich zaplatać, prawda? To byłoby skomplikowane.

– Tylko kok. Wysoki. – Wskazuję na czubek głowy. Jest mi obojętne, czy w koku jest mi do twarzy. Po prostu chcę się pozbyć włosów spod głowy i szyi. Chcę je zebrać, żeby nie przeszkadzały.

– W porządku, niech się pani nachyli, jeśli pani może. – Zaczyna układać moje włosy. – Myślę, że to początki kompletnej katastrofy.

Śmieję się i nachylam do przodu. Krzywię się.

– Damy wyższą dawkę środków przeciwbólowych. Czy to będzie w porządku? – pyta. – Nie powinno pani aż tak boleć.

Kiwam głową.

– W porządku, ale chyba dostałam maksimum tego, co można.

– Cóż, nic mi o tym nie wiadomo. Może nam się uda trochę więcej. – Na chwilę zostawia moje włosy i idzie do kroplówki. Nie widzę, co robi; jest za mną. Potem znowu pojawia się przede mną, zgarnia moje włosy.

– Teraz może pani mówić dziwne rzeczy i mieć halucynacje – żartuje – ale lepsze to, niż miałoby panią boleć.

Uśmiecham się do niego.

– Więc mam zebrać wszystkie włosy, podnieść je na czubek pani głowy, a potem włożyć gumową przepaskę?

– Tak.

Nachyla się nade mną, nasze twarze są blisko siebie. Czuję kawę w jego oddechu. Chwycił mnie za włosy i ciasno upina je przy skórze głowy.

– Można trochę luźniej? – pytam.

– Luźniej? Dobrze. – Ramiona ma przy mojej twarzy, ale tatuaż jest po drugiej stronie. Założę się, że to imię kobiety. Wygląda na miłego faceta, który spotkał kobietę na jakiejś egzotycznej wyspie, ożenił się z nią, a teraz mają czworo pięknych dzieci i dom z kuchnią dla smakoszy. Zapewne przygotowuje wspaniałe kolacje złożone z mnóstwa potraw i założę się, że na tylnym podwórku mają drzewa owocowe. I to nie tylko pomarańcze. Cytryny, limony, awokado. Chyba za dużo środka przeciwbólowego.

– W porządku – mówi. – Voilà, to byłoby to. – Cofa się trochę, żeby dyskretnie sprawdzić efekt swojej pracy.

Po jego minie widzę, że mój kok wygląda śmiesznie. Ale według mnie jest w porządku. Czuję, że jest wysoko upięty. Po raz pierwszy dzisiaj czuję się sobą. Czyli… czuję się świetnie. Wyglądam świetnie. No i jest doskonale.

– Głupio wyglądam? – pytam.

– To chyba nie jest najlepiej zrobione – mówi. – Ale jakoś pani w tym wygląda.

– Dziękuję.

– Ależ proszę – mówi. – Hm, gdyby miała pani ochotę na inny styl uczesania, wystarczy nacisnąć ten guzik. Będę tutaj przez najbliższe osiem godzin.

– Nie ma sprawy – mówię ja. – Jestem Hannah.

– Wiem – mówi on. – Jestem Henry.

Kiedy odwraca się i odchodzi, w końcu mogę się dobrze przypatrzeć tatuażowi. „Isabelle".

Kurczę, wszystkich najlepszych zabrały Isabelle.

Kładę głowę na poduszce, cieszę się z luzu pod szyją.

Głowa Henry'ego znów się ukazuje.

– Twój ulubiony smak albo pudding? – pyta mnie żartem.

Śmieję się.

– Czekolada – mówię. – Czekolada jest w sam raz.

– O drugiej w nocy mam przerwę – mówi. Patrzy na zegarek. – Jeśli nadal nie będziesz spała, a mam nadzieję dla twojego dobra, że jednak będziesz, to może przyniosę ci czekoladowego puddingu.

Uśmiecham się i kiwam głową.

– Będzie mi miło – szepczę.

Na piętrze jest cicho i ciemno. Gabby chrapie tak głośno, że pewnie nie zasnę i będę zupełnie rozbudzona, kiedy wróci Henry.

Włączam telewizor. Zmieniam kanały.

A potem budzę się rano na dźwięk słów Gabby.

– Skąd się wziął ten czekoladowy pudding?

LEŻĘ NA KANAPIE ETHANA I GAPIĘ SIĘ W SUFIT. Dzisiaj poszedł do pracy. Ranek spędziłam na sprzątaniu jego mieszkania. Rozumiecie, nie jego bałaganu. Mojego własnego. Moje ubrania rozsiane były po wszystkich meblach. Zlew w kuchni pełen był brudnych naczyń, które w większości, jeśli nie wszystkie, były moje.

Splątane jak liny kłęby moich włosów poprzylepiały się do ścian jego prysznica. Ale teraz wszystko lśni i muszę przyznać, że nie mam nic do roboty. Ethan wrócił do pracy, życie wróciło do normalności, a ja zdaję sobie sprawę, że nie mam normalnego życia.

Gabby zabierze mnie, kiedy wyjdzie z biura około szóstej. Jedziemy do domu jej rodziców na kolację. Ale do tego czasu nie mam co robić.

Włączam telewizor Ethana i zmieniam kanały. Sprawdzam jego cyfrowy magnetowid, czy ma w nim coś, co by mnie zainteresowało. Nie ma nic, wyłączam go. Cisza wzmacnia głos w mojej głowie, który mówi mi, że muszę wrócić do życia.

Flirtowanie, całe dnie w łóżku, jedzenie bułek cynamonowych z chłopakiem jeszcze z ogólniaka to cudowny sposób na spędzanie czasu. Ale to, co dzieje się między Ethanem a mną, nie jest rozwiązaniem problemów, jakie niosę ze sobą.

Chwytam długopis i kartkę papieru z biurka Ethana i zaczynam spisywać plan. Jestem z tych, co kierują się intuicją. Jestem z tych, co czekają, dokąd zaprowadzi ich życie. Ale ten sposób życia nic mi nie daje. Sprowadza się do płacenia rachunków, obsługiwania klientów przy stolikach i sypiania z żonatymi mężczyznami. Już tak nie chcę. Zamierzam wprowadzić porządek w ten chaos.

Dam radę. Mogę być człowiekiem zorganizowanym. Prawda? No właśnie, przecież dzisiaj wysprzątałam całe mieszkanie. Teraz jest uporządkowane, doprowadzone do ładu. Nie ma śladu po uderzeniu huraganu Hannah. I może to dlatego, że nie muszę być huraganem.

Chcę tutaj stworzyć sobie życie. W Los Angeles. Więc zaczynam od listy.

Nagle zaczynam się czuć niewyraźnie. Mam zgagę. Ale wtedy dzwoni telefon i odwraca od tego moje myśli.

To Gabby.

– Cześć. Jesteś gotowa na szok? Układam listę. Listę z planem prawdziwego, zorganizowanego życia.

– Kim jesteś i co zrobiłaś z Hannah? – odpowiada ze śmiechem.

– Jeśli chcesz, żeby do ciebie wróciła, słuchaj, co ci powiem – mówię. – Muszę dostać milion dolarów w nie-oznakowanych banknotach z różnych serii.

– Potrzebuję czasu, żeby zebrać taką sumę.

– Masz dwanaście godzin.

– Och – mówi ona. – Na pewno nie uda mi się tego zrobić w dwanaście godzin. Po prostu ją zabij. Jest w po-rządku. Spodoba jej się w niebie. – Dlaczego tyle czasu zajęło mi zrozumienie, że powinnam żyć w tym samym mieście co ona?

– Hej! – mówię ze śmiechem.

Zaczyna się śmiać razem ze mną.

– Och – mówi. – Hannah, to ty! Nie miałam pojęcia.

– Tak, tak, tak – mówię – ale nie przychodź do mnie z płaczem, kiedy cię porwą.

Ona znowu się śmieje.

– Zadzwoniłam, żeby ci powiedzieć, że wpadnę wcześ-niej, niż myślałam. Prawdopodobnie koło piątej, jeśli ci to odpowiada. Pojedziemy do mnie, a potem możemy wybrać się do Pasadeny, żeby koło siódmej spotkać się z moimi rodzicami.

– Wspaniale. Pospieszę się i skończę tę listę – mówię. Na tym kończymy rozmowę.

Patrzę na leżącą przede mną kartkę i czytam: „Kupić samochód". To pierwsze, co zapisałam. Jedyne, co zapisałam.

Szybko dopisuję: „znaleźć pracę", i waham się, czy napisać, czy może nie, „znaleźć mieszkanie". Prawdę mówiąc, poza Ethanem i Gabby mam mnóstwo możliwości znalezienia innego miejsca do mieszkania. Można spokojnie założyć, że coś wykombinuję. Ale potem postanawiam, że jednak nie, a więc zapisuję. Nie będę czekać, aż coś się stanie. Mam zamiar ułożyć plan. Mam zamiar być aktywna.

Samochód.

Praca.

Mieszkanie.

Spisane jedno pod drugim, wydaje się takie proste. Przez chwilę patrzę na to i myślę: To wszystko? A potem zdaję sobie sprawę, że proste i łatwe, to nie to samo.

Kiedy przyjeżdża Gabby, żeby mnie zabrać, stoję na chodniku i na nią czekam.

Wsiadam do samochodu, Gabby rusza.

Ona patrzy na mnie, kręci głową, uśmiecha się. Ja uśmiecham się od ucha do ucha.

– Miałam rację, czy miałam rację? – mówi.

– Rację, że co? – pytam ze śmiechem.

– Że ty i Ethan...

Kręcę głową.

– To po prostu przypadek! Nie wiedziałam, że tak będzie.

– A nie mówiłam, że będzie?

– Nieważne. Rzecz w tym, że teraz jesteśmy razem.

– Razem? – mówi ze śmiechem Gabby. – Że niby wy jesteście razem?

Śmieję się.

– Tak, jesteśmy razem.

– Więc mogę założyć, że nie licząc przypadkowych przejażdżek tu i ówdzie i paru posiłków, straciłam cię na rzecz twojego na nowo odnalezionego chłopaka?

Kręcę głową.

– Nie, nie tym razem. Już nie mam siedemnastu lat. Chcę stworzyć tu sobie życie. Romans jest wspaniały, ale to tylko część życia. Wiesz?

Gabby przyciska ręce do serca i uśmiecha się do siebie. Ja zaczynam się śmiać. Mówiłam to dla niej, ale naprawdę nie uważam, że dobry chłopak to rozwiązanie wszystkich moich problemów.

Nadal mam mnóstwo problemów do rozwiązania.

DEANNA PRZYCHODZI, ŻEBY PRZYNIEŚĆ MI ŚNIADANIE i sprawdzić, co ze mną. Zaraz po jej wyjściu pojawia się doktor Winters i siada razem z Gabby, żeby omówić szczegóły moich obrażeń teraz, kiedy jestem trochę bardziej stabilna. Moi rodzice są w drodze i wiem, że chcieliby tu być, żeby to usłyszeć, ale ja nie mogę czekać. Muszę wiedzieć.

Doktor Winters wyjaśnia, że uderzenie przecięło tętnicę udową, złamało mi prawą nogę i miednicę. Byłam nieprzytomna; błyskawicznie wzięto mnie na operację, żeby powstrzymać krwawienie i nastawić złamania. Straciłam mnóstwo krwi i doznałam mocnego uderzenia w głowę, kiedy upadłam. Mówiąc to, przez cały czas podkreśla, że wszystkie moje urazy są typowe przy tak poważnych wypadkach samochodowych i że z tego wyjdę. Wiedziałam, że było źle, tym trudniej mi uwierzyć, że będzie dobrze. Ale jeśli nawet ciężko coś zrozumieć, to nie znaczy, że to jest mniej prawdziwe.

Doktor Winters skończyła badanie mojej pamięci i powiedziała, że wypiszą mnie do domu na wózku inwalidzkim. Przez kilka tygodni, dopóki nie zrośnie mi się miednica, nie będę mogła chodzić. A kiedy będę już chodzić, to na początku będę musiała to robić bardzo powoli i ostrożnie. Będę potrzebowała fizjoterapii, żeby uruchomić uszkodzone mięśnie i będzie mnie bolało... cóż, prawie przez cały czas.

– Długa droga przed panią – mówi doktor Winters. – Ale równa. Nie mam wątpliwości, że pewnego dnia, raczej wcześniej niż później, będzie pani mogła pobiegać sobie po okolicy.

Śmieję się do niej.

– Hm, w przeszłości nigdy nie biegałam po okolicy, więc teraz, kiedy mam unieruchomione nogi, nadszedł czas, żeby zacząć.

– Pani żartuje – mówi, wstając – ale miałam pacjentów, kompletnych piecuchów, którzy zaczęli trenować do maratonu, kiedy tylko wróciła im sprawność nóg. W takim tymczasowym i nieprzyjemnym unieruchomieniu jest coś, co zachęca ludzi, żeby potem sprawdzili, do czego są zdolni.

Klepie mnie po ramieniu i idzie w stronę drzwi.

– Gdyby pani czegoś potrzebowała, proszę powiedzieć pielęgniarkom. A gdyby pani miała jeszcze jakieś pytania, jestem tutaj – mówi.

– Dziękuję – mówię i zwracam się do Gabby: – Świetnie. Więc nie tylko nie mogę teraz o własnych siłach pójść do łazienki, ale jeśli nie zacznę marzyć o maratonach i butach sportowych, to okażę się obibokiem.

– Myślę, że właśnie to powiedziała. Twierdzi, że jeśli natychmiast nie zaczniesz trenować do maratonu LA, to zmarnujesz sobie życie i możesz sobie darować.

– Kurczę, że ta doktor Winters może być taką zołzą – mówię i natychmiast rozlega się pukanie do drzwi. Przez chwilę jestem przerażona, że to doktor Winters. Nie mówiłam tego na poważnie. Tylko żartowałam. Ona jest naprawdę miła. Lubię ją.

To Ethan.

– Mogę zajrzeć? – pyta. – Trafiłem na dobrą porę?

Wyciąga zza pleców wielki bukiet lilii.

– Cześć – mówię. Uwielbiam lilie. Zastanawiam się, czy pamiętał, czy to przypadek.

– Hej – mówi. Ma łagodny głos, jakby za głośne słowa mogły mnie urazić. Nadal stoi w drzwiach.

– Czy to…? Czy ja…?

– Wszystko w porządku – mówi Gabby. – Wchodź. Usiądź. – Przenosi się na moją drugą stronę.

On podchodzi bliżej i wręcza mi kwiaty. Biorę je i wącham. On uśmiecha się do mnie, jakbym była jedyną osobą na świecie.

Kiedy na niego patrzę, wraca do mnie wszystko; z początku prawie jak sen, a potem, im więcej sobie przypominam, tym bardziej to się konkretyzuje.

Pamiętam, jak Gabby podaje mi swój telefon. Pamiętam, jak na niego patrzę. Widzę esemesa Katherine:

„Wracam do domu z Ethanem. Czy to coś strasznego?"

Wciskam twarz w kwiaty, nie patrzę mu w oczy. W szpitalu, gdzie wszystko jest klinicznie czyste i bez zapachu, a powietrze jest nieświeże, zapach lilii może człowieka upoić. Znowu robię wdech, mocniejszy, próbuję wyciągnąć z nich tyle życia i świeżości, ile zdołam. Ironia sytuacji nie umyka mojej uwadze. To kwiaty cięte. Z definicji umierające.

– Hm – mruczę. On nie myśli o nas poważnie. On nie jest zainteresowany nami, jeśli pojechał do domu z nią. To całkiem jak Michael. Muszę się nauczyć, że trzeba stawiać czoło wyzwaniom. Prawie mnie pocałował, a potem pojechał do domu z inną dziewczyną. – Pięknie pachną.

– Jak się czujesz? – pyta. Siada na krześle obok łóżka.

– W porządku – mówię. – Naprawdę.

Patrzy na mnie przez chwilę.

– Możesz je wziąć? – pytam, podając kwiaty Gabby. – Naprawdę nie mam gdzie…

– Och – mówi Gabby. – Pozwól, że poszukam jakiejś wody i czegoś, żeby je wstawić. Może być? – Próbuje znaleźć pretekst, żeby zostawić nas samych, a okazja sama się jej narzuca.

– A więc… – mówi on, robi głęboki wdech.

– A więc… – mówię ja.

Oboje milczymy, patrzymy na siebie. Domyślam się, że niepokoi się o mnie. Domyślam się, że trudno mu na mnie patrzeć, gdy widzi mnie na szpitalnym łóżku. Wiem też, że to nie jego wina; po prostu rozstraja mnie wspomnienie, że zabrał Katherine do domu. Nie mamy do siebie nawzajem żadnych praw, niczego sobie nie obiecywaliśmy.

Poza tym to wspomnienie jest takie świeże, chyba dlatego, że na jakiś czas zagubiłam się w mgle przesłaniającej mi mózg, ale to było parę dni temu. Dla niego to już stara sprawa.

Oboje zaczynamy mówić jednocześnie.

– Jak się czujesz? – on pyta mnie.

– Co u ciebie? – ja pytam jego.

On się śmieje.

– Czyżbyś właśnie spytała, co u mnie? Raczej co u ciebie? To jest pytanie. Bardzo się o ciebie martwiłem.

– Ze mną w porządku – mówię ja.

– Wystraszyłaś mnie na śmierć – mówi on. – Wiesz? Wiesz, że pękłoby mi serce, gdybym miał żyć w świecie bez ciebie?

Wiem, że powinnam mu uwierzyć. Wiem, że mówi prawdę. Rzecz jednak w tym, że mogę mu wierzyć, i to mnie niepokoi. Nie chcę postępować tak, jak to robiłam wcześniej. Nie chcę wierzyć w to, co człowiek mówi, nie patrząc na to, co robi. Nie chcę widzieć tylko tego, co chcę.

Chcę być wreszcie realistką. Chcę stanąć na ziemi. Chcę podejmować mądre decyzje.

Więc gdy Ethan się uśmiecha, a ja się czuję, jakbym to ja stworzyła świat, kiedy podchodzi do mnie bliżej, a ja czuję ciepło jego ciała i zapach jego proszku do prania, zupełnie jak w ogólniaku, muszę to zignorować. Dla własnego dobra.

– Ze mną naprawdę w porządku – mówię mu. – Nie martw się. To tylko parę połamanych kości. Ale jest okej.

Chwyta mnie za rękę. Wzdrygam się. On to widzi i cofa dłoń.

– Dobrze cię traktują? – pyta. – O ile wiem, szpitalne jedzenie pozostawia sporo do życzenia.

– Fakt – mówię. – Chętnie zjadłabym coś dobrego. Chociaż pudding nie jest taki zły.

– Mówili, jak długo tutaj będziesz? – pyta. – Chcę wiedzieć, kiedy znowu będę mógł zabrać cię na miasto.

Śmieję się uprzejmie. To takie gadanie. Takie czarujące gadanie, taki flirt. To mnie bierze. To, że jego gadanie nie jest takie poważne.

– Trochę to potrwa – mówię. – Mógłbyś sobie znaleźć inną dziewczynę, żeby z nią poimprezować.

– Nie – mówi z uśmiechem. – Chyba wolałbym poczekać na ciebie.

Nie wolałbyś.

Ciągle mam nadzieję, że Gabby wróci z kwiatami, ale nadal jej nie ma.

– Cóż – mówię – nie czekaj. – Mój ton jest uprzejmy, ale niespecjalnie ciepły. Jeśli wziąć pod uwagę, że nie było to zbyt miłe, to chyba odkryłam karty.

– Okej – odpowiada. – Chyba powinienem już iść. Pewnie musisz odpocząć, a ja wracam do pracy…

– Tak – mówię. – Jasne.

Podchodzi do drzwi i odwraca się.

– Wiesz, że dla ciebie zrobiłbym wszystko, prawda? Gdybyś czegoś potrzebowała…

Ja kiwam głową.

– Dziękuję.

On wbija wzrok w podłogę, potem patrzy na mnie. Wygląda, jakby chciał coś powiedzieć, ale nic nie mówi. Tylko klepie framugę drzwi i wychodzi.

Zaraz potem wraca Gabby.

– Przepraszam – mówi. – Nie chciałam podsłuchiwać, ale wróciłam z kwiatami jakiś czas temu i słyszałam, jak rozmawialiście. Nie chciałam…

– Dobrze jest – mówię, kiedy stawia kwiaty na blacie przy drzwiach. Zastanawiam się, gdzie znalazła wazon. Jest ładny. Kwiaty są piękne. Większość mężczyzn przyniosłaby goździki.

Patrzy na mnie.

– Złościsz się o tę sprawę z Katherine.

– Więc jednak podsłuchiwałaś.

– Nie twierdzę, że nie. Powiedziałam po prostu, że nie chciałam.

Śmieję się.

– Nie złoszczę się o tę sprawę z Katherine – bronię się. – To tylko potwierdziło, że próbować z nim czegoś znowu… to może nie najlepszy pomysł.

Chwyta mnie za rękę.

– Okej – mówi.

Biorę pilota i włączam telewizor. Gabby sięga po swoją torebkę.

– Idziesz?

– Tak, muszę wracać do biura na zebranie. Ale twoja rodzina zaraz tu będzie. Kilka minut temu przysłali mi esemesa, że już parkują. Spędzisz z nimi trochę czasu, a potem ja wyjdę z pracy, wezmę ubranie na jutro i wrócę tutaj na naszą nocną imprezę.

– Nie musisz zostawać tej nocy – mówię.

Marszczy brwi, jakbym kłamała.

– Poważnie – mówię ze śmiechem. – Moi rodzice mogą zostać. Sarah może zostać. Nikt nie musi zostawać. Poważnie. Idź do domu. Spędź czas z Markiem. Ze mną jest w porządku.

Moja mama wsuwa głowę.

– Cześć, kochanie! – mówi. – Cześć, Gabrielle! – dodaje na jej widok.

– Cześć, Maureen – mówi Gabby i ściska ją. – Właśnie wychodziłam! – woła od drzwi. – Wpadnę później. Porozmawiamy o tym.

Śmieję się.

– Okej.

Mama wchodzi do pokoju. Dołącza do niej tato.

– Cześć, kochani – mówię. – Jak się macie?

– Jak się mamy? – mówi tato. – Jak my się mamy? – Zwraca się do mamy. – Słyszysz to dziecko? Wpada pod samochód, a kiedy już może mówić, to najpierw pyta, jak my się mamy. – Podchodzi do mnie i łagodnie mnie ściska.

Ostatnio wszyscy tak do mnie mówią, ale „jak się masz?"
to po prostu pozdrowienie w formie pytania.

– Niewiarygodne – mówi moja mama. Podchodzi do
mnie z drugiej strony.

– Sarah przyjdzie za minutkę – mówi tato.

– Zdenerwowała się, kiedy próbowała równolegle zaparkować – szepcze mama. – Uczyła się jeździć tam, gdzie
parkuje się po lewej stronie ulicy.

– Nie możecie zaparkować tutaj, w garażu? – pytam.
Tato się śmieje.

– Widać, że nigdy nie odwiedzałaś nikogo w szpitalu.
Opłaty są szalone.

Kochani staruszkowie. W drzwiach staje Sarah.

– Udało się? – pyta moja mama.

– W porządku – mówi Sarah. Wzdycha. – Cześć – mówi
do mnie. – Jak się masz?

– Dobrze – mówię.

– Wyglądasz, jakbyś czuła się lepiej niż wczoraj – mówi
tato. – Nabrałaś trochę kolorów.

– I głos ci się poprawił – dodaje mama.
Sarah podchodzi bliżej.

– Brakuje mi słów, żeby ci powiedzieć, jak dobrze cię
widzieć i wiedzieć, że z tobą w porządku. Słyszeć twój
głos. – Spostrzega, że mamie zbiera się na płacz. – Ale jest
i zła nowina, to że kok masz naprawdę spieprzony. No dobrze. – Obejmuje moją głowę i ściąga z włosów elastyczną
przepaskę.

– Teraz ostrożnie – mówię. – Do tych włosów przy-
czepiony jest człowiek.

– Dobrze się czujesz? – mówi. – Chwileczkę. – I sama
się wstrzymuje. – Dobrze się czujesz, prawda? Gabby mówiła, że uszkodzenia masz głównie poniżej pasa.

– Tak, tak – mówię. – No, dalej.

Puszcza moje włosy i sięga do swojej torebki.

– Czy nikt ci tutaj nie czesze włosów?

Wyciąga z torebki szczotkę i zaczyna przesuwać nią po moich włosach. Miłe uczucie, nie licząc momentów, kiedy trafia na włosy splątane tuż przy skórze. Krzywię się, kiedy je ciągnie, próbując rozplątać.

– Pamiętasz, jak byłaś mała – mówi mama, siadając – i robiły ci się supły na włosach, kiedy próbowałaś sama zapleść sobie warkocz?

– Niespecjalnie – mówię. – Ale jeśli chociaż trochę przypominało to takie szarpanie za włosy, jak to teraz robi Sarah, to rozumiem, dlaczego wyparłam to wspomnienie.

Sarah stoi za mną, ale jestem pewna, że teraz unosi wzrok do góry.

– Tak, wtedy też tego nie znosiłaś, a ja powiedziałam, żebyś przestała bawić się włosami, jeśli nie chcesz, żebym przy tobie siadała i rozplątywała je. Powiedziałaś, że chcesz je ściąć. A ja powiedziałam, żebyś tego nie robiła.

– Oczywiście – mówi Sarah, odkłada szczotkę i upina moje włosy w wysoki kok.

– Możesz zrobić wyższy? – pytam. – Nie lubię, jak leżą na łóżku. – Puszcza moje włosy i znowu próbuje.

– I dobrze, sprawa załatwiona – mówi mama.

– Trochę na to za późno – żartuje tato.

Mama spogląda na niego. Takim spojrzeniem żony i matki obdarzają ojców i mężów od stuleci.

– W każdym razie – mówi z sarkazmem mama – wtedy poszłaś do kuchni, a kiedy nie patrzyłam, ścięłaś sobie włosy.

– Ach, prawda – mówię, z trudem przypominając sobie obraz moich ściętych włosów. – Chyba już mi to opowiadałaś.

– Były takie krótkie. Powyżej uszu! – mówi mama. – A ja wbiegłam do kuchni, zobaczyłam, co zrobiłaś, i powiedziałam: „Dlaczego to zrobiłaś?", a ty powiedziałaś: „Nie wiem, bo miałam ochotę".

– To są poglądy Hannah Savannah, jeśli je kiedykolwiek miała – mówi z dumą tata. – Nie wiem, bo miałam ochotę. – Śmieje się do siebie.

Właśnie tego rodzaju pomysły próbuję w sobie zmienić.

– Tak, w porządku, Dough, ale nie to jest morał tej historii – mówi moja mama.

Tato unosi ręce, udając żal.

– Proszę przyjąć moje przeprosiny – mówi. – Nie znoszę wymyślania niewłaściwego morału do opowieści. Wezwijcie policję!

– Czy musisz przerywać każdą historię, którą chcę opowiedzieć? – pyta mama i macha na niego ręką. – Zmierzam do tego, że musieliśmy zaprowadzić cię do fryzjera, gdzie obcięli ci włosy na damskiego jeżyka, czego nie widuje się u małych dziewczynek. Bo miałaś wtedy nie więcej niż sześć lat.

To pamiętam; widziałam zdjęcia, na których miałam włosy przystrzyżone blisko skóry.

– Przejdź do sedna, mamo – mówi Sarah. – Zanim skończysz opowiadać, będę miała dziewięćdziesiąt cztery lata.

Działa mi na nerwy, kiedy słyszę, jak Sarah drażni się z mamą. Ja nigdy bym jej czegoś takiego nie powiedziała.

– Dobrze – mówi mama. – Hannah, miałaś olśniewające włosy. Naprawdę oszałamiające. Kobiety zatrzymywały mnie na Gelson i pytały, jak wpadłam na pomysł, żeby sprawić ci taką fryzurę. Dawałam im numer fryzjerki, która to zrobiła. Skończyło się to tak, że przeniosła swój zakład z Doliny na Beverly Hills. Ostatnie, co o niej słyszałam, to że kiedyś strzygła dziecko Jerry'ego Maguire'a. Koniec.

– Ta historia była jeszcze gorsza, niż myślałam – mówi Sarah. – Gotowe!

– Jak to wygląda? – pytam taty i mamy.

Uśmiechają się do mnie.

– Jesteś olśniewającą dziewczyną – mówi tato.

– Teraz ludzie zobaczą kok Hannah, a ja pewnego dnia zrobię kok Angelinie Jolie – mówi Sarah, drażniąc się z tatą.

– Nie o fryzjera chodzi! – mówi mama. – W tej historii chodzi o to, że zawsze trzeba mieć wiarę w Hannah. Bo jeśli nawet myślisz, że popełniła fatalny błąd, i tak jest o krok przed tobą. Oto morał. Wszystko zawsze odwraca się na korzyść Hannah, wiesz? Urodziła się pod szczęśliwą gwiazdą albo jakoś tak.

Czasem myślę, że do anegdot mamy powinno dołączać się uczone komentarze. Stają się całkiem niezłe, jeśli ktoś je objaśni.

– Naprawdę, spodobała mi się ta historia – mówię do mamy. – Dziękuję, że ją opowiedziałaś. Zupełnie tego nie pamiętałam.

– Mam gdzieś zdjęcia – mówi mama. – Znajdę je, jak wrócę do domu, i prześlę ci jedno. Wyglądałaś naprawdę świetnie. To dlatego zawsze ci mówię, żebyś ścięła sobie włosy.

– Ale co ona zrobi bez koka? – pyta Sarah.

– Właśnie – mówię. – Bez tego koka jestem nikim.

– No to powiedz nam co i jak, Hannah Savannah – mówi tato. – Lekarze twierdzą, że szybko dojdziesz do zdrowia, ale z ojcowskiego obowiązku martwię się twoim obecnym samopoczuciem.

– Fizycznym i umysłowym – mówi mama.

– Ze mną wszystko w porządku – mówię. – Ciągle dają mi środki przeciwbólowe. Nie można powiedzieć, że czuję się doskonale. Ale całkiem nieźle.

Nic dobrego nie wyniknie, jeśli powiem im o dziecku. Wyrzuciłam tę myśl z głowy. Nie czuję nawet, żebym coś przed nimi zataiła.

– Naprawdę czujesz się dobrze? – pyta mama. Głos zaczyna się jej łamać. Tato obejmuje ją ramieniem.

Zastanawia mnie, ile razy będę musiała to powtórzyć, zanim w to uwierzą. Hm, może najpierw to powinna być prawda.

– Bardzo się musiałaś bać – mówi mama. Z oczu zaczynają jej płynąć łzy. Tato ściska ją mocniej, ale widzę, że i on zaczyna mieć oczy w mokrym miejscu. Sarah odwraca wzrok. Patrzy przez okno.

Ale to dowcipkowanie, poprawianie fryzury, wszystkie te rodzinne wspomnienia są tylko na pokaz. Są załamani i zaniepokojeni, wstrząśnięci, skrępowani i nieszczęśliwi aż do przesady. I szczerze mówiąc, jest w tym coś, co mnie uspokaja.

Nie pamiętam, kiedy ostatni raz czułam się częścią własnej rodziny. Od jakiejś dekady czułam się między nimi jak gość. Ledwie pamiętam, jak było, kiedy wszyscy mieszkaliśmy w tym samym miejscu, w tym samym domu, w tym samym kraju. Ale kiedy ta trójka stoi teraz przede mną i widzę pęknięcia w ich zbroi, czuję się jak członek rodziny. Jak ktoś, kto jest niezbędny, żeby wszyscy byli razem.

– Żałuję, kochani, że nie mieszkacie tutaj – mówię, kiedy ogarnia mnie wzruszenie. Nigdy jeszcze tego nie mówiłam. Nie bardzo wiem dlaczego. – Czuję, że po prostu... bardzo za wami tęsknię.

Tato zbliża się i bierze mnie za rękę.

– My tęsknimy za tobą codziennie – mówi. – Każdego dnia. Wiesz?

Kiwam głową. Chociaż nie jestem pewna, czy to była najuczciwsza z odpowiedzi.

– Tylko to, że ty jesteś tutaj, a my jesteśmy tam, nie znaczy, że kiedykolwiek przestaliśmy o tobie myśleć – mówi mama.

Sarah kiwa głową, odwraca wzrok i ociera łzy. A potem kładzie rękę na moim kolanie. Patrzy mi w oczy i uśmiecha się.

– Nie wiem jak oni, ale ja kocham cię jak wariatka – mówi.

---

CARL I TINA KILKA LAT TEMU PRZEPROWADZILI SIĘ DO PASADENY. Sprzedali mieszkanie, które mieli, kiedy byłyśmy w ogólniaku, i stłoczyli się w domu w stylu lat dwudziestych dwudziestego wieku, na cichej uliczce z mnóstwem drzew.

Była prawie ósma, kiedy Gabby, Mark i ja dojechaliśmy do nich. Mark do późna był w pracy. Chyba ma w gabinecie mnóstwo roboty aż do wieczora. Myślałam, że stomatologia jest jakoś przewidywalna. Ale on zawsze ma przypadki na ostatnią chwilę.

Zatrzymaliśmy się na podjeździe i poszliśmy do domu. Gabby nawet nie puka. Od razu wchodzi.

Tina podnosi wzrok znad kuchni i podchodzi do nas z szerokim, jasnym uśmiechem i otwartymi ramionami.

Obejmuje Gabby i Marka, potem zwraca się do mnie.

– Hannah Marie! – mówi i obejmuje mnie ramionami. Mocno mnie trzyma i kołysze mną na boki, jak robią tylko matki.

– Cześć, Tina – mówię. – Stęskniłam się za tobą.

Odsuwa się ode mnie i dokładnie mi się przygląda.

– Ja też, kochana. Ja też. Wejdź dalej i przywitaj się z Carlem. Nie może się doczekać, żeby cię zobaczyć.

Wchodzę dalej, zostawiam Gabby i Marka z Tiną. Carl jest na tylnym podwórku, zdejmuje stek z grilla. To z pewnością punkt dla Los Angeles: można tu grillować przez okrągły rok.

– Czy wzrok mnie nie myli? – pyta. Odkłada stek na talerz i zamyka grilla. – Czyżby przede mną stała Hannah Martin?

Carl jest ubrany w zieloną koszulkę polo i spodnie khaki. Prawie zawsze wygląda, jakby wybierał się na golfa. Nie wiem, czy kiedykolwiek naprawdę grywał w golfa, ale wygląd ma nieskazitelny.

– Ta sama – mówię, rozkładając ramiona, żeby się zaprezentować. Ściska mnie. Jest wielkim mężczyzną i ma mocny chwyt. Ledwie mogę oddychać. Przypomina mi się ojciec, za którym tęsknię.

Wręczam Carlowi kwiaty, które przyniosłam.

– Ojej, bardzo dziękuję! Zawsze chciałem… To chryzantemy? – pyta. Wie, że się myli.

– Lilie – mówię.

– Byłem blisko – mówi i wyjmuje mi je z ręki. – Nie znam się na kwiatach. Po prostu kupuję je, kiedy zrobię coś złego. – Śmieję się.

Pokazuje gestem, żebym wzięła talerz ze stekiem. Robię to i wchodzimy do domu.

W kuchni Tina nalewa wino dla Gabby i Marka. Carl idzie tuż za mną.

– Tino, właśnie kupiłem dla ciebie lilie. Proszę, weź – mówi i mruga do mnie.

– Cudne, a jakie to romantyczne, kochanie – mówi Tina. – Miło wiedzieć, że sam je przyniosłeś. Że nie zabrałeś przemocą kwiatów, które miała dla nas Hannah.

– Racja. – Odkłada stek i ściska Gabby. Podaje rękę Markowi i klepie go po plecach. – To byłoby straszne.

Gabby zdejmuje torebkę z ramienia i bierze ode mnie moją torbę. Kładzie obie w korytarzu.

– Buty też możesz zdjąć – mówi Gabby. – Ale lepiej je schowaj.

Patrzę na nią zmieszana. Tina wyjaśnia sprawę.

– Barker.

– Barker?

– Barker! – woła Carl i po schodach zbiega do kuchni wielki bernardyn.

– O mój Boże – mówię. – Piękny!

Gabby zaczyna się śmiać. Barker biegnie prosto do Marka, a Mark się cofa.

– Zapomniałem tabletek przeciwko alergii – mówi. – Przepraszam. Powinienem się trzymać z dala.

– Masz uczulenie na psy? – pytam.

Kiwa głową, Gabby spogląda na mnie. Nie wiem, co to spojrzenie oznacza, bo Gabby jednym płynnym ruchem opada na podłogę i tarmosi Barkera. Jest tak uszczęśliwiony, że kładzie się na grzbiecie i pozwala głaskać po brzuchu.

– Słuchajcie! – ogłasza Tina. – Na ten wieczór stek i ziemniaki. Ale Carl postanowił się popisać, bo wy dzieciaki przyszliście i dlatego stek jest z sosem chimichurri, czosnkiem, purée ziemniaczanym ze szczypiorkiem, a także z kiełkami brukselki... bo jako mama nie mogę pozwolić, żebyście nie jedli warzyw.

Moi rodzice zmuszali mnie do jedzenia warzyw do czternastego roku życia, a potem dali spokój. Zawsze mi się to w nich podobało. Kiedy mieszkałam z Carlem i Tiną, miałam wrażenie, że co wieczór wmusza się we mnie ryboflawinę.

Ale ich córka jest dyrektorem organizacji non profit i wyszła za dentystę, więc najwyraźniej mieli rację.

Wszyscy siadamy za stołem i Carl natychmiast zaczyna tatusiowe pytania.

– Hannah, musimy nadrobić zaległości. Co porabiasz? – mówi, krojąc stek.

– Cóż. – Szeroko otwieram oczy i wzdycham. Nie wiem, od czego zacząć. – Wróciłam! – mówię i dla efektu wyrzucam w górę ręce i otwieram dłonie. Przez chwilę myślę, że to wystarczy. Ale najwyraźniej nie wystarczy.

– Hm, hm – mówi Carl. – I co? – Zaczyna nakładać na talerze i podawać je wzdłuż stołu. Kiedy dostaję swój, jest na nim mnóstwo kiełków brukselki. Jak nie zjem wszystkich, Tina coś powie. Po prostu to wiem.

– No... ostatnio głównie latałam od miasta do miasta. Na krótko pacyficzny Północny Zachód. Także Nowy Jork.

– Gabby mówiła, że mieszkałaś w Nowym Jorku – mówi Tina i zaczyna żuć kawałek steku. – Było odjazdowo? Widziałaś jakieś przedstawienia na Broadwayu?

Śmieję się cicho, chociaż mi nie do śmiechu.

– Nie – mówię. – Niewiele tego było.

Nie chcę wchodzić w rozmowę o Michaelu. Nie chcę im się przyznać do bagna, w które sama wlazłam. Może i nie są moimi rodzicami, ale Carl i Tina zawsze byli niewiarygodnie rodzicielscy. Bardzo mi zależy na tym, co o mnie myślą.

– Nowy Jork nie był dla mnie – mówię i popijam wino, które przede mną postawili, a potem natychmiast odstawiam je na stół. Okropnie śmierdzi. Nie smakuje mi.

Gabby widzi moje zakłopotanie i wkracza.

– Hannah jest dziewczyną z Zachodniego Wybrzeża, wiecie? Wróciła i będzie jedną z nas.

– Amen – mówi Carl, kroi swój stek i zjada kawałek. Przeżuwa, otwierając czasem usta. – Zawsze mówiłem, idź za słońcem. A ten, kto idzie tam, gdzie pada śnieg, jest głupkiem. – Tina unosi oczy na te słowa. On patrzy na Marka. – Mark, co się dzieje, że pijesz wino do steku?

Mark zaczyna się trochę jąkać. Po raz pierwszy dociera do mnie, że Mark czuje się onieśmielony w towarzystwie Carla. Nietrudno domyślić się dlaczego. Carl to wspaniały człowiek w roli teścia.

– Stało przede mną – mówi Mark ze śmiechem. – Nie za bardzo rozróżniam.

Carl wstaje od stołu i idzie do kuchni. Wraca i stawia przed Markiem piwo.

Mark się śmieje.

– W porządku! – mówi. Wyraźnie woli piwo niż wino, które dała mu Tina, ale nie wiem, czy to nie jest tylko na pokaz, dla Carla. Drapie się mocno po nadgarstku i plecach. To pewnie przez Barkera.

Carl siada.

– Mężczyźni piją piwo – mówi, popijając swoje. – Proste.

– Tato – mówi Gabby – płeć nie ma nic wspólnego z tym, co się lubi pić. Niektórzy mężczyźni lubią koktajl appletini. Niektóre kobiety wolą bourbona. To nie ma znaczenia.

– Chociaż nie mam pojęcia, co to jest appletini, to poza tym masz całkowitą rację – mówi w zamyśleniu Carl. – Zrobił się ze mnie redukcjonista, przepraszam.

Kiedy wróciłam do tego domu, przypomniałam sobie, skąd się to wzięło. Co sprawia, że Gabby musi jasno i jak najbardziej precyzyjnie mówić o gender. Przyczyną jest Carl. Żywi przestarzałe idee na temat mężczyzn i kobiet, ale z zasady koryguje je, kiedy wtrąca się Gabby.

– A zatem, Hannah – Tina zmienia temat rozmowy – jakie masz plany? Zostajesz na jakiś czas w LA?

Przełykam kawałek steku, który przeżuwałam.

– Tak – mówię. – Mam nadzieję.

– Masz w perspektywie jakąś pracę? – pyta Carl.

Gabby występuje w mojej obronie.

– Tato, daj spokój.

Carl przyjmuje postawę obronną.

– Ja tylko pytam.

Kręcę głową.

– Nie – mówię – nie mam. – Patrzę na stojący przede mną kieliszek wina. Nie mogę się zmusić, żeby jeszcze trochę wypić. Nie chcę tego ponownie wąchać. Chwytam wodę stojącą obok i wypijam łyk. – Ale będę miała – dodaję. – To jest na mojej liście. Samochód. Praca. Mieszkanie. Rozumiecie, podstawowe zasady czynnego życia.

– Masz pieniądze na samochód? – pyta Carl.

– Tato! – mówi Gabby. – Daj spokój.

Mark się nie wtrąca. Jest zbyt zajęty drapaniem się po rękach. Poza tym zauważyłam, że Mark zazwyczaj rzadko w coś się wtrąca.

– Gabby! Ta dziewczyna mieszkała z nami prawie dwa lata. Właściwie to dawno niewidziana córka. Mogę zapytać, czy potrzebuje pieniędzy na samochód. – Carl zwraca się do mnie. – Mogę?

Dziwaczne są moje związki z Hudsonami. Z jednej strony, nie są moimi rodzicami. Przecież mnie nie wychowywali i nie spotykają się ze mną regularnie. Z drugiej strony, gdybym czegoś potrzebowała, wiem, że przyszliby mi z pomocą. Opiekowali się mną w latach, które kształtują człowieka. I prawda jest taka, że moich rodziców tu nie ma. Moich rodziców nie ma tu od dawna.

– Wszystko gra – mówię. – Odłożyłam trochę pieniędzy.
Mam dość na zaliczkę za samochód albo na czynsz i wa-
dium za mieszkanie. Jeśli uda mi się znaleźć coś taniego,
to może starczy na obie te rzeczy.

– Chcesz powiedzieć, że masz jakieś pięć tysięcy dolarów? – mówi Carl.

Gabby kręci głową. Mark uśmiecha się. Może po prostu
się cieszy, że na jakiś czas zeszliśmy z niego.

Tina odzywa się, zanim ja zdążyłam to zrobić.

– Carl, może zostawimy poważne tematy na po obie-
dzie?

– Hannah – Carl zwraca się bezpośrednio do mnie –
czy to cię krępuje? Masz mi za złe?

O kurczę! Co mam na to powiedzieć? Tak, mówienie
o tym, jaka jestem rozbita i nieprzygotowana do życia,
trochę mnie krępuje. Ale kto na tej planecie, jeśli zapytać
go wprost, czy czuje się skrępowany, przyzna, że tak? Bez-
nadziejne pytanie. Zmusza do tego, żeby tamten lepiej się
poczuł, mimo że narusza twoją przestrzeń osobistą.

– Jest w porządku – mówię. – Naprawdę.

Carl zwraca się do Gabby i Tiny.

– Ona mówi, że jest w porządku.

– Dobrze, dobrze – mówi Tina. – Kto chce jeszcze wina?

Gabby podnosi kieliszek. Mój jest nietknięty.

– Mnie wystarczy – mówię.

Tina patrzy na mój talerz.

– Najadłaś się? – pyta.

Talerze pozostałych są prawie puste, nie licząc jakichś
resztek. Mój też jest pusty, nie licząc kiełków brukselki.

– Mam jeszcze bajeczny deser.

Wiem, że to dziecinada, ale naprawdę boję się, że nie
da mi deseru, jak nie skończę warzyw. Zaczynam szybko,
niby od niechcenia je zjadać.

– Niezła myśl – mówię między kęsami. – Prawie skończyłam.

Tina wychodzi do kuchni. Carl zaczyna wypytywać Marka, jak mu idzie praktyka dentystyczna, kiedy Tina woła go, żeby pomógł otworzyć kolejną butelkę wina.

– Przykro mi, że tato cię nęka – mówi Gabby, kiedy i Carl, i Tina są poza zasięgiem słuchu.

Biorę na widelec ostatnie kiełki brukselki i wpycham je do ust. Szybko przeżuwam i połykam.

– Jest w porządku – mówię. – Mniej martwią mnie pytania twojego taty niż to, co powiedziałaby twoja mama, gdybym nie skończyła warzyw.

Gabby się śmieje.

– Masz rację, że się boisz.

Dołącza się Mark.

– Kiedyś nie nałożyłem na talerz ani jednej gotowanej marchewki. Później odciągnęła mnie na bok i zapytała, czy nie martwię się niedoborem witaminy A.

Upiłam jeszcze jeden łyk wody. Chyba przeholowałam z tymi kiełkami brukselki. Żołądek mi się rozdął, mam odruch wymiotny.

– Nie powinnam tak szybko jeść – mówię, pocierając brzuch. – Nagle poczułam się… uff.

– Och, już wcześniej to przeżyłam – mówi ze śmiechem Gabby.

– Nie, to jest… Naprawdę nagle źle się poczułam.

– Niedobrze ci, czy co? – pyta Mark.

– Tak – mówię. Odbija mi się. Raz i drugi. – Tak, bardzo niedobrze.

Wchodzą Tina i Carl. Tina z winem, Carl z bardzo wielkim, bardzo lepkim, bardzo aromatycznym stosem bułek cynamonowych.

Szeroko się uśmiecham, kiedy Tina do mnie mruga.

– Znamy Hannah czy nie znamy Hannah? – mówi Carl. Stawia bułki przede mną.

– Ty pierwsza. Nie spodziewam się, żebyś nie wybrała tej z najgrubszym lukrem.

Głęboko wdycham zapach cynamonu i cukru. A potem, nagle, muszę wyjść.

Wypycham spod siebie krzesło i biegnę do łazienki w korytarzu; zatrzaskuję za sobą drzwi. Stoję nad sedesem, kiedy wszystko mi się cofa. Czuję się słaba i trochę oszołomiona. Jestem wyczerpana.

Siedzę przed sedesem. Miło czuć na skórze chłodne kafelki łazienki. Nie wiem, jak długo tak siedzę. Do rzeczywistości przywraca mnie stukanie Gabby do drzwi. Nie czeka na zaproszenie i wchodzi.

– Jak tam, w porządku? – pyta.

– Tak. – Wstaję. Teraz czuję się znacznie lepiej. – Dobrze się czuję. – Kręcę głową, próbując się z tego otrząsnąć. – Może mam alergię na kiełki brukselki?

– Hm – mówi z uśmiechem. – Czyż nie byłoby to miłe?

Po kilku minutach, kiedy już się opanowałam i wypłukałam usta, wracam do stołu.

– Przepraszam za wszystko – mówię. – Chyba moje ciało doznało szoku, że karmię je warzywami.

Tina śmieje się.

– Jesteś pewna, że z tobą wszystko w porządku?

– Tak – zapewniam ją. – Czuję się całkowicie normalnie.

Gabby chwyta swoją torebkę i moją kurtkę.

– Myślę, że powinniśmy zawieźć ją do domu – oświadcza.

Naprawdę czuję się tak, że mogłabym zostać, ale powrót to chyba mądry wybór. Trzeba trochę się przespać.

– Tak – mówi Mark i znów się drapie. – Ja też mam już trochę dosyć tego psa, szczerze mówiąc.

Chyba nikt poza mną nie widzi, jak Gabby unosi wzrok, ale bardzo nieznacznie. On ją irytuje. Tym że ma alergię na psy. Myślę, że w małżeństwie najbardziej zgrzytają takie drobiazgi.

– Och, bardzo przepraszamy – mówi Tina. – Od dzisiaj będziemy trzymali dla ciebie lekarstwa. Na wypadek, gdybyś następnym razem zapomniał.

– Dziękuję – mówi Mark. – Co prawda te pigułki tak bardzo nie pomagają. – Potem przez całe pięć minut mówi o wszystkich swoich objawach i o tym, na które pomagają, a na które nie pomagają pigułki przeciwko alergii. Mówi o tym tak, że można by pomyśleć, że alergię na psy zdiagnozowano jako nieuleczalną chorobę. Chryste, teraz nawet mnie irytuje jego alergia.

– Cóż – mówi Carl, kiedy idziemy w stronę drzwi – jesteśmy zachwyceni, że do nas przyszliście.

– Aha! – mówi Tina. – Hannah, pozwól, że ci zapakuję kilka bułek cynamonowych. Dobrze?

– Cudownie – mówię. – Dziękuję.

– Zaczekaj sekundkę. – Biegnie do kuchni, a Gabby idzie za nią. Carl i ja stoimy przy drzwiach wyjściowych. Mark stoi przy schodach. Przeprasza i idzie do toalety.

– Oczy mi zaczynają łzawić – mówi, jakby się tłumaczył.

Carl patrzy, jak Mark odchodzi, a potem odciąga mnie na bok.

– Kup samochód.

– Słucham?

– Kup samochód. Zamieszkaj z Gabby i Markiem, dopóki nie zarobisz trochę pieniędzy na zaliczkę.

– Tak – mówię. – To chyba mądry sposób, żeby rozegrać sprawę.

– A jak będziesz miała samochód, zadzwoń do mojego gabinetu. – Wyciąga wizytówkę z portfela i wręcza mi ją. „Dr Carl Hudson, pediatra”.

– Och – mówię. – Nie wiem, czy…

– Mamy recepcjonistkę – tłumaczy. – Jest koszmarna. Absolutnie koszmarna. Muszę ją zwolnić.

– Tak mi przykro – mówię.

– Zarabia czterdzieści tysięcy rocznie plus premie.

Patrzę na niego.

– Kiedy ją zwolnimy, zaczniemy szukać kogoś, kto będzie w stanie przyjmować telefony, wyznaczać wizyty i zostać wizytówką gabinetu.

On mi proponuje pracę.

– Kiedy mi powiesz, że możesz podjąć pracę, potrzymam ją jeszcze przez parę tygodni. Będę miał to stanowisko dla ciebie.

– Naprawdę?

Kiwa głową.

– Nie zastanawiałbym się. Zasługujesz na to, żeby ktoś się tobą zajął.

Jestem wzruszona.

– Świetnie. Dziękuję.

– Kiedy zapytają, ile chcesz zarabiać, powiedz, że czterdzieści pięć. Pewnie dostaniesz czterdzieści dwa albo czterdzieści trzy. Pełne świadczenia. Urlop. Cały pakiet.

– Nie mam doświadczenia w pracy w gabinecie lekarskim.

Kręci głową.

– Jesteś inteligentna. Szybko się nauczysz.

Tina i Gabby wychodzą z kuchni z owiniętymi folią aluminiową bułkami cynamonowymi i plastikowym pojemnikiem z pozostałościami z obiadu. Mark wychodzi z łazienki.

– Idziemy? – pyta Gabby, kierując się do wyjścia. Wręcza mi plastikowy pojemnik i otwiera drzwi.

Barker podbiega do nas i rzuca się na mnie z łapami. Odpycham go. Mark odskakuje od psa, jakby go parzyło.

– Możesz to podgrzać w mikrofalówce – mówi Tina. – Albo w piecu, na trzy pięćdziesiąt.

– I daj mi znać – mówi Carl – w tej sprawie, o której mówiliśmy.

Podziękowanie kieruję do nich obojga, ale nie oddaje wszystkich emocji, które z nim się wiążą.

Powtarzam:

– Dziękuję. Naprawdę.

– Dla ciebie wszystko. – Tina ściska mnie na pożegnanie.

Ściskam Carla, a Tina przytula Gabby i Marka. Jeszcze parę sekund pożegnań, włączając serdeczności ze strony Gabby dla Barkera, i jesteśmy za drzwiami.

Mark siada na fotelu kierowcy. Gabby na fotelu pasażera. Ja kładę się z tyłu.

– Jak się czujesz? – pyta Gabby.

– W porządku – odpowiada Mark, zanim zdaje sobie sprawę, że Gabby mnie miała na myśli. Milknie na chwilę.

– Dobrze – mówię. Nie kłamię. Mówię prawdę.

Kiedy pojechałam od Hudsonów do college'u, nie przyszło mi do głowy, że tu kiedyś wrócę.

W kółko powtarzałam ludziom: „Moja rodzina jest w Londynie, moja rodzina jest w Londynie", ale powinnam mówić: „Mam też rodzinę w Los Angeles. Mieszkają na cichej uliczce z mnóstwem drzew, w domu w stylu lat dwudziestych dwudziestego wieku, w Pasadenie".

Moja rodzina wyszła koło dziewiątej wieczorem tylko dlatego, że nalegałam, żeby przespali się w hotelu. Chcieli zostać na noc, ale szczerze mówiąc, nie mieliby co robić; siedzieliby obok mnie i się gapili. A mnie czasem potrzebna jest własna przestrzeń. Przez jakiś czas nie muszę robić dzielnej miny. Teraz jestem sama, w ciszy i spokoju. Słyszę buczenie elektryczności, ciche popiskiwanie maszyn medycznych.

Ludzie naznosili mi książek, pewnie jako sposób na zabicie czasu. Książki i kwiaty. Kwiaty i książki.

Podnoszę książkę ze stosiku ułożonego przez Gabby i zaczynam czytać. Książka rozwija się powoli, jest pełna opisów. Nadawałaby się w sam raz na normalny dzień, na dzień, w którym nie próbuję uspokoić swojego głosu, ale właśnie teraz na nic się nie przyda. Więc odkładam ją i biorę następną. Przeszukuję cały stosik, aż znajduję głos na tyle szybki i porywający, żeby uspokoić własny.

Zanim przychodzi Henry, żeby sprawdzić, co ze mną, jestem tak zaczytana, że na chwilę zapomniałam, gdzie jestem i kim jestem. To wspaniałe uczucie.

– Jeszcze nie śpimy? – mówi Henry.

Kiwam głową. Podchodzi bliżej.

Znów patrzę na jego tatuaż. Wcześniej się myliłam. To nie „Isabelle". To „Isabella". Obraz w mojej głowie natychmiast się zmienia, z cudownej blond sierotki w zmysłową, smagłą brunetkę. Dobry Boże, muszę jakoś wrócić do rzeczywistości.

– Czy ty w ogóle sypiasz? – pyta, zakładając mi na ramię opaskę do mierzenia ciśnienia. – Jesteś wampirem? Co tu się dzieje?

Śmieję się i spoglądam na zegar. Jest tuż po północy. W szpitalu czas nie ma znaczenia. Naprawdę. Kiedy byłam poza nim, w rzeczywistym świecie, kiedy żyłam wśród zabieganych ludzi, gdyby wtedy ktoś powiedział „czas to tylko wytwór wyobraźni", podniosłabym na chwilę oczy i dalej sprawdzała sprawy z mojej listy do załatwienia. Ale to byłaby prawda, ten ktoś miał rację. Czas nie ma znaczenia. Nigdy nie było to jaśniejsze niż w szpitalnym łóżku.

– Nic takiego – mówię. – Ostatniej nocy, po naszym spotkaniu spałam co najmniej dziewięć godzin.

– W porządku – mówi. – Hm, daj mi znać, gdyby to się zmieniło. Sen to ważna część powrotu do zdrowia.

– Jak najbardziej – przyznaję. – Rozumiem, co do mnie mówisz.

Henry dzisiaj wygląda jeszcze przystojniej niż wczoraj. Chyba to nie ten rodzaj urody, który przyciągałby wszystkie kobiety. Niezbyt regularne rysy, małe oczy. Ale ma to coś... co działa.

Wsuwa z powrotem kartę pacjenta w ramkę na moim łóżku.

– Cóż, to na ra... – zaczyna, ale przerywam mu.

– Isabella – mówię. – To twoja żona?

Jestem lekko zawstydzona, że to powiedziałam, kiedy najwyraźniej wychodził. Ale co zrobić? To się zdarza.

Podchodzi z powrotem. Dopiero wtedy dociera do mnie, żeby popatrzeć, czy ma obrączkę. Można by pomyśleć, że do tej pory zdołałam się tego nauczyć. Nie ma obrączki. Ale właściwie, jak wiecie, nauczyłam się, że brak obrączki nie oznacza braku żony. Więc moje pytanie ma sens.

– Nie – mówi, kręcąc głową. – Nie, nie jestem żonaty.

– Och – mówię.

Henry nie zdradza, kim jest Isabella, a ja domyślam się, że gdyby chciał, toby powiedział. Więc... jakieś to niezręczne.

– Przepraszam, że wtrącam się w nie swoje sprawy – mówię. – Wiesz, jak tu jest. Człowiek się nudzi. Traci się poczucie, o co wypada pytać nieznajomego.

Henry się śmieje.

– Nie, nie, to nic złego. Jeśli ktoś ma na przedramieniu wytatuowane wielkimi literami imię, to chyba zaproszenie do pytań. Szczerze mówiąc, jestem zaskoczony, że ludzie nie pytają o to częściej.

Ja się śmieję.

– Cóż, dziękuję za wizytę... – zaczynam, ale tym razem to Henry wpada mi w słowo.

– To była moja siostra – mówi.

– Och – mówię.

– Tak – mówi. – Zmarła jakieś piętnaście lat temu.

Stwierdzam, że patrzę na swoje ręce. Zmuszam się, żeby popatrzeć na niego.

– Tak mi przykro.

Henry patrzy na mnie w zamyśleniu.

– Dziękuję ci. Dziękuję.

Nie wiem, co powiedzieć, bo nie chcę się wtrącać w cudze sprawy, ale chcę też, żeby wiedział, że chętnie go wysłucham. Ale co mam powiedzieć? Pierwsze, co przychodzi mi do głowy, to zapytać, jak umarła, ale to byłoby w złym stylu. Niczego nie potrafię wymyślić, więc tylko się na niego gapię.

– Chcesz wiedzieć, jak umarła – mówi Henry.

Natychmiast ogarnia mnie wstyd, że tak łatwo mnie przejrzeć, że jestem taka prostacka.

– Tak – mówię. – Przyłapałeś mnie. Straszne, co? Makabryczne i niepotrzebne. Ale to pierwsza myśl, która przyszła mi do głowy. „Jak umarła?" Jestem koszmarna. – Kręcę głową nad swoim zachowaniem. – Możesz mi napluć do śniadania, jeśli chcesz. Zrozumiem bez zastrzeżeń.

Henry siada na krześle i śmieje się.

– Nie przejmuj się – mówi. – Dziwaczne to, prawda? Bo pierwsze pytanie, które sobie zadajesz, to: „Jak umarła?" A jednocześnie, powiedzmy, świadczy to o braku wrażliwości.

– Właśnie! – mówię i znów kręcę głową. – Naprawdę mi przykro.

– Nie zrobiłaś niczego złego. Miała szesnaście lat. Uderzyła głową o basen.

– To straszne – mówię. – Tak mi przykro.

– Mnie też – mówi. – Nie powinna nurkować. Ale miała szesnaście lat, rozumiesz? Szesnastolatki robią rzeczy, których nie powinny robić. Natychmiast przewieźli ją do szpitala. Lekarze zrobili wszystko, co mogli. Właściwie to myśleliśmy, że przeżyje, ale… wiesz, niektórych rzeczy po prostu nie da się cofnąć. Czekaliśmy i czekaliśmy, aż odzyska przytomność, ale nie odzyskała.

– Straszne – mówię. Serce mi płacze nad nim i jego rodziną. Nad jego siostrą.

Przede wszystkim przestań narzekać, że jesteś w szpitalu, pomyśl raczej, jak wielu ludzi stąd nie wyjdzie. Mogłam być jak jego siostra. Mogłam się nigdy nie obudzić.

Ale obudziłam się. Jestem z tych, którym się udało.

Przez chwilę się zastanawiam, co by się stało, gdybym stała trochę dalej na jezdni albo trochę bardziej z boku. Co by się stało, gdyby rzuciło mną na lewo, a nie na prawo? Albo gdyby samochód jechał dziesięć kilometrów na godzinę szybciej? Mogłam się nie obudzić. Dzisiaj mógłby być mój pogrzeb. Niesamowite, prawda? Kompletnie zwariowane, prawda? Różnica między życiem a śmiercią może być ma-lutka: inaczej się poślizgnąć, zrobić krok w inną stronę.

A to znaczy, że jestem tutaj dzisiaj, bo dokonałam wła-ściwego wyboru, choć wtedy wydawał się mały i nieistotny. Dokonałam właściwego wyboru.

– Tak mi przykro, że ty i twoja rodzina musieliście przez to przechodzić – mówię. – Nie potrafię sobie wyobrazić, jakie to musiało być uczucie.

Kiwa głową, przyjmując moje współczucie.

– Właściwie to dlatego zostałem pielęgniarzem. Kiedy siedziałem z rodzicami w szpitalu i nie mogłem się doczekać informacji, zrozumiałem, że chciałbym być na sali, poma-gać, coś robić, angażować się, a nie czekać, aż ktoś coś zrobi albo powie. Chciałem mieć pewność, że robię wszystko, żeby pomóc innym ludziom w tej samej sytuacji, w której moja rodzina była wtedy.

– To naprawdę ma sens – mówię. Zastanawiam się, czy on wie, jak szlachetnie to zabrzmiało. Domyślam się, że to są szczere słowa.

– To było kilka lat temu, w dziesiątą rocznicę jej śmierci. Byłem w szoku, naprawdę. Tyle spraw zdarzyło się naraz. Wtedy moi rodzice się rozwiedli i oboje wrócili do Mek-syku, skąd pochodzili. Więc sam musiałem dać sobie radę z tą rocznicą. I właśnie wtedy zrobienie tatuażu poprawiło mi samopoczucie. Więc kazałem go zrobić. Potem niewiele o tym myślałem.

Śmieję się.

– To tak jak w moim życiu! – mówię. – Robię to czy tamto, żeby lepiej się poczuć.

– Może powinnaś dać się wytatuować – mówi.

Znowu się śmieję.

– Nie wiem, czy jestem z tych, którzy lubią tatuaże. Trudno mi się zdecydować. Chociaż przyznaję, twój tatu-

110

aż robi wrażenie. To pierwsza rzecz, na którą zwróciłam uwagę, kiedy wszedłeś.

Henry się śmieje.

– A nie to, że jestem uderzająco przystojny?

– Proszę o wybaczenie. Tatuaż to druga rzecz, na którą zwróciłam uwagę.

Henry poklepuje dłonią moje łóżko i odwraca się, żeby odejść.

– Teraz ze wszystkim się spóźniam – mówi. – Patrz, co zrobiłaś.

– Przepraszam – mówię. – Chociaż to ty powinieneś mnie przeprosić. Odciągnąłeś mnie od tak potrzebnego mi odpoczynku.

On kręci głową.

– Masz rację. Co mi przyszło do głowy? Piękna dziewczyna zadaje mi pytanie i nagle tracę poczucie czasu. Wrócę później, żeby sprawdzić, co u ciebie – mówi i wymyka się za drzwi.

Nie potrafię powstrzymać uśmiechu, uporczywie wraca na usta. Zdumiewa mnie, że tak absurdalnie się zachowuję. Ale przez chwilę zastanawiam się, czy lepiej w nocy nie zasypiać. Zastanawiam się, czy poczekać, aż on wróci.

Przecież to szaleństwo. Pewnie jest miły dla wszystkich pacjentów. Pewnie wszystkim kobietom mówi, że są piękne. Po prostu nudzę się tutaj i jestem samotna. Rozpaczliwie potrzebuję czegoś interesującego, czegoś dobrego.

Wyłączam światło przy łóżku i lekko się opuszczam, żeby położyć głowę na poduszce.

Kiedy już postanowiłam zasnąć, nie mam z tym kłopotu. To jedno zawsze w sobie lubiłam. Nigdy nie było mi trudno zasnąć.

ZANIM WRÓCILIŚMY DO GABBY I MARKA, postanowiłam wziąć tę pracę. Gabby i Mark mówili mi o niej przez całą drogę do domu, a Gabby powiedziała, że jej zdaniem to bez wątpienia świetny pomysł.

– Wiem na pewno, że Carl doskonale traktuje swoich pracowników, że w klinice kładzie się ogromny nacisk na pielęgniarki i morale zespołu – powiedziała. – A mój tato cię uwielbia, więc będziesz uprzywilejowana.

Kiedy powiedzieliśmy sobie dobranoc i poszliśmy do swoich pokoi, zaczęło do mnie docierać, jaką dostałam propozycję. Po raz pierwszy będę miała prawdziwą pracę. Czasem nie zdaję sobie sprawy, jak bardzo przygniatają mnie moje kłopoty, póki się ich nie pozbędę. Czuję się znacznie bardziej swobodna teraz, wieczorem, niż czułam się rano.

Z łóżka zadzwoniłam do Ethana, żeby przekazać mu dobrą wiadomość. Nie posiadał się z radości. A potem opowiedziałam mu o reszcie wieczoru.

– Muszę być uczulona na kiełki brukselki – mówię. – Ledwie udało mi się dobiec od stołu do toalety, zanim wyrzygałam cały obiad.

– I co, nadal ci niedobrze? Poczekaj. Jadę po ciebie – mówi on.

– Nie – mówię ja. – Już w porządku. Nie musisz.

– Ale chcę. To dobry pretekst, żeby cię zobaczyć. Przyjeżdżam. Nie powstrzymasz mnie.

Śmieję się, a potem dociera do mnie, że wcale nie miałam zamiaru tutaj nocować. Chyba wiedziałam, że udaję, żeby po mnie przyjechał.

– Okej, przyjeżdżaj po mnie – mówię ja. – Nie mogę się doczekać, żeby cię zobaczyć.

– Już jadę – mówi on.

Więc po półgodzinie od przyjazdu do domu, idę do drzwi na spotkanie Ethana.

Kiedy przechodzę przez salon, żeby zabrać torbę, widzę w kuchni Gabby. Jest w piżamie, nalewa wodę do szklanki.

– Dokądś się wybierasz? – pyta, drocząc się ze mną.

– Powstrzymaj mnie – mówię.

– Wiedziałam. Chociaż byłam pewna, że każesz się zawieźć do niego, wytrzymałaś dłużej, niż przewidywałam.

– Przynajmniej jestem trochę nieprzewidywalna.

– Nie posunęłabym się aż do tego – mówi, kiedy odwracam się do drzwi. – Poczekaj.

Bierze z blatu bułki cynamonowe i wręcza mi je.

– Proszę, weź to ze sobą. Zabierz do Ethana. Nie mogę na nie patrzeć, bo wszystkie bym zjadła.

Śmieję się.

– A ty myślisz, że ja mogę?

– Najwyraźniej – mówi ona – przyciągasz bułki cynamonowe wszędzie, gdzie się pojawisz. Ja nie potrafię tak żyć.

Biorę bułki.

– Powinnam wysłać twoim rodzicom liścik z podziękowaniem – mówię.

Słyszę, jak zatrzymuje się samochód Ethana.

Gabby patrzy na mnie, jakby to był najgłupszy pomysł na świecie.

– Poczuliby się urażeni – mówi. – To byłoby tak, jakbym posłała im bułkę za to, że mnie wychowywali. Stój.

Śmieję się.

– Albo już idź – mówi. – On na pewno jest za drzwiami.

Ściskam ją i mówię, że spotkamy się jutro.

Wychodzę za drzwi, samochód Ethana stoi tuż przed nimi. Widzę go na chwilę przed tym, jak on zauważa, że go zobaczyłam. Wyciąga kluczyk ze stacyjki. Otwiera drzwi.

– Wspaniale wyglądasz – mówi.

Uśmiecham się na myśl, że Gabby mogła go usłyszeć. Wyobrażam sobie, jak otwiera okno i krzyczy na całą ulicę: „Okej, ale nie na tym polega wartość kobiety!"

Uśmiecham się szerzej, idę do samochodu, on otwiera dla mnie drzwi od strony pasażera. Obejmuję go i wsiadam. On wsiada od swojej strony i odjeżdża od krawężnika.

– Czy to cały wypiek bułek cynamonowych, jaki mieli? – pyta. Samochód wypełnia się zapachem.

– Tak – mówię. – A jak będziesz dla mnie miły, dam ci jedną albo pięć.

– Ani chwili nudy bez bułek cynamonowych, i bez ciebie.

– Ani chwili – mówię.

Ethan chwyta mnie za rękę przed znakiem stop. Całuje mnie w policzek na czerwonym.

Przy nim czuję się sobą. I lubię z nim być. Jak do tej pory podobam się sobie w tym mieście. Czuję się jak dawno zapomniana wersja siebie, wersja, w której jest mi znacznie wygodniej niż w tej nowojorskiej.

Nagle mały, żwawy piesek wypada na środek jezdni.

Ethan szybko skręca do krawężnika, żeby go nie przejechać. Piesek biegnie dalej, na chodnik po przeciwnej stronie. Jest dość późno i za nami nie jadą żadne samochody. Ethan się zatrzymuje.

– Musimy mieć tego psa – mówi, gdy trzymam dłoń na klamce i już mam wyskoczyć, żeby go złapać. Oboje wysiadamy z samochodu i biegniemy w stronę pieska, rozglądając się, czy nic nie nadjeżdża.

Widzę go tuż przed sobą.

– Po prawej stronie ulicy, przy kontenerze na śmieci – mówię. – Widzisz?

Ethan podbiega do mnie, patrzy. Zaczyna powoli iść za psem.

– Hej, koleś – mówi, kiedy się zbliżył.

Piesek drepcze po ulicy i nic go nie obchodzi. Ethan skrada się, próbuje go schwytać, ale piesek, ledwie go zobaczył, odskakuje w drugą stronę. Biegnę szybciej i próbuję odciąć mu drogę, ale mnie wymija. Piesek jest brązowo--płowo-biały, większy niż mi się wydawało z daleka, ale i tak z tych niedużych, coś w rodzaju teriera. Kudłaty, ale krótkowłosy, mały, ale zadziorny.

Nadjeżdża samochód. Ethan znów jest blisko, próbuje złapać pieska, ale nie udaje mu się. Piesek myśli, że się bawimy.

Samochód jedzie hałaśliwie. Zaczynam panikować, że piesek znowu wybiegnie na ulicę. Jestem jakiś metr od niego. Piesek zabawnie podskakując, oddala się.

Warczę na niego głośno. Wydaję najlepsze zwierzęce wycie, na jakie mnie stać.

Piesek nagle się zatrzymuje. Odwracam się od niego i zaczynam biec, mam nadzieję, że będzie mnie gonił. Goni. Kiedy dobiega do moich nóg, skacze na mnie. Szybko się schylam i łapię go. Samochód przemyka obok nas. Czuję ulgę.

To suczka. Nie ma obroży. Nie ma identyfikatora.

Ethan biegnie mi na spotkanie. Trzymam pieska w ramionach.

– Chryste – mówi. – Naprawdę myślałem, że już po niej.

– Wiem – mówię. – Ale już w porządku. Mamy ją.

Zwinęła się w kłębek dokładnie na moich piersiach. Liże po ręce.

– Cóż, wyraźnie widać, że ten pies to wytresowany zabójca – mówi Ethan.

Śmieję się.

– Jasne, nie mam wątpliwości, że tylko czeka na okazję, żeby zaatakować.

– Nie ma żadnych identyfikatorów – mówi Ethan. – Żadnej smyczy, w ogóle nic.

– Nic – mówię, kręcąc głową. – Proponuję, żebyśmy zabrali ją jutro do weterynarza i sprawdzili, czy ma chipa. Rozwiesimy parę ogłoszeń.

– Dobrze. Tymczasem…

– Nie możemy jej zostawić na ulicy. Czy zgodzisz się, żeby ci towarzyszyły dziś wieczór dwie kobiety?

Ethan kiwa głową.

– Na pewno znajdziemy dla niej miejsce.

Oboje zaczynamy iść w stronę samochodu. Kiedy już jesteśmy, Ethan otwiera drzwi przed nami.

– Pewnie powinniśmy nadać jej imię – mówię. – Wiesz, tymczasowe.

– Nie sądzisz, że powinniśmy nazwać ją po prostu Pies? – mówi Ethan, idąc do drzwi po drugiej stronie.

– Nie. Myślę, że zasługuje na szlachetne imię. Coś epickiego. Wspaniałego.

– Wielkie imię dla małego pieska – mówi Ethan.

Kiwam głową.

– Właśnie.

Ethan rusza. Przez chwilę myślimy, wreszcie czuję, że to to.

– Charlemagne – mówię. – Nasz mały Charlemagne.

– Charlemagne to Karol Wielki, był mężczyzną – mówi Ethan. – To bez znaczenia?

– Ale czy to nie brzmi raczej jak imię żeńskie?

Ethan się śmieje.

– Skoro już o tym mówisz, tak. Cóż, skoro chcesz, niech będzie Charlemagne. Jutro, Charlemagne, znajdziemy twojego właściciela i ktoś będzie bardzo szczęśliwy. Ale tego wieczoru jesteś nasza.

Wchodzimy do mieszkania Ethana, w końcu ją puszczam. Natychmiast zaczyna wszędzie biegać, przemykać przez pokoje. Jesteśmy zdumieni jej energią, aż wreszcie bierze rozbieg i wskakuje na łóżko. Zwija się w rogu w kłębek.

– Nie mogę jej zatrzymać – mówi do mnie Ethan. – Wiem, że powinienem, ale nie o to chodzi, po prostu… chcę to jasno powiedzieć. W tym budynku nie wolno mieć zwierząt domowych.

Kręcę głową.

– Rozumiem. Jutro znajdziemy jej prawdziwych właścicieli. Przede wszystkim zawiozę ją autobusem do weterynarza.

– Mogę ci dać swój samochód – mówi. – Ktoś mnie podwiezie.

– W porządku – mówię. – Mam dostać tę pracę u Carla, więc i tak muszę mieć samochód. Zostawię ją jutro u weterynarza, a potem wezmę taksówkę albo autobus i pojadę do paru dealerów, żeby kupić samochód.

– Masz dostać pracę? – dziwi się. – Kupujesz samochód?

– Tak.

– Zapuszczasz korzenie.

– Chyba tak.

Uśmiecha się i patrzy mi w oczy dłużej, niż powinien.

– Z psem w łóżku chyba nie będziemy mieli wiele zajęć – żartuje.

– Pewnie nie.

Wzrusza ramionami.

– Cóż… – przypatruje mi się. – Myślę, że w tym związku będzie chodziło o coś więcej niż tylko o seks. Godzisz się na to?

Nie mogę powstrzymać uśmiechu.

– Myślę, że chociaż raz dam radę skupić się na twoim umyśle.

Śmieje się i zdejmuje koszulę. Rozpina spodnie i rzuca je na krzesło.

– Bardziej aseksualnie już nie może być – mówi. – Cóż, wiem, że trudno ci się oprzeć, ale…

– Spróbuję się kontrolować – mówię.

– Tak byłoby najlepiej.

Ethan odrzuca kołdrę i kładzie się do łóżka tylko w bokserkach. Rozbieram się i podnoszę jego T-shirt z podłogi. Wkładam go na siebie i kładę się obok niego.

– Ty w ogóle nie jesteś seksy – mówi Ethan. – Ani trochę.

– Ani trochę? – pytam z powątpiewaniem.

– Cóż, jeśli myślisz, że ja myślę, jak wspaniale wyglądają twoje piersi w moim T-shircie, to bardzo się mylisz. Nie uprawiać seksu z tobą to najłatwiejsza rzecz w moim życiu.

Śmieję się i zwijam w kłębek obok niego. Charlemagne gnieździ się gdzieś pośrodku. Ledwie się mieścimy we troje. Ale jakoś dajemy radę.

– Och, czekaj – mówię, kiedy Ethan gasi światło. – Zapal jeszcze.

– Po co? – mówi i zapala.

Wyskakuję z łóżka i znajduję listę, którą spisałam po południu. Chwytam długopis i wykreślam „znaleźć pracę".

Pokazuję mu.

– Tylko dwie sprawy do załatwienia.

– Uff – mówi, patrząc na mnie. – Proszę, schowaj nogi pod kołdrę, żebym ich nie widział. Są nawet ładniejsze od twoich cycków.

BUDZĘ SIĘ OKOŁO DRUGIEJ PO POŁUDNIU i czeka na mnie niespodziewana uczta duchowa.

– Niespodzianka! – mówi Tina, wchodząc do sali z Carlem. Gabby idzie za nimi z przepraszającym wyrazem twarzy. Tina przyniosła wazon z najpiękniejszymi kwiatami, jakie w życiu widziałam.

Kwiaty, kwiaty, kwiaty. Czy komuś by się coś stało, gdyby przyniósł mi czekoladki?

– Kazali mi obiecać, że cię nie uprzedzę – mówi Gabby.

Carl unosi wzrok i podchodzi bliżej.

– Niespodzianki są lepsze – mówi. Nachyla się i lekko mnie ściska. Tina stoi tuż za nim. On się odsuwa, ona zajmuje jego miejsce. Pachnie wanilią.

– Dziękuję wam obojgu, że przyszliście.

– Żartujesz sobie? – mówi Tina. – Gabby musiała nas powstrzymywać, żebyśmy nie przyszli wcześniej. Gdybym miała prawo wybierać, byłabym tu już dawno i nie wychodziłabym z sali.

Stawia wazon na stole, obok innych kwiatów.

Carl sadowi się na krześle obok mnie.

– Jak się czujesz? – pyta. Patrzy na mnie uważnie, ze współczuciem, sympatią i znawstwem. Nie jestem pewna, czy pyta jako przyjaciel, po ojcowsku, czy jako lekarz.

– W porządku – mówię ja.

– Zrób to dla mnie i poruszaj palcami u nóg – mówi on, patrząc z uwagą w nogi łóżka.

– Tato! – mówi Gabby. – Nie jesteś jej lekarzem prowadzącym. Doktor Winters zrobiła fantastyczną robotę.

– Nigdy za dużo lekarzy troszczących się o pacjenta – mówi Carl. – Hannah, spróbuj poruszać palcami u nóg.

Ani mi się śni.

– Później, tato – mówi Gabby. – Okej? Peszysz Hannah.

– Hannah, czy ja cię peszę?

I co mam na to odpowiedzieć? „Tak, peszysz mnie?"
Właściwie, to chyba tak, życie jest za krótkie, żeby kłamać
i kłamać.

– Tak – mówię. – Troszeczkę. To piekło, tak leżeć
w tym łóżku, mieć do czynienia z własnym ciałem. Z chęcią zapomniałabym na parę minut o moich palcach u nóg.

Carl patrzy mi w oczy, potem kiwa głową i patrzy na
Gabby. Podnosi ręce do góry.

– Przyjmij moje przeprosiny! Zostawimy to na deser. –
Myślę, że sprawa załatwiona, ale on znów się odzywa. –
Tylko dopilnuj, żeby od czasu do czasu być dla tej lekarki
wyzwaniem. Dopilnuj, żeby ciężko dla ciebie pracowała,
żebyś była dla niej najważniejsza.

– Nie ma sprawy – mówię. On mruga do mnie, ja
mrugam do niego.

– Posłuchaj – mówi Tina. – Czy Gabby mówiła ci
o naszym psie Barkerze? Zakochałam się w tym stworze
po uszy. Wszędzie, gdzie pójdę, każę ludziom oglądać jego
zdjęcia.

Przysuwa się do mnie z telefonem komórkowym
i uśmiecha się do Gabby. Nie chodzi jej o to, żebym obej-
rzała Barkera. Próbuje zmienić temat, żeby Carl już prze-
stał.

– Ciągle próbuję przekonać Gabby, żeby wzięła sobie
takiego samego bernardyna – mówi Tina, pokazując zdjęcia
z Barkerem w różnych pokojach ich domu.

– Wiem – mówi Gabby – ale Mark ma alergię na psy.
Koniec tematu.

Przez jakiś czas rozmawiamy, nadrabiamy zaległości,
co tam u mnie, co tam u nich, we troje śmiejemy się z Gabby. A potem zbierają się do wyjścia. Doceniam, że przyszli
i nie zostali dłużej. Chyba doskonale rozumieją, jak wiele
pacjenta może kosztować obecność gości w szpitalu.

– Jak stąd wyjdziesz – mówi Tina – i będziesz czuła się na siłach, żeby się tym zająć, chcę z tobą porozmawiać o pozwie.

– O pozwie?

Tina patrzy na Gabby, czy pozwoli jej mówić dalej, a Gabby dyskretnie się zgadza.

– Gabby opowiedziała mi o wypadku i o osobie, która cię przejechała, a ja porozmawiałam z przyjaciółką, która jest ZPO.

Nie wiem, czy mam się wstydzić, czy być dumna, że wiem co to ZPO – zastępca prokuratora okręgowego, bo obejrzałam mnóstwo odcinków *Prawa i bezprawia*.

– Dobrze – mówię.

– Mają tę kobietę, która cię przejechała. Oskarżono ją o ucieczkę z miejsca wypadku, który sama spowodowała.

– Hm, to dobrze, prawda?

– Tak – mówi Carl, kiwając głową. – Bardzo dobrze.

– Ale chcemy wbić ci coś do głowy. Twoje rachunki medyczne będą spore – mówi Tina. – Na pewno rozmawiałaś o tym z rodzicami, a my nie chcemy się wtrącać. Chcemy tylko, żebyś wiedziała, że pomożemy, gdybyś miała problem z ich spłaceniem.

– Słucham?

– Tylko, jeśli to będzie potrzebne – mówi Carl. – Po prostu chcemy, żebyś wiedziała, że jesteśmy i mamy środki, gdybyś nas potrzebowała.

– No i – mówi Tina – pomożemy napisać ci pozew przeciwko tej kobiecie, gdybyś się na to zdecydowała.

Onieśmiela mnie szlachetność i troskliwość Hudsonów.

– Fantastycznie – mówię. – Jestem… nie wiem, co powiedzieć.

Tina chwyta mnie za rękę.

– Nic nie mów. To było dla nas ważne, żebyś wiedziała. Tylko tyle. Zawsze będziemy cię wspierać.

– Jeśli o nas chodzi, jesteś honorowym członkiem rodziny Hudsonów – mówi Carl. – Ale ty przecież o tym wiesz, prawda?

Patrzę na niego i kiwam głową z całym przekonaniem.

Carl i Tina idą do drzwi, Gabby ich odprowadza. Kiedy wraca na salę, patrzę w sufit, próbując to wszystko przetrawić. Nie pomyślałam o rachunkach za leczenie. Nie pomyślałam o osobie, która mi to zrobiła.

Ktoś przecież to mi zrobił.

Ktoś jest temu winien.

Ktoś pozbawił mnie dziecka, o którym nie wiedziałam.

– Z tobą w porządku? – pyta Gabby.

Patrzę na nią. Otrząsam się z myśli.

– Tak – mówię. – W porządku. Twoi rodzice są... To znaczy, oni są... nieprawdopodobni.

– Bo cię kochają – mówi Gabby, siadając na krześle.

– Naprawdę myślisz, że powinnam wnieść sprawę do sądu?

Gabby kiwa głową.

– Tak. Co do tego nie ma wątpliwości.

– Nie jestem z tych, co się procesują – mówię, chociaż właściwie nie wiem, co to dokładnie znaczy.

– Hannah, widziałam, jak to było. Ta kobieta najechała na ciebie, kiedy stałaś na przejściu dla pieszych na zielonym świetle dla ciebie. Nie mogło być pomyłki co do tego, co się stało. Wiedziała, że kogoś przejechała. I mimo to nie zatrzymała się. Pojechała dalej. Wiemy, że ta kobieta uciekła z miejsca wypadku, który mógł być śmiertelny, wiemy, że nie próbowała ci pomóc albo wezwać karetkę, więc myślę, że zasługuje nie tylko na więzienie, ale i na to, żeby naprawić szkody, które wyrządziła. – Gabby jest zła. – Skoro mnie pytasz, to niech ona się pieprzy.

– Jezu, Gabby.

Gabby wzrusza ramionami.

– Nie obchodzi mnie, jak to brzmi. Nienawidzę jej.

Przez chwilę próbuję wejść w skórę Gabby. Widziała, jak uderzył mnie samochód. Widziała, jak upadłam. Widziała, jak straciłam przytomność. Pewnie myślała, że mogę umrzeć na jej oczach. I nagle zaczynam nienawidzić tej kobiety. Za to, na co naraziła Gabby. Za to, na co naraziła mnie. Za wszystko.

– Dobrze – mówię. – Zajmiesz się tym? To znaczy, chodzi mi o to, żebyś powiedziała swojej mamie, że się zgadzam.

– Jasne – mówi Gabby.

– Jaka szkoda, że *Prawo i bezprawie* nie pokazuje spraw cywilnych. Wtedy byłabym pewnie tak biegła w tych kwestiach, że sama mogłabym siebie reprezentować.

Gabby śmieje się, potem wstaje, kiedy widzi, że wchodzą moi rodzice i Sarah. Sarah jest ubrana w czarne lniane spodnie, bawełniany T-shirt i lekki jak mgiełka sweterek.

– No, na mnie czas – mówi Gabby, całując mnie w policzek. – Jesteś w dobrym towarzystwie. Wrócę jutro. – Ściska się z moją rodziną i odchodzi.

Rodzina nie powiedziała mi, że dzisiaj leci z powrotem do Londynu, więc trochę jestem zaskoczona. Ale jeśli mam być całkiem szczera, to także ogromna ulga. Kocham moją rodzinę, ale jak jesteśmy razem, kosztuje mnie to mnóstwo energii, której teraz po prostu mi brakuje. Myśl, że jutro nie będę miała towarzystwa, które trzeba by podejmować, że tylko Gabby i ja, wydaje się w mojej sytuacji czymś na kształt dobrej nowiny.

– Więc odlatujecie, kochani? – pytam. Mówię odpowiednio smutnym tonem. Staram się, żeby na koniec nie wyszło, że jestem załamana, dociążam słowa, żeby były równe.

Mama siada obok mnie.

– Tylko Sarah, kochana – mówi. – Twój ojciec i ja nigdzie się nie wybieramy.

Czuję, że mój uśmiech nagle ulatuje, łapię się na tym. Uśmiecham się szerzej. Koszmarna ze mnie córka, skoro chcę, żeby sobie poszli.

– Och, super – mówię.

Sarah stawia walizkę przy drzwiach i podchodzi do mnie z drugiej strony. Ojciec patrzy w telewizor. Idzie *Zagrożenie*.

– Tak mi przykro, że muszę wyjechać – mówi Sarah. – Wzięłam już tyle wolnego, że więcej nie mogę. Stracę swoją rolę.

– Och, wszystko w najlepszym porządku – mówię. – Ze mną będzie dobrze. Żadne z was nie musi zostawać.

Aluzja.

– Hm, twoja matka i ja na pewno nie odlecimy w najbliższym czasie – mówi tato, w końcu odrywając wzrok od telewizora. – Nie zostawimy naszej małej Hannah Savannah, kiedy jeszcze wraca do zdrowia.

Uśmiecham się, bo nie wiem, co powiedzieć. Zastanawiam się, czy dlatego nazywa mnie Hannah Savannah, jakbym była dzieckiem, bo praktycznie zna mnie tylko z okresu dzieciństwa. Niezbyt dobrze zna mnie jako dorosłą. Może w ten sposób chce siebie przekonać, że niewiele się zmieniłam, odkąd wyjechali do Londynu; jakby czas stanął w miejscu, a jego nic nie ominęło.

– Za parę godzin mam lot, ale jeszcze czas, żeby tu trochę pobyć – mówi Sarah.

Zaczyna się *Podwójne zagrożenie* i tato sadowi się zachwycony.

Wszyscy słuchamy, jak jeden z uczestników konkursu wybiera temat: kody pocztowe.

– Fe, ale nuda – mówi Sarah.

Szkoda, że nie zmieniają kanału. Nie chcę oglądać *Zagrożenia*. Chcę oglądać *Prawo i bezprawie*.

Głos Aleca Trebeka jest nie do pomylenia. „Ten stan ze Środkowego Zachodu to jedyny stan, którego dwuliterowy kod pocztowy jest przyimkiem".

Na te słowa ojciec podnosi gwałtownie ręce do góry i mówi.

– Oregon!

Matka kręci głową.

– Dough, powiedzieli, że ze Środkowego Zachodu. Oregon jest na pacyficznym Północnym Zachodzie.

Kusi mnie, żeby powiedzieć, że „or" to nie przyimek, ale się nie odzywam.

– To może Indiana? – odpowiada uczestnik konkursu.

– Zgadza się.

Ojciec klepie się po kolanie.

– Ale i tak byłem blisko.

Nie był blisko. Wcale nie był blisko. Czasem jest bez pojęcia. Kompletnie bez pojęcia.

– Tak, w porządku, tato – mówi Sarah.

Sposób, w jaki to mówi, naturalność wzajemnych stosunków, to że bez skrępowania mówią, co im przyjdzie do głowy, podkreśla, jak bardzo nie na miejscu czuję się na sali szpitalnej, kiedy oni tutaj są.

Ja po prostu... tak nie potrafię. Nie chcę, żeby moja rodzina została tutaj ze mną. Chcę, żeby zostawiono mnie w spokoju, żebym zdrowiała.

W szpitalu powinnam być swobodna. Powinnam od-poczywać. Ale jak się z nimi jest, nie ma mowy o luzie, nie ma mowy o odpoczynku.

Samochód Sarah jest gotowy, żeby odwieźć ją na lotni-sko krótko po *Zagrożeniu*. Chwyta swoją torbę i podchodzi do mnie. Delikatnie mnie obejmuje. Nie jest to zbyt entu-zjastyczny uścisk. Nie dlatego, że ona taka jest, to ja w tej chwili nie mam ochoty nikogo ściskać.

Potem odwraca się do rodziców. Ściska ich na do wi-dzenia.

– Masz przy sobie paszport? – pyta ją mama.

– Tak, w porządku.

– A George zabierze cię z Heathrow? – pyta tato.

– Tak.

Potem potok pytań o logistykę i dalsze, w stylu „czy pamiętasz", a potem „będę tęsknić" i „i kocham was". I tak w kółko.

Wreszcie poszła. Teraz są tylko moi rodzice i ja.

Nigdy nie jest tak, że jesteśmy tylko moi rodzice i ja.

Dokładnie w tej sekundzie, kiedy na nich patrzę, a oni patrzą na mnie, zdaję sobie sprawę, że nie mam im nic do powiedzenia. Nie mam o czym rozmawiać, nic nie chcę robić, niczego od nich nie potrzebuję, niczego też nie mam, żeby im dać.

Kocham moich rodziców. Naprawdę, naprawdę ich kocham. Ale kocham ich tak, jak kocha się babcię, z którą nie jest się blisko, jak kocha się wujka, który mieszka po drugiej stronie kraju.

Nie należą do mojej grupy wsparcia.

Więc powinni iść.

– Kochani, nie krępujcie się, też jedźcie do domu – mówię tak uprzejmym tonem, na jaki mogę sobie pozwo-lić.

– Bzdura – mówi matka i siada. – Jesteśmy tutaj dla ciebie. Będziemy z tobą na każdym kroku tej drogi.

– Tak? – mówię. – Ale ja nie potrzebuję, żebyście tu ze mną byli. – Chociaż bardzo się staram, żeby to zabrzmiało swobodnie, wychodzi przykro i ciężko. Oboje patrzą na mnie, nie wiedząc, jak zareagować, a potem mama zaczyna płakać.

– Mamo, nie płacz, proszę – mówię. – Ja nie chciałam...

– Nie – mówi. – Jest w porządku. – Ociera łzy. – Wybaczysz na chwilę? Ja tylko... muszę znaleźć trochę wody.

I wychodzi na korytarz.

Powinnam siedzieć cicho. Powinnam udawać troszkę dłużej.

– Przepraszam – mówię do taty. Nie patrzy na mnie. Patrzy w podłogę. – Naprawdę przepraszam. Przykro mi, że to powiedziałam.

Kręci głową, nadal na mnie nie patrzy.

– Niech ci nie będzie przykro.

Podnosi wzrok i patrzy mi w oczy.

– Wiemy, że nas nie potrzebujesz. Wiemy, że masz swoje życie, które udało ci się stworzyć bez nas.

Jakieś tam życie.

– Ja...

– Niczego nie musisz mówić. Twojej mamie jest trudniej niż mnie przyjąć to wszystko, ale cieszę się, że powiedziałaś to uczciwie. Powinniśmy rozmawiać o tym naprawdę, być wobec siebie bardziej uczciwi. – Podchodzi bliżej i chwyta mnie za rękę.

– Spieprzyliśmy to, twoja matka i ja. Spieprzyliśmy. – Tato ma uderzająco piękne zielone oczy. Jest moim ojcem, więc nieczęsto to zauważam, ale kiedy patrzy tak intensywnie, jak teraz na mnie, trudno tego nie zobaczyć. Są zielone jak źdźbła trawy, jak zielone są ciemne szmaragdy.

– Kiedy sprowadziliśmy się do Londynu i tam zamieszkaliśmy, oboje, twoja matka i ja zdaliśmy sobie sprawę, że popełniliśmy ogromny błąd, że nie zabraliśmy cię z sobą. Nigdy nie powinniśmy pozwolić, żebyś została w Los Angeles. Nigdy nie powinniśmy cię opuścić.

Odwracam wzrok. Jego zielone oczy zaczynają się teraz robić szkliste. Głos mu drży. Nie mogę tego wytrzymać. Patrzę na swoje ręce.

– Zawsze, kiedy do ciebie dzwoniliśmy – mówi dalej – oboje chcieliśmy odłożyć słuchawkę, bo obojgu nam chciało się płakać. Ale ty zawsze byłaś taka w porządku. Więc cały czas myśleliśmy, że u ciebie wszystko dobrze. Myślę, że to był nasz największy błąd. Przyjmowaliśmy twoje słowa i nie mówiliśmy ci, co robić. To znaczy, wyglądało na to, że jesteś szczęśliwa u Hudsonów. Miałaś dobre stopnie. Dostałaś się do dobrej szkoły.

– Zgadza się – mówię.

– Ale kiedy teraz o tym myślę, rozumiem, że to nie znaczy, że z tobą wszystko było w porządku.

Czekam, próbuję przewidzieć, jak to rozwinie.

– To trudne – mówi. – Przyznać, że nie udało się z własnym dzieckiem. Wiesz, tylu moich przyjaciół zostało teraz w pustych gniazdach. Mówią, że dzień, w którym zdasz sobie sprawę, że twoje dzieci już cię nie potrzebują, jest jak cios w splot słoneczny. A ja myślę, że kiedy się wie, że dziecko cię nie potrzebuje, to może boleć, ale wiedzieć, że dziecko cię potrzebowało, a ciebie przy nim nie było… to jest absolutnie nie do zniesienia.

– To było tylko parę lat – mówię. – I tak poszłabym do college'u i opuściłabym dom.

– Ale to byłby twój własny wybór, na twoich warunkach. I wiedziałabyś, że bez względu na to, co by się stało, mogłabyś wrócić do domu. Chyba nigdy ci tego jasno nie powiedzieliśmy. Że twój dom to my.

Nie mogę się powstrzymać od płaczu. Chcę pohamować łzy. Bardzo się staram, żeby zostały we mnie, żeby nie wykipiały. Przez chwilę mi się udaje. Ale jak w wyrównanym mocowaniu się na rękę, jedno z nas w końcu musi ją opuścić. I to jestem ja. Łzy wygrywają. Chwytam ojca za rękę i ściskam ją. Myślę, że pierwszy raz od dawna w jego towarzystwie nie czuję się skrępowana. Czuję się sobą.

Klepie mnie po dłoni i patrzy na mnie. Ociera łzę z mojej twarzy i uśmiecha się.

– Jest coś, o czym rozmawialiśmy z twoją matką i mieliśmy porozmawiać z tobą, kiedy lepiej się poczujesz – mówi. – Ale ja chcę powiedzieć o tym teraz.

– Okej…

– Uważamy, że powinnaś przeprowadzić się do Londynu.

– Ja?

Kiwa głową.

– Wiem, że jak się prawie straciło życie w wypadku samochodowym, to się je szanuje. Ale pozwól, że ci coś powiem: jak się prawie traci córkę w wypadku samochodowym, to sprawy szybko zaczynają inaczej wyglądać. Znowu powinniśmy stać się prawdziwą rodziną. To szczęście dla mnie być twoim ojcem, szczęście mieć ciebie w swoim życiu. Chcę więcej. Twoja matka myśli tak samo. Powinniśmy cię zapytać wiele lat temu, a zamiast tego założyliśmy, że wiesz o tym. Ale teraz nie robię już żadnych założeń. Proszę cię, żebyś przyjechała. Proszę. Prosimy, żebyś przeprowadziła się do Londynu.

Za dużo tego wszystkiego. Londyn. I mój tato. I moja mama płacząca w korytarzu. I szpitalne łóżko, i... wszystko.

Opuszczam wzrok, unikam jego oczu z nadzieją, że kiedy znów w nie spojrzę, będę wiedziała, co powiedzieć. Nie wolno mi tylko patrzeć wcześniej.

Ale nic mi nie przychodzi do głowy.

Więc robię to, co zawsze robię, kiedy jestem zagubiona. Unik.

– Bo ja wiem, tato? Tutaj jest lepsza pogoda.

On szeroko się uśmiecha.

– Nie lubisz ciągle zachmurzonego nieba i deszczu?

Kręcę głową.

– Obiecujesz, że o tym pomyślisz?

– Obiecuję.

– Kto wie, może to Londyn jest miastem przeznaczonym dla ciebie od samego początku.

Żartuje. Nie ma pojęcia, jakie to może być dla mnie ważne.

A potem przychodzi mi do głowy, że to dziwne, że sama nie wpadłam na ten pomysł. We wszystkich moich podróżach, w tym całym przeskakiwaniu z miasta do miasta, nigdy nie pomyślałam o mieście, w którym mieszkała moja rodzina. Czy to znaczy, że nie jest to właściwe miejsce dla mnie? A może to znak, że wreszcie muszę zrozumieć, że powinnam zamieszkać w Londynie? Chcę iść za swoim losem, ale też nie bardzo chcę wybierać się do Anglii.

– Muszę ci zadać pytanie – mówi. – I chcę, żebyś była ze mną zupełnie szczera. Nie martw się, jak się z matką poczujemy. Chcę, żebyś martwiła się tylko o siebie i swoje potrzeby.

– Okej.

– Mówię poważnie, Hannah.

– Okej.

Odzywa się z powagą, która mnie zaskakuje.

– Czy będzie ci lżej, jeśli odejdziemy?

To jest to, czego chcę. W sercu. Ale nie jestem pewna, czy uda mi się do tego doprowadzić. Nie wiem, czy zniosę wypowiedzenie tego na głos, czy wyznam ojcu, że chcę, żeby wyjechał, szczególnie po tej naszej rozmowie.

Tato wtrąca się, zanim sformułuję odpowiedź.

– Nie martwią mnie moje uczucia ani uczucia twojej mamy. Ty mnie martwisz. Jesteś moją jedyną troską. Tylko o ciebie mi chodzi. I chcę od ciebie informacji, żeby podjąć decyzję odpowiadającą mojej córce. Czego ci potrzeba? Czy pragniesz teraz spokoju i ciszy?

Patrzę na niego. Czuję, że warga mi drży. Nie potrafię tego powiedzieć. Nie potrafię zmusić się, żeby to powiedzieć.

Tato się uśmiecha, a ten uśmiech znaczy, że nie będzie mnie zmuszał, żebym to powiedziała. Kiwa głową, przyjmuje mój brak reakcji za odpowiedź.

– Więc do widzenia na razie – mówi. – Wiem, że to nie znaczy, że nas nie kochasz.

– Jasne, że was kocham – mówię.

– A my kochamy ciebie.

Wiele razy to sobie mówiliśmy, ale tym razem, tym szczególnym razem, czuję to w piersi.

– W porządku, pozwól więc, że przekażę tę wiadomość twojej matce.

– Och, tak mi przykro – mówię, zakrywając twarz dłońmi. Czuję się strasznie.

– Niech ci nie będzie przykro. Ona jest twardsza, niż się jej czasem wydaje. I chce dla ciebie tylko tego, co najlepsze.

Wymyka się na korytarz. Przez chwilę jestem samotna, czuję się spięta, mam łzy w oczach.

Wkrótce drzwi się otwierają i wchodzą moi rodzice. Mama nie jest w stanie nic powiedzieć. Tylko patrzy na mnie, podbiega, otula ramionami.

– Musimy iść – mówi.

– Okej – mówię.

– Kocham cię – mówi. – Tak bardzo cię kocham. W dniu twoich narodzin płakałam równo sześć godzin, bo jeszcze nigdy w życiu nikogo tak nie kochałam. I nie przestałam. Uwierz mi, nie przestałam.

– Wiem, mamo, ja też cię kocham.

Ociera łzy, ściska mi dłoń i pozwala, żeby ojciec mnie uścisnął.

– Jestem z ciebie dumny – mówi ojciec. – Dumny z tego, kim jesteś.

– Dziękuję, tato.

A potem to się dzieje. Idą do wyjścia.

Tato odwraca się do mnie.

– Och, byłbym zapomniał.

Bierze pudełko, które zostawił na blacie, kiedy wszedł. Podaje mi je.

Otwieram. To bułki cynamonowe od Primo's. Lukier przywarł do pudełka, a ciasto zaczęło się rozłazić.

– Pamiętałeś – mówię. To taki przemyślany prezent, taki czuły gest, że chyba znowu zacznę płakać, jeśli on zaraz nie wyjdzie.

Mruga do mnie.

– Nigdy bym o tym nie zapomniał.

I znika za drzwiami, tak jak moja matka i siostra. Wezmą taksówkę na LAX, potem polecą nad krajem, nad Atlantykiem i wylądują na Heathrow.

A ja zostanę tutaj.

I mogę szczerze powiedzieć, że do tej chwili nie zdawałam sobie sprawy, jak bardzo rodzice zawsze mnie kochali.

ODKĄD ETHAN POSZEDŁ DO PRACY, siedzę tutaj z Charlemagne i zastanawiam się, do którego weterynarza ją zabrać i którym autobusem pojechać.

Dziś rano, krótko po jego wyjściu, znów rzygałam. Kiedy się obudziłam, poczułam lekkie mdłości, potem wydawało mi się, że jest mi lepiej, więc otworzyłam lodówkę, żeby zobaczyć, czy jest coś na śniadanie. Wyjęłam paczkę bekonu i jego zapach sprawił, że zrobiło mi się niedobrze aż do samego środka. Nagle zachciało mi się bardzo jeść, bo przypomniałam sobie bułki cynamonowe.

Chwyciłam jedną dla mnie, jedną dla Charlemagne, ale się rozmyśliłam. W końcu ona jest malutka, więc jej bułkę rozerwałam na dwoje, jedną część rzuciłam na podłogę, drugą położyłam na talerzu. Pochłonęłam tę połowę w trzech wielkich kęsach. Potem zjadłam drugą bułkę.

W college'u, kiedy parę razy tak się spiłam, że aż rzygałam, zawsze, natychmiast potem, czułam głód. Jakby moje ciało pozbyło się wszystkiego, co złe, i chciało zastąpić to czymś pysznym. Wstawałam rano, szłam do Dunkin' Donuts i wdychałam zapach cynamonowego ciasta. Było to najlepsze, co mieli, a ja tego chciałam. Niektóre rzeczy chyba się nie zmieniają.

Teraz Charlemagne i ja siedzimy na kanapie. Ona skulona na moich kolanach, a ja nachylam się nad nią i zastanawiam się, czy można wchodzić z psami do miejskich autobusów. W sieci nie znajduję niczego na ten temat, więc wyłączam komputer i postanawiam po prostu to sprawdzić i zobaczyć, do czego to doprowadzi. Jeśli nie wpuszczą jej do autobusu, wymyślę coś innego.

Zamykam drzwi do mieszkania Ethana i wychodzę. Po kolei. Charlemagne musi mieć obrożę i smycz, jeśli mam ją przeprowadzić przez miasto. Idę więc do Target, niedaleko mieszkania Ethana. Trzymam Charlemagne w ramionach. Spodziewam się, że ktoś mnie zatrzyma w sklepie, ale nikt nawet nie mruga okiem. Ułożyłam sobie gadkę, że to pies przewodnik, ale to niepotrzebne. Biorę obrożę i smycz i idę do kasy. Kasjerka patrzy na mnie krzywo, ale nic nie mówi. Postępuje tak, jakby zupełnie zwyczajną rzeczą było wprowadzanie psa do sklepu. Ogólnie rzecz biorąc, odkryłam, że jeśli robi się coś, czego nie powinno się robić, to najlepiej jest postępować tak, jakby wszystko było w porządku.

Kiedy włożyłam Charlemagne obrożę i przypięłam smycz, chciałam wykorzystać tę samą taktykę w autobusie. Czekając na przyjazd autobusu, zachowywałam się, jak ktoś pewny siebie. Kiedy przyjechał, wsiadłam razem z tłumem, z nadzieją, że kierowca nie zauważy.

Nie miałam szczęścia.

– Tu nie wolno z psem – mówi kierowca.

– To pies przewodnik – mówię ja.

– Nie ma tabliczki, że jest psem przewodnikiem – mówi kierowca.

Zaczynam protestowć, ale on ucina:

– To i tak nie ma znaczenia. Żadnych psów.

– Okej. – Chcę trochę pociągnąć dyskusję i sprawdzić, czy uda mi się go przekonać, żeby nas wpuścił, ale w głowie mam pustkę i wstrzymuję kolejkę. – Dziękuję – mówię, wysiadając.

Dostarczę tego psa do kliniki dla zwierząt, choćby to miała być ostatnia rzecz, jaką zrobię w życiu.

Wracam do Target. Znowu wchodzę, znowu wysoko trzymam głowę, mam Charlemagne na rękach. Idę prosto do działu z rzeczami do szkoły i kupuję plecak. Wracam do tej samej kasjerki, wiem, że niczego mi nie powie, i każę sobie wystawić rachunek.

– Tu nie wolno wchodzić z psami – mówi ona. – To będzie czternaście osiemdziesiąt dziewięć.

– Dziękuję – mówię, udając, że nie usłyszałam pierwszych słów.

Szybko wychodzę, skręcam za róg i stawiam plecak na chodniku. Podnoszę Charlemagne i wkładam ją do środka, potem zamykam plecak, zostawiając na górze dziurę, żeby mogła oddychać. Okrążam przystanek autobusowy i czekam na kolejny autobus. Kiedy nadjeżdża, wsiadam, jakbym miała w plecaku książki, a nie maleńkiego teriera. Zachowuję się tak, jak się zachowuję, Charlemagne nie szczeka i jest w porządku. Siadam daleko z tyłu. Ostrożnie kładę plecak na podłodze i trochę bardziej go rozpinam. Suczka siedzi na dnie plecaka. Nie wydaje najmniejszego dźwięku.

Trzymam ją przy stopach. Przesypia większą część jazdy, a kiedy nie śpi, słodko na mnie patrzy. Ma śliczną mordkę i ogromne oczy. Wymaga kąpieli. Cieszę się, że nie prosi, żeby ją wypuścić z plecaka, że nie próbuje usiąść mi na kolanach albo się pobawić. Ma taką mordkę, że chciałoby się skakać przez obręcz, żeby była zadowolona, i nie chcę, żeby nas wykopali z autobusu. Mijamy przecznicę za przecznicą, jedziemy długo. Właśnie zaczynam myśleć, że wsiadłyśmy w zły autobus, że wszystko na nic, kiedy przed nami widzę klinikę dla zwierząt.

Naciskam guzik przed przystankiem na żądanie i autobus zaczyna hamować. Wstaję, ostrożnie podnoszę plecak i idę do podwójnych drzwi z tyłu autobusu. Czekam, aż się otworzą, kiedy Charlemagne zaczyna szczekać.

Patrzę na drzwi, niech już się otworzą! Nie otwierają się. Wszyscy patrzą. Czuję na sobie ich oczy, ale nie odwzajemniam spojrzeń, żeby nie potwierdzić podejrzenia.

Widzę, że kierowca się odwraca, żeby znaleźć źródło hałasu, ale drzwi w końcu się otwierają, więc wypadam z autobusu. Kiedy już jesteśmy na chodniku, wyciągam Charlemagne z plecaka. Niektórzy pasażerowie patrzą na nas przez szyby. Kierowca wbija we mnie wściekły wzrok. Ale autobus wreszcie rusza, pełznie ulicami Los Angeles z szybkością ślimaka, a Charlemagne i ja stoimy wolne jak ptaki zaledwie o przecznicę od kliniki dla zwierząt.

– Udało nam się! – mówię do niej. – Wszystkich nabrałyśmy!

Opiera mi mordkę o ramię, a potem sięga wyżej i liże po policzku.

Stawiam ją, mocno trzymam smycz w dłoni, idziemy do budynku i wchodzimy do holu.

Psy są wszędzie. Zapach jak w psiej budzie. Dlaczego koty i psy mają taki sam piżmowy zapach? Pojedynczo nie jest z nimi tak źle, ale jak tylko zbiorą się w grupę, to robi się… drażniące.

– Cześć – mówię do recepcjonistki.

– Czym mogę służyć? – pyta ona.

– Wczoraj wieczorem znalazłam na ulicy psa, chcę się dowiedzieć, czy jest znakowana chipem.

– Okej – odpowiada. – Chwilowo jesteśmy trochę zajęci, ale proszę się tutaj wpisać i sprawdzę, czy uda nam się to szybko zrobić. – Podaje mi podkładkę do pisania. Pod „imię psa" wpisuję Charlemagne, a pod „nazwisko właściciela" moje nazwisko, chociaż jej imię to na pewno nie Charlemagne, a ja nie jestem jej prawdziwą właścicielką.

– Proszę pani?! – woła do mnie recepcjonistka.

– Tak?

– Do szóstej nikt nie będzie mógł pani pomóc – mówi.

– Do szóstej?

– Tak – mówi. – Przykro mi. Mieliśmy kilka niespodziewanych zabiegów. Nadrabiamy opóźnienia przez całe popołudnie. Może pani zabrać psa do domu i wrócić.

Myślę o wkładaniu Charlemagne z powrotem do plecaka, o wsiadaniu do autobusu, a potem o powtarzaniu tego wszystkiego jeszcze raz wieczorem. Nie mam wątpliwości, że Charlemagne i ja będziemy zaciekle walczyć, ale w końcu kierowcy autobusów z Los Angeles znajdą na nas haka.

– Mogę ją tu zostawić? I spotkać się z lekarzem tutaj, o szóstej? – Smutno mi się robi, że zostanie beze mnie. Ale tak chyba trzeba, prawda? Próbuję się dowiedzieć, do kogo należy Charlemagne. Bo do mnie nie należy.

Recepcjonistka już kręci głową.

– Przykro mi. Nie możemy na to pozwolić. Ludzie w pani sytuacji często przychodzą i zostawiają psa, a potem nie wracają i musimy umieszczać go w schronisku.

– Okej – mówię. – Rozumiem.

Zniża głos:

– Jeśli zostawi pani duży depozyt, nawet kartę kredytową, to może uda mi się przekonać techników weterynaryjnych, żeby zrobili miejsce w budzie. To znaczy, jeśli będziemy pewni, że pani wróci.

– Więc chce pani dostać zabezpieczenie? – pytam żartobliwym tonem.

Kiwa głową, bardzo uprzejmie, poważnie.

Wyciągam portfel, wyjmuję kartę kredytową. Recepcjonistka wstaje, wyciąga ręce, gotowa wziąć Charlemagne, ale mnie jest znacznie trudniej rozstać się z nią niż z Mastercard.

– Już dobrze – mówi recepcjonistka do Charlemagne. – Zajmiemy się tobą przez kilka godzin, kiedy mamusia będzie na zakupach.

– Och – mówię. – Przepraszam. Nie jestem jej... mamusią. – Prawie chce mi się śmiać na myśl, że jestem czyjąś mamusią.

– Och, wiem – mówi recepcjonistka. – Ale na razie jest pani jej właścicielką, więc...

– A jednak – mówię – nie chcę jej mącić w łebku.

Potem zabieram portfel i wychodzę głównymi drzwiami, nie patrząc nikomu w oczy, bo to najgłupsza rzecz, jaką w życiu powiedziałam. Problem w tym, że nie o psa chodzi. Nie chcę mącić w głowie sobie.

Wychodzę i łapię za telefon. Szukam dilera samochodów w tej okolicy. Nie ma sensu tracić czasu. Zaledwie cztery kilometry stąd, przy tej ulicy są trzy salony. Zaczynam iść.

Dzisiaj wykreślę z mojej listy jeszcze jedną rzecz.

Wkrótce mogę stać się zdolną do życia istotą ludzką.

ZADZWONIŁAM DO GABBY zaraz po wyjściu mojej rodziny. Powiedziałam jej, że tato chce, żebym przeniosła się do Londynu.

Zapytała, co o tym sądzę, a ja jej powiedziałam, że nie mam pewności.

Chociaż tak długo mieszkałam z dala od Gabby, jakoś nie mogę sobie wyobrazić, że znowu znajdę się tak daleko od niej.

– Mnóstwo rzeczy dzieje się teraz wokół ciebie – powiedziała Gabby. – Po prostu spróbuj się przespać, a wszystkie za i przeciw omówimy, jak będziesz gotowa.

Odkładam telefon i robię dokładnie to, co powiedziała. Zasypiam.

Budzę się trochę rozkojarzona i patrzę na zegar: druga w nocy.

– Obudziłaś się – mówi Henry, wchodząc do mojej sali. – Wcześniej spałaś.

– Chrapałam bardziej czy mniej niż Gabby poprzedniej nocy?

– Och, gorzej. Zdecydowanie gorzej.

Śmieję się.

– Cóż, kochani, nie moglibyście z tym coś zrobić? Jakaś operacja chirurgiczna?

– Nie martwiłbym się tym za bardzo – mówi, podchodząc do mnie. – Masz już dosyć przejść, nie sądzisz? – Coś zaznacza na mojej karcie.

– Jak moje zdrowie? – pytam.

Wsuwa kartę z powrotem i klika długopisem.

– Dobrze. Myślę, że jutro posadzą cię na wózek i zaczniesz się ruszać.

– Świetnie! – mówię. – Naprawdę? – Jak szybko w życiu przechodzi się od stanu, kiedy chodzenie jest czymś oczywistym, do stanu, gdy nagle cię zdumiewa, że pozwalają ci usiąść na wózku inwalidzkim.

– Tak. Ekscytujące, prawda?

– Możesz być absolutnie pewny, że tak.

– Ktoś ci przyniósł ciasto – mówi Henry.

Do twarzy mu w ciemnoniebieskim stroju pielęgniarza. Nie chodzi mi o to, że właśnie jemu jest w tym kolorze do twarzy. Po prostu zauważyłam, że większość pielęgniarek ubiera się na różowo albo jasnoniebiesko. Ale granat, który on ma na sobie, jest po prostu znacznie bardziej atrakcyjny. Gdybym była pielęgniarką, od wschodu do zachodu słońca ubierałabym się w ciemnoniebieskie stroje.

– Wiem. – Nie mogę uwierzyć, że zapomniałam. Natychmiast łapię pudełko. – Tato przyniósł mi bułki cynamonowe od Primo's.

– Och, to mój słaby punkt – mówi Henry. – Nie mam szczególnego upodobania do słodyczy, ale uwielbiam dobre bułki cynamonowe.

Tak gorliwie chcę wyrazić własne uwielbienie do bułek cynamonowych, że zaczynam się jąkać.

– Właśnie to... ja... uwielbiasz?... Ja też.

Śmieje się ze mnie.

– Chciałam powiedzieć, że uwielbiam bułki cynamonowe. Mam problem bułek cynamonowych – mówię.

– A ja nie – mówi.

Skoro już o tym mowa, nie mogę się oprzeć, żeby natychmiast trochę tego nie zjeść. Otwieram pudełko i wyjmuję kawałek.

– Chcesz trochę? – pytam.

– O, nie trzeba – mówi Henry.

– Jesteś pewien? Tato przyniósł je od Primo's. Uważam, że to jedne z najlepszych bułek cynamonowych w Los Angeles.

Wkłada długopis do kieszonki koszuli.

– Wiesz co? W porządku. Właściwie to chętnie bym zjadł kawałek.

Ja podaję mu pudełko. On wyjmuje mały kawałek.

– No, daj spokój – mówię. – Weź więcej.

Henry śmieje się i bierze większy kawałek.

– Jestem całkowicie pewien, że to punkt 101 Instrukcji „Jak odnosić się do pacjentów: Nie brać od nich jedzenia".

– Nikt nie jest doskonały.

– Nikt – mówi, przeżuwając. – Chyba rzeczywiście nikt. – Potem dodaje: – Cholera, ale to dobre.

– Prawda? Nie chcę się chwalić, ale uważam, że znam się na bułkach cynamonowych.

– Zaczynam w to wierzyć – mówi.

– Może powinnam zacząć sugerować moim gościom, że chcę więcej bułek cynamonowych. Pewnie zebrałby się dla nas spory stosik.

– Kuszące. Dobrze się czujesz?

W chwili, gdy to mówi, dociera do mnie, kim naprawdę jesteśmy, dlaczego naprawdę tu przebywam i troszeczkę zniżam loty ku ziemi.

– Tak. Dobrze. Z każdym dniem czuję się trochę lepiej.

– Myślisz, że jesteś gotowa usiąść jutro na wózku inwalidzkim? To może boleć... pierwsze ruchy, przenoszenie, cała ta sprawa. Masz ochotę?

– Żartujesz ze mnie? Na wszystko mam ochotę.

– Tak? Właśnie na to liczyłem.

Idzie do drzwi, ale się zatrzymuje.

– Jeśli uwielbiasz bułki cynamonowe tak bardzo jak ja, to jestem pewien, że lubisz także churros. Jadłaś kiedy churros?

Patrzę na niego z oburzeniem.

– Kpisz sobie ze mnie? Czy jadłam churros? Jestem z Los Angeles. Jadłam churros.

– Och, cóż, przepraszam... laseczko.

Zaczynam się śmiać.

– Laseczko?

On też się śmieje.

– Nie wiem, skąd mi się to wzięło. Po prostu samo mi się powiedziało. Jestem tak samo zaskoczony jak ty.

Zaczynam chichotać tak mocno, że z oczu cieknąmi łzy. Całe moje ciało się trzęsie. Człowiek zdaje sobie sprawę, jak bardzo zaangażowane w śmiech jest całe ciało, kiedy jest połamany. Ale nie mogę przestać się śmiać. Nie chcę przestać się śmiać.

– To jakieś małe dziwactwo z mojej strony, że tak powiedziałem – mówi on.

– Małe? – mówię, łapiąc oddech.

Razem ze mną śmieje się z siebie.

I wtedy czuję przeszywający ból w dole nogi. Jest ostry, głęboki i szarpiący. Natychmiast przestaję się śmiać. Płaczę.

Henry podbiega do mnie.

Ból nie ustępuje. Boli tak bardzo, że nie mogę oddychać. Nie mogę mówić. Spoglądam w dół i widzę, że palce prawej stopy są zagięte. Nie mogę ich rozprostować.

– Już dobrze, wszystko w porządku – mówi. Przechodzi do kroplówki. – Za sekundę będzie dobrze, obiecuję. – Wraca do mnie. Chwyta mnie za rękę. Patrzy mi w oczy. – Spójrz na mnie – mówi. – No, dalej, popatrz na mnie. Ból ustąpi za sekundę. Miałaś skurcz. Musisz przez to po prostu przejść. Będzie dobrze.

Przenoszę wzrok na jego twarz. Skupiam się na nim mimo bólu. Patrzę mu w oczy, on wpatruje się w moje oczy.

– Tylko poczekaj – mówi. – Tylko poczekaj.

I wtedy ból zaczyna ustępować.

Palce u nóg się prostują.

Ciało się odpręża.

Mogę z łatwością oddychać.

Henry zabiera dłonie z moich rąk. Przesuwa nimi po mojej ręce aż do barku.

– Już lepiej? – pyta. – To musiało boleć.

– Tak – odpowiadam. – Tak, w porządku.

– Dobrze, że cię niedługo podniesiemy z łóżka i zaczniesz się poruszać. Twój organizm wymaga, żebyś ponownie stanęła na nogach.

– Tak – mówię.

– Świetnie sobie radzisz.

– Dziękuję.

– Dasz sobie radę sama?

– Tak – mówię. – Chyba tak.

– Gdyby to się znowu zdarzyło, po prostu naciśnij guzik i przyjdę. – Zdejmuje ze mnie ręce. Jednym płynnym ruchem, tak delikatnym, że jestem prawie pewna, że go nie było, odsuwa mi włosy z twarzy. – Odpocznij trochę. Jutro będzie wielki dzień.

– Okej – mówię.

Uśmiecha się i wychodzi. W ostatniej chwili z powrotem wsuwa głowę.

– Cholerny z ciebie twardziel, wiesz?

– Pewnie mówisz to wszystkim pacjentom – mówię, a kiedy wychodzi, myślę: A jeśli nie? A jeśli takie rzeczy mówi tylko mnie?

PROSZĘ PANI – TŁUMACZY MI SPRZEDAWCA SAMOCHODÓW. Siedzimy przy jego biurku. Już podjęłam decyzję. – Jest pani pewna, że nie chce pani nowego samochodu? Czegoś ładnego? Czegoś trochę bardziej… w pani stylu?

Stoję przed używaną toyotą camry. Diler ciągle próbuje mnie nakłonić, żebym popatrzyła na jaskrawoczerwonego priusa. Prawdę mówiąc, wolałabym czerwonego priusa. Bywały momenty w moim życiu, gdy powiedziałabym „pieprzyć to" i wydała wszystkie pieniądze na zaliczkę za priusa, zmuszając się do wyliczenia, ile trzeba będzie dopłacić, kiedy przyjdzie na to czas. Bo strasznie mi się ten czerwony prius spodobał.

Ale próbuję podejmować mądre decyzje, żeby doprowadziły mnie do czegoś lepszego.

– Camry jest w porządku – mówię. Już nią pojeździłam na próbę. Zadałam wszystkie właściwe pytania. Chcieli za ten wóz dziewięć tysięcy pięćset dolarów. Powiedziałam, że dam siedem tysięcy pięćset. Mocowaliśmy się w obie strony. On nakłaniał mnie, żebym podeszła do ośmiu. Ciągle kontaktuje się ze swoim szefem, żeby załatwić sumy do negocjacji. W końcu przychodzi menedżer i jęczy, że tak mało chcę zapłacić za samochód.

– Jeśli sprzedam pani za mniej niż osiem pięćset, nie zarobię na tym interesie – mówi. – Widzi pani, musimy zarabiać pieniądze. Nie możemy po prostu ich rozdawać.

– Okej – mówię. – Chyba nic z tego. – Wstaję z krzesła i zabieram torebkę.

– Kochana – mówi menedżer – nie szalej.

To dlatego Gabby ciągle mówi o prawach kobiet i równości płci. Ze względu na takich palantów.

– Słuchaj, powiedziałam już, że zapłacę równe osiem tysięcy. Decydujesz się albo nie.

Carl jest doskonałym negocjatorem. Prawdziwy rzezimieszek. Kiedy byłam na czwartym roku, Carl zabierał Gabby albo mnie na zakupy, więc nauczyłyśmy się, jak się targować. Z mechanikami, sprzedawcami, hydraulikami, z każdym, z kim trzeba. Carl kazał nam samodzielnie negocjować ceny. Kiedy jeep Carla wymagał zmiany kół, Carl stawał za rogiem, obok warsztatu, a ja wchodziłam i w jego imieniu próbowałam obniżyć cenę u faceta. Kiedy wracałam, żeby zameldować o nowej cenie, Carl kręcił głową i mówił, że za mało się postarałam. I zawsze potem lepiej się starałam. Byłam szczególnie dumna, kiedy facet od opon dorzucił kompleksowe czyszczenie i renowację samochodu po szturchańcach z mojej strony. Gabby zmusiła raz faceta od reperacji bojlera, żeby zszedł o pięćset dolców. Carl i Tina zabrali nas tego wieczoru do Benihana, żeby uczcić to zwycięstwo.

Carl zwykł mawiać, że ludzie, którzy się nie targują, to mięczaki. A my nie jesteśmy mięczakami.

– Dzisiaj kupię samochód. Nie musi być od was – mówię menedżerowi.

Menedżer unosi wzrok.

– Już dobrze, dobrze – mówi. – Osiem sto i umowa stoi.

Ściskam mu rękę, a oni zaczynają wypełniać papiery. Płacę trzy tysiące i wyjeżdżam z parkingu samochodem. Wydałam na to większość swoich pieniędzy. Ale jest okej. Bo mam plan.

Kiedy jestem już odpowiednio daleko od salonu, zatrzymuję się przy ulicy i zaczynam walić rękami w kierownicę, krzyczę w niebogłosy, próbując wypchnąć całą nerwową energię, która jest we mnie.

Robię to. Układam sobie życie. Tak, robię to.

Dzwonię do Carla, do gabinetu.

– Cześć! – mówi ciepłym głosem, zadowolony, że mnie słyszy. – Powiedz, że podejmujesz pracę.

– Podejmuję pracę.

– Doskonale. Przełączę cię do Joyce, od spraw pracowniczych. Powie ci o zarobkach, socjalu i o wszystkich innych miłych sprawach. Jeśli nie zajmie wam to mniej czasu, niż do końca świata, będę tobą rozczarowany.

Śmieję się.

– Właśnie zapłaciłam osiem tysięcy sto za samochód wart dziewięć tysięcy siedemset. Dotarło do mnie. Obiecuję.

– To właśnie chciałem usłyszeć! – mówi.

– Carl, naprawdę dziękuję ci za to.

– To ja ci dziękuję – mówi. – Szczerze. To jest perfekcyjnie wykalkulowane. Rosalie spóźniła się dziś rano półtorej godziny i nawet nie raczyła podać jakiejś wymówki. Ona mówi, że to nieprawda, ale w ubiegłym tygodniu pacjent powiedział mi, że go sklęła. Więc chętnie pozwolę jej odejść i po prostu cieszę się, że nie będziemy musieli przeglądać ogłoszeń, by ją zastąpić.

Ja się śmieję.

– W porządku. Nie mogę się doczekać, kiedy zacznę z tobą pracować... szefie.

– Kurczę, gdybym tylko mógł zmusić moją żonę i córkę, żeby do mnie tak mówiły, byłbym szczęśliwym człowiekiem.

Przełącza mnie do Joyce. Rozmawiamy chyba z pół godziny. Ona zapewnia, że ma zamiar dać Rosalie wymówienie. Więc zacznę za dwa tygodnie. Ale jeśli Rosalie postanowi nie zostawać tych dwóch tygodni, praca może się rozpocząć wcześniej. Mówię jej, że zgadzam się na to.

– To dlatego na ogół lepiej zatrudnić kogoś, kogo się zna – mówi Joyce. – Wiem, jestem w dziale kadr i powinnam raczej sprawdzać wszystkich kandydatów, ale prawda jest taka, że kiedy są to znajomi, to łatwiej być elastycznym.

Proponuje mi czterdzieści tysięcy, a ja, rozgrzana targami o samochód, wyciągam z niej czterdzieści cztery. Dostaję też pełne ubezpieczenie medyczne.

– Aha, dobra wiadomość – mówi ona. – Ubezpieczamy resztę twojej rodziny po bardzo niskiej cenie.

– Tak? – mówię ja. – Ale jestem tylko ja.

– No dobrze – mówi ona. – I będziesz miała dwa tygodnie płatnego urlopu rocznie i oczywiście, jeśli okaże się konieczne, urlop macierzyński.

Śmieję się.

– Nie okaże się konieczne.

Ona też się śmieje.

– Rozumiem.

Kończymy rozmawiać o szczegółach i wkrótce wszystko jest ustalone.

– Witamy w Klinice Pediatrycznej Hudson, Stokes i Johnson – mówi.

– Dziękuję – mówię. – Cieszę się, że będę z wami.

Wiem, że Ethan jeszcze jest w pracy, ale nie mogę do niego nie zadzwonić.

– Co się stało, kwiatuszku? – mówi.

Jestem zaskoczona, że odebrał.

– Masz chwileczkę?

– Jasne – mówi. – Pozwól tylko, że wyjdę.

Słyszę, jak wychodzi za drzwi i w tle robi się cicho.

– O co chodzi?

– Lepiej nie próbuj ze mną negocjować – mówię. – Bo właśnie wytargowałam od sprzedawcy półtora tysiąca dolarów i namówiłam paniusię z kadr, żeby dała mi cztery tysiące więcej. Więc zasadniczo jestem siłą, z którą trzeba się liczyć.

Ethan się śmieje.

– Właścicielka samochodu i… kobieta pracująca.

– Masz rację, cholera.

– A znalazłaś dom dla Charlemagne?

– Mogą się nią zająć dopiero o szóstej – mówię. – Więc kupiłam samochód i teraz wracam. Myślę, że spędzę trochę czasu w poczekalni, ale zobaczę, czy lekarz nie będzie wcześniej wolny.

– O szóstej?

– Tak. Ona tam teraz jest. Musiałam zostawić kartę kredytową, żeby ją tam trzymali, aż wrócę.

Ethan znowu się śmieje.

– Co, niby pod zastaw?

– Właśnie to powiedziałam!

– Słuchaj, wychodzę stąd za pół godziny. W której części miasta jesteś? Wyjdę ci na spotkanie.

– Och, byłoby cudownie! – mówię. – Jestem w Zachodnim LA. Weterynarz jest przy Sepulveda.

– Jezu, tak daleko od mojego domu – mówi. – Pojechałaś tam autobusem?

– Tak – mówię.

– Z Charlemagne?

– Jasne, schowałam ją w plecaku.

Ethan się śmieje.

– Może spotkamy się i pójdziemy na wczesną kolację? Znajdziemy gdzieś happy hours. Znam meksykańską knajpę blisko kliniki dla zwierząt. Mogę ci postawić uroczyste burrito.

– Wchodzę w to!

Więcej niż raz zgubiłam się po drodze. Potem spróbowałam wjechać w uliczkę, tylko po to, żeby zobaczyć, jak wielka ciężarówka nadjeżdża z przeciwnej strony. Musiałam powoli się wycofać, na ślepo wyjechać na ulicę i znaleźć inną drogę. Ale w końcu dotarłam. Oto cała ja. W końcu docieram.

Zatrzymuję się na parkingu restauracji. Ethan czeka na mnie przy wejściu.

– To ten nowy samochód? – mówi. – Podoba mi się. Niespodzianka. Byłem pewien, że nadjedziesz w czymś czerwonym jak wiśnia.

Śmieję się.

– Teraz podejmuję znacznie bardziej praktyczne decyzje – mówię. – Facet na stałe, praca na pełen etat.

– Bezpańskie psy.

Śmieję się.

– Po prostu pomagam Charlemagne znaleźć jej prawdziwą rodzinę – mówię, kiedy wchodzimy do restauracji. – Ale facet na stałe i praca na pełen etat to coś… – Już czuję, że mam zamiar zakończyć „na zawsze", ale szybko zdaję sobie sprawę, że nie tego chcę.

Jest za wcześnie, żeby ustalić, czy z Ethanem i ze mną to poważna sprawa albo co będzie z nami w przyszłości. Mamy za sobą wspólną historię i perspektywę na coś bardzo rzeczywistego, ale tylko znowu zaczęliśmy ze sobą chodzić. Myślę, że przyszłość najlepiej wyobrażać sobie we własnej głowie, ale nie ubierać tego w słowa.

Czyli to bardzo możliwe, że Ethan jest właśnie tym kimś dla mnie. Ale wolę umrzeć, niż powiedzieć to na głos.

Na szczęście Ethan jest chyba podobnie nastawiony, bo patrzy na mnie, chwyta za rękę, ściska ją i mówi:

– Rozumiem. – W ten sposób pozwala mi nie kończyć zdania.

Hostessa pyta, czy wolimy usiąść w sali restauracyjnej, czy w barze, więc idziemy do baru. Kiedy siadamy, Ethan zamawia guacamole.

– Jestem z ciebie bardzo dumny – mówi, kiedy kelnerka odchodzi.

– Dziękuję – mówię. – Ja też jestem z siebie dumna. Wiesz, nie lubię, jak wygrywają moje stare obyczaje. I naprawdę mam motywy, żeby rozpocząć nową kartę.

Myślę, że sprawy obróciły się na moja korzyść częściowo dlatego, że są ludzie, którzy we mnie wierzą. Gabby, Hudsonowie i Ethan tak mi dodają ducha, że chyba dam radę zrobić to, co zaplanowałam. W innych miastach nie miałam prawdziwego wsparcia. Miałam mnóstwo przyjaciół, a czasami troskliwych chłopaków. Ale nie wiem, czy miałam kogoś naprawdę we mnie wierzącego, nawet jeśli ja w siebie nie wierzyłam. Teraz już w siebie wierzę. I myślę, że potrzebuję kogoś w moim narożniku, żeby dobrze funkcjonować. Jestem z tych, którzy potrzebują innych ludzi. Bo moja rodzina wyjechała i pogodziłam się z tym, więc zawsze myślałam, że jestem trochę samotnym wilkiem. Chyba wydawało mi się, że nikogo nie potrzebuję.

– Cóż, podziwiam cię – mówi Ethan.

Kelnerka stawia przed nami guacamole. Chwytam chipsa i zanurzam go w dipie. Ale nie donoszę go do ust, bo czuję, że obrzydliwie śmierdzi. Odkładam chipsa.

– O Boże – mówię. – Jest nieświeże, czy co?

– Hm – mruczy Ethan, naprawdę speszony. – Guacamole?

– Powąchaj – mówię. – Naprawdę śmierdzi.

– Naprawdę? – Zanurza chipsa, podsuwa sobie pod nos i zjada. – Jest świetny. Doskonale smakuje.

Znowu wącham i nie mogę wytrzymać. Łapię się za brzuch.

– Co z tobą? – pyta Ethan.

– Nic – mówię. – Chcę tylko stąd wyjść.

– Jesteś naprawdę blada. I spocona. Tutaj, na czole.

Tak jak ostatniego wieczoru przebiega przeze mnie fala mdłości. Gardło mi się ściska, mam zgagę. Nie jestem pewna, czy długo wytrzymam. Pędzę do łazienki, ale nie zdążam do toalety. Rzygam do umywalki. Na szczęście to prywatna łazienka.

Przychodzi Ethan i zamyka za nami drzwi.

– To damska toaleta – mówię.

– Martwię się o ciebie – odpowiada.

– Wszystko w porządku – mówię, chociaż zaczynam w to wątpić.

– Mówiłaś, że ostatniego wieczoru też rzygałaś – mówi.

– Tak – odpowiadam. – I dziś rano.

– Nie sądzisz, że masz grypę? Może powinnaś iść do lekarza? Bo niby z jakiego powodu rzygasz przez cały czas?

W chwili, gdy zadaje to pytanie, wiem, że nie mam grypy.

Doskonale rozumiem, dlaczego wszystko w moim życiu szło tak dobrze. Wszechświat po prostu ustawia wszystko, żebym mogła się przez to przetoczyć i zniszczyć, tak jak zawsze to robię.

Klasyczny huragan Hannah.

Jestem w ciąży.

BUDZI MNIE KTOŚ, KTO SZUKA CZEGOŚ W CIEMNOŚCI. Ale nikogo nie widzę. Tylko słyszę.

– Henry? – pytam.

Jakaś postać nagle podnosi się z podłogi.

– Przepraszam – mówi. – Nie mogę znaleźć mojego telefonu komórkowego. Myślałem, że gdzieś mi tu upadł.

– Dziwnie mi się robi na myśl, że tutaj jesteś i stoisz nade mną, kiedy śpię – mówię.

– Nie stałem – mówi. – Pełzałem.

Śmieję się.

– To jeszcze gorzej.

– Nie widziałaś go, prawda? Mojego telefonu? – pyta.

Kręcę głową.

– Cholera – mówi, a ja patrzę, jak w roztargnieniu ciągnie za opaskę do włosów założoną na nadgarstek.

– Powiedziałeś, że mi wyjaśnisz, skąd ta opaska – mówię. Pokazuję własną głowę. Tej opaski, którą mi dał, nadal używam do podtrzymywania koka. Na szczęście, teraz sama potrafię ją założyć z niewielkim wysiłkiem. Ale nadal nie mam lustra, więc nie mogę mieć pewności, że kok dobrze wygląda.

Śmieje się.

– Dobra pamięć. Mnóstwo pacjentów po wypadkach komunikacyjnych stara się pamiętać podstawowe szczegóły.

Wzruszam ramionami.

– Co mam powiedzieć? Zawsze wychodziłam przed szereg.

– Opaski do włosów zacząłem znajdować, kiedy jeszcze pracowałem w szpitalu w Teksasie – mówi. Uśmiecham się, kiedy siada. Podoba mi się to. Podoba mi się, że zostaje. – Nie chciałem ich wyrzucać, bo wyglądało na to, że mogą się komuś przydać, więc zacząłem je zbierać. Ale nikomu nie były potrzebne, więc je odkładałem. A potem, pewnego dnia, szef poprosił, żebym coś zrobił, a ja nie miałem ani kawałka papieru, żeby to zapisać, więc założyłem opaskę do włosów na nadgarstek, żeby zapamiętać, tak jak to czasem się robi z gumkami. Potem zacząłem tak robić, nawet kiedy było kilka rzeczy do zapamiętania. Więc jeśli są cztery sprawy, które muszę zapamiętać, mam cztery opaski do włosów. Jeśli są dwie sprawy do zrobienia i ktoś mi poleci trzecią, przybywa kolejna opaska do włosów.

– Ile razy stałeś i gapiłeś się na nadgarstek, próbując sobie przypomnieć, po co ci jedna z tych opasek?

Śmieje się.

– Słuchaj, to nie jest system doskonały. – Nachyla się na sekundę. Zakładam, że zobaczył swoją komórkę.

Znów się prostuje. Musiał się pomylić.

– Tak czy siak – mówi – to jest mój system opasek do włosów.

– A jego zaletą jest, że możesz dać taką opaskę kobiecie, która jej potrzebuje.

– Zgadza się – mówi. – Ale poza tobą nikt mnie o nią nie prosił.

Uśmiecham się do niego.

– Jak się czujesz? – pyta. – Okej? Żadnych skurczów?

– Żadnych skurczów.

– Dobrze – mówi i znowu rozgląda się po sali, szukając telefonu.

– Zadzwońmy na twój numer – proponuję. – Numer twojego telefonu, chciałam powiedzieć. – Szpitalny telefon stoi obok mnie, na stoliku przy łóżku. Przyciągam go do siebie i podnoszę słuchawkę. – Jaki to numer?

Nie całkiem potrafię zinterpretować jego minę.

– Co takiego zrobiłam?

– Nie wolno mi podawać żadnych osobistych informacji. To wbrew przepisom.

Czuję się z lekka zawstydzona. Odkładam słuchawkę na widełki, żeby zachować twarz.

– No dobrze. Cóż, sam możesz wykręcić numer – mówię. – Zamknę oczy.

Śmieje się i kręci głową.

– I tak na nic by się to nie zdało. Dzwonek jest wyłączony.

Domyślam się, że oboje chcemy zmienić temat. Tylko nie wiemy jak.

– Wypróbowałem tę aplikację Znajdź Telefon – mówi Henry.

– Och, to jest świetne!

– Zawiadomiła mnie, że telefon znajduje się w szpitalu Presbyterian, w Los Angeles.

– Ładna mi pomoc – mówię ja.

– Hm – mówi on – jeśli go zobaczysz…

– Jeśli go zobaczę, zadzwonię moim małym dzwoneczkiem do pielęgniarki.

– A przybiegnę ja – mówi.

Żadnemu z nas nie zostało nic do powiedzenia, a jednak on nie wychodzi. Patrzy na mnie. Wytrzymujemy wzajemnie swój wzrok może sekundę dłużej niż normalnie. Pierwsza odwracam wzrok. Rozprasza mnie mdłe błękitnawe światło, które zaczyna rozbłyskiwać powolnym rytmem.

– Eureka! – mówi.

Rozbawia mnie, kiedy daje nura. Kiedy znowu wyłania się ze swoim telefonem, nie stoi już w nogach łóżka, jak wcześniej. Jest przy mnie, z boku.

– Wiedziałem, że go znajdę – mówi.

Pod wpływem impulsu wyciągam rękę w jego stronę, żeby go dotknąć, tak jakbym dotknęła przyjaciela. Ale szybko przypominam sobie, że nie jest moim przyjacielem, że czułe dotknięcie jego ramienia albo ręki byłoby czymś dziwacznym. Więc udaję, że chcę przybić piątkę. Uśmiecha się i z entuzjazmem klepie moją dłoń.

Przez chwilę zastanawiam się, jak by to wyglądało, gdybym mogła chodzić. I gdybyśmy nie byli w szpitalu, tylko gdzieś w barze. Byłabym ubrana w moją ulubioną czarną koszulę i obcisłe dżinsy. Myślę, jak by to wyglądało, gdybym trzymała w dłoni piwo, a światła byłyby przygaszone, bo ludzie by tańczyli, a nie dlatego, że ludzie chcą spać.

A gdyby powiedział cześć i przedstawił się? Czy to szaleństwo pomyśleć, że poprosiłby mnie do tańca?

– Trudno, muszę iść – mówi. – Ale wkrótce wrócę, żeby sprawdzić, co z tobą. Nie lubię odchodzić na długo bez pewności, że jeszcze oddychasz. – Wychodzi, zanim zdążam powiedzieć do widzenia.

Bo ja wiem? Może, tylko może, gdybym spotkała się z Henrym na wieczornym przyjęciu, spędzilibyśmy całą noc na rozmowie, a kiedy noc by się kończyła, zaproponowałby, że odprowadzi mnie do samochodu.

Co ZNOWU? – PYTA ETHAN. – Co się dzieje? Znowu będziesz wymiotować? Jak mogę ci pomóc?

– Nie – mówię, powoli kręcąc głową. – Teraz czuję się doskonale.

Miałam miesiączkę; zanim wyjechałam do LA, pamiętam, że ją miałam. Pamiętam, że byłam zadowolona, bo skończyła się dzień wcześniej niż normalnie. Pamiętam. Pamiętam.

– Zdumiewająco doskonale – zapewniam. – Myślę, że może te kiełki brukselki ciągle mi przeszkadzają.

– Okej – mówi. – Cóż, może powinniśmy pojechać do domu.

Kręcę głową.

– Nie – mówię. – Powłóczymy się, dopóki nie będziemy mogli porozmawiać z weterynarzem o Charlemagne.

– Jesteś pewna?

Patrzę na telefon. Mam ochotę wybiec i kupić test ciążowy, ale nie mogę tak sobie wstać i zostawić Ethana, bo pytałby, o co chodzi. A nie mogę tego mu powiedzieć. Nie wolno mi nawet mówić, że to prawdopodobne, póki nie okaże się, że to nie kwestia prawdopodobieństwa.

– W porządku – mówi. – Jeśli naprawdę czujesz się lepiej.

– Czuję się okej. – Zaczynają się kłamstwa.

– Wyjdę pierwszy – mówi. – Żeby nikt nie pomyślał, że robiliśmy to tutaj.

Jego żart zaskakuje mnie, zaczynam się głośno śmiać.

– Jasne – mówię z uśmiechem.

On się wymyka, ja zostaję w toalecie przez minutę. Robię wdechy i wydechy, próbuję opanować mózg i ciało. A potem łapię za telefon i w Google wyszukuję jedyną rzecz, która może mnie przekonać, że się mylę. Jedyny dowód na to, że może nie jestem w ciąży.

„Czy mogę być ciężarna, jeśli miałam miesiączkę?"

„Nie możesz mieć okresu, kiedy jesteś w ciąży…" Bicie serca zwalnia. Zaczynam się uspokajać. Wszystko może być po prostu w porządku. „Ale niektóre kobiety istotnie mają krwawienie waginalne podczas ciąży".

Klikam jeszcze raz.

„Moja kuzynka przez cztery miesiące nie wiedziała, że jest w ciąży, bo miała okres przez cały czas".

Klikam znowu.

„Możesz jednak mieć okres na początku ciąży, w związku z tym, co nazywamy krwawieniem implantacyjnym, kiedy jajeczko zagnieżdża się w macicy".

Cholera.

„Zazwyczaj krwawienie będzie lżejsze i krótsze niż podczas normalnej miesiączki".

Wyłączam telefon i osuwam się na posadzkę.

Mimo że postępowałam tak racjonalnie, jak tylko się dało, zaszłam w ciążę. I nie z przystojnym, czarującym mężczyzną doskonałym, w którego istnienie zaczynam wierzyć.

Ale z dupkiem, z żoną i dwojgiem dzieci w Nowym Jorku.

Biorę się w garść. Nic dobrego nie wyniknie, gdybym teraz zapadła się w sobie albo wybuchła. Robię wdech. Otwieram drzwi. Wychodzę z łazienki i dołączam do Ethana przy stole.

– Jak zabijemy czas? – pyta. – Może zostawimy to straszne guacamole i znajdziemy dla ciebie bułkę cynamonową?

On mnie opuści. Mężczyzna, który skwapliwie korzysta z szansy, żeby mi kupić bułkę cynamonową. On mnie opuści.

Kręcę głową.

– Wiesz co? – pytam. – Zamówmy tylko parę burritos i zróbmy sobie wyżerkę.

– Niebiańska uczta – mówi i wzywa kelnerkę. Zamawiamy. Rozmawiamy o jego pracy. Żartujemy. I jemy chipsy z tortilli.

Z każdym zjedzonym przeze mnie chipsem, z każdym moim dowcipem spycham tę informację coraz głębiej w moim umyśle. Grzebię swoje problemy i skupiam się na tym, co jest przede mną.

Świetnie mi idzie udawanie, że wszystko jest w porządku. Świetnie mi idzie ukrywanie prawdy. Przez chwilę prawie sama w to wierzę. Nasze burritos przyszły i zniknęły, można by pomyśleć, że przez ten czas o wszystkim zapomniałam.

Idziemy do samochodów z zamiarem spotkania się u weterynarza.

– Jesteś ideałem – mówi Ethan, zamykając za mną drzwi mojego samochodu. – Wiesz? – Kiedy to mówi, staje się jasne, jak wielu rzeczy nie zapomniałam.

– Nie mów tak – zwracam się do niego. – To nieprawda.

– Masz rację – mówi. – Jesteś zbyt piękna. Potrzebna mi dziewczyna mniej ładna.


Wracamy do kliniki dla zwierząt, weterynarz jest gotów na rozmowę z nami.

Zabiera nas do gabinetu lekarskiego, a jeden z techników weterynaryjnych przynosi Charlemagne. Suczka biegnie prosto do mnie.

– No proszę! – mówię do niej. Biorę ją na ręce.

– Więc to państwo ją znaleźli? – pyta weterynarz.

– Tak – mówi Ethan. – Biegała po ulicy.

Weterynarz wygląda na zaniepokojonego.

– Cóż, nie ma chipa. Nie jest też wysterylizowana. I jest niedożywiona. Powinna być o kilogram, półtora cięższa – mówi. Weterynarz jest wysoki, ma gęstą siwą brodę i siwe włosy.

– To może nie wydawać się dużo, ale jak na psa tej wielkości...

– Tak – mówi Ethan. – To naprawdę za mało.

– Może pan powiedzieć, ile ma lat? – pytam.

– Cóż, nie wyrosły jej jeszcze wszystkie zęby, więc to nadal szczeniak.

– W jakim wieku, jak pan sądzi?

– Nie więcej niż cztery miesiące, może pięć – mówi weterynarz. – Wydaje mi się, że mieszkała u kogoś, kto nie za dobrze się nią zajmował...

– Też tak sądzę – mówię.

– A może była na ulicy od dość dawna.

Trudno mi uwierzyć, że była na ulicy od dość dawna. Psy mieszkające na ulicy nie wybiegają na środek jezdni. To przeczyłoby zasadzie przetrwania najlepiej dostosowanych. Jeśli byłoby się psem, który wybiega na środek jezdni, szczególnie w ciemną noc, to prawdopodobnie nie pożyłoby się długo na złych ulicach... gdziekolwiek.

– Ludzie bardzo często nie sterylizują swoich suk – mówi dalej weterynarz – i są zaskoczeni, kiedy zachodzą w ciążę.

Ha!

– Dbanie o karmiącą sukę i paskudzące szczeniaki, których się człowiek nie spodziewał, może być za ciężkim zadaniem.

Właśnie to.

– Czasem ludzie trzymają je do czasu, kiedy już nie dają sobie z nimi rady, i wyrzucają szczeniaki na ulicę.

Dobry Boże.

Patrzę na Ethana. Chociaż nie wie, jak bardzo lekarz nadepnął mi na odcisk, jest tym wszystkim wstrząśnięty.

To zrozumiałe. Ja też jestem wstrząśnięta. Wiem, że ludzie są straszni i robią okropne rzeczy, szczególnie wobec bezbronnych zwierząt. Ale kiedy patrzę na Charlemagne, trudno mi to pojąć. Ledwie ją poznałam i już myślę, że zrobiłabym dla niej wszystko.

– Więc nie została nam żadna deska ratunku – mówi Ethan. – Chodzi mi o to, że nie znajdziemy jej właściciela.

Weterynarz wzrusza ramionami.

– Cóż, przynajmniej nie w ten sposób. Możecie rozwiesić ulotki tam, gdzie ją znaleźliście, albo chodzić od drzwi do drzwi. Ale tak czy owak, jeśli w ogóle bierzecie pod uwagę zatrzymanie jej, to rekomendowałbym to, zamiast szukania poprzedniego właściciela, jeśli taki jest.

– Och – mówi Ethan. – My nie...

– A jeśli tak – mówię, przerywając mu – czy moglibyśmy umówić się na wizytę u was, żebyście się tym wszystkim zajęli? Wysterylizowali ją i ochipowali?

– Tak – mówi weterynarz. – I będzie jej potrzebna seria zastrzyków. Możemy wam też pomóc w doprowadzeniu jej do odpowiedniej wagi. Chociaż, zakładając, że ma stały dostęp do jedzenia, pewnie sama o to zadba.

– W porządku – mówi Ethan. – Bardzo dziękuję za pańską pomoc.

Wyciąga rękę, żeby uścisnąć dłoń. Weterynarz odwzajemnia się tym samym. Ja czynię to samo.

– Cała przyjemność po mojej stronie – mówi weterynarz. – Jest słodka. Mam nadzieję, że pomożecie jej znaleźć dobry dom. Jeśli nie, skontaktujcie się z recepcją, spróbujemy wam pomóc w znalezieniu schroniska, w którym nie usypia się zwierząt. To nie jest łatwe. Już teraz w tym mieście jest mnóstwo psów na jedno miejsce, ale spróbujemy pomóc.

Kiedy wyszliśmy z kliniki zwierząt, słońce już zaszło, powietrze jest rześkie. Trzymam Charlemagne w ramionach, smycz mam owiniętą wokół dłoni. Ona trochę się trzęsie, może z zimna. Nie mogę nie myśleć, że dlatego, bo wie, że jej los jest niepewny.

– O czym myślisz? – pytam Ethana.

– Bo ja wiem. – Stoimy przy naszych samochodach. Przez chwilę jestem oszołomiona, że to dziś po południu kupiłam samochód. Mam wrażenie, jakby to było bardzo dawno. – Ja naprawdę nie mogę trzymać psa w mieszkaniu.

– Wiem – mówię.

– To znaczy, chcę jej pomóc, nie chcę, żeby trafiła na ulicę, ale nie mam zamiaru adoptować psa – mówi. – I nie wiem, czy ty możesz ją adoptować. A ty wiesz? Bo…

– Bo w tej chwili nie mam mieszkania.

– Właśnie.

On patrzy na mnie. Ja patrzę na Charlemagne. Nie zaniosę jej do schroniska. Nie zrobię tego. Po tym wszystkim, co dzisiaj zaszło, mój los też jest niepewny. Charlemagne i ja jesteśmy pokrewnymi duchami. Obie jesteśmy idiotkami pozbawionymi celu, takimi dziewczynami, które wybiegają bezmyślnie na ulicę.

Może popełniam mnóstwo błędów, może najpierw działam, potem myślę, może jestem jedną z tych kobiet, co to nawet nie wiedzą, że są w ciąży, kiedy to powinno być oczywistą oczywistością, ale wiem też, że czasem wpadam w kłopoty, z których potem się wydobywam. Może dam radę wyciągnąć siebie i Charlemagne z kłopotów, rzucając nas obie w ich wir.

Razem z Carlemagne jechałyśmy dzisiaj autobusem tylko za plecak i uśmiech. Jesteśmy zespołem. Ona jest moja.

– Nie pozwolę, żeby wróciła do ludzi, którzy źle ją traktowali – mówię. – Tym bardziej że nie znajdziemy ich, nawet gdybyśmy chcieli. I na pewno nie zostawię jej na ulicy ani nie dam jej uśpić.

Ethan patrzy na mnie. Domyślam się, że rozumie, skąd bierze się moje rozumowanie, ale niekoniecznie wie, do czego zmierzam.

– Okej... – mówi. – To co robimy?

– Mam zamiar ją zatrzymać – mówię. – To właśnie zrobię.

Ona nie jest jego problemem. Ona jest moim problemem. To ja postanowiłam się nią zaopiekować.

Nie umykają mi podobieństwa. I może w jakimś stopniu właśnie dlatego to robię. Może jest to fizyczna manifestacja tego, przez co właśnie teraz przechodzę.

Mam dziecko, które nie jest jego dzieckiem. Biorę psa, o którego nie prosił. Mam zamiar wrobić go w te problemy.

– Okej – mówi. – Cóż, ona może na tę noc zostać u mnie, a jutro możemy oboje ułożyć plan długoterminowy.

Mówi „oboje". „Możemy oboje ułożyć plan długoterminowy".

– Wszystko w porządku – mówię, idąc do mojego samochodu. – Przenocuję u Gabby.

– Nie zostaniesz ze mną?

Kręcę głową.

– Naprawdę powinnam tam przenocować. Przez jedną noc Charlemagne nie będzie jej przeszkadzała.

Owszem, będzie. Mark ma alergię na psy. Zabieranie Charlemagne do ich mieszkania to świństwo. Ale potrzebny mi dystans do Ethana. Muszę zostać sama.

– Może zostać w moim mieszkaniu – mówi. – Na tę noc. Naprawdę.

Znowu kręcę głową, odchodzę od niego. Otwieram drzwi swojego samochodu. Sadzam Charlemagne na fotelu pasażera i zamykam ją.

– Nie – mówię. – Jest w porządku. To lepszy plan.

– Okej – mówi. Najwyraźniej jest przybity. – Jeśli tego chcesz.

– Zadzwonię do ciebie jutro – mówię.

On na to tylko.

– Fajnie. – Mówi to, patrząc mi na stopy, nie w oczy. Jest zmartwiony, ale nie chce tego pokazywać. Kiwa głową i wsiada do swojego samochodu. – Więc porozmawiam z tobą jutro – mówi przez okno.

Potem włącza reflektory i odjeżdża.

Wsiadam do swojego samochodu. Patrzę na Charlemagne. Nagle tryskają łzy, które cały wieczór czekały.

– Spieprzyłam sprawę, Charlemagne – mówię do niej. – Wszystko zniszczyłam.

Nie reaguje. Nie patrzy na mnie.

– Wszystko miało być doskonałe. A ja to zniszczyłam.

Charlemagne liże się po łapie, jakbym w ogóle nie mówiła.

– Co mam robić? – pytam ją.

Gdyby ktoś widział nas z zewnątrz, mógłby pomyśleć, że spodziewam się od niej odpowiedzi. Bo tak poważnie brzmią moje słowa, bo tyle w nich desperacji. A może, na swój sposób, to prawda. Może, gdyby niespodziewanie zaczęła mówić i powiedziała, co powinnam zrobić, żeby to naprawić, bardziej by mi ulżyło, niż mnie wystraszyło.

Niestety, nadal jest zwyczajnym psem, nie psem magicznym. Opieram głowę o kierownicę mojego nowiutkiego używanego samochodu i płaczę. I płaczę. I płaczę. I płaczę.

I myślę, kiedy powiedzieć Michaelowi.

I myślę, kiedy powiedzieć Ethanowi.

I myślę, jak utrzymać dziecko.

I myślę, jak mogłam być tak cholernie głupia.

I myślę, że może świat mnie nienawidzi, że może taki mój los, żeby zawsze pieprzyć sobie życie i nigdy nie posuwać się do przodu.

Zastanawiam się, czy już na zawsze będę samotną matką. Czy Ethan jeszcze będzie się do mnie odzywał. Czy moi rodzice przyjadą, żeby zobaczyć dziecko, czy to ja będę musiała wziąć na wakacje lot międzynarodowy z niemowlęciem.

A potem zastanawiam się, co powie Gabby. Wyobrażam sobie, jak mówi, że wszystko będzie w porządku. Wyobrażam sobie, jak mówi, że to dziecko musiało się zdarzyć. Wyobrażam sobie, jak mówi, że będę wspaniałą matką.

A potem zastanawiam się, czy to prawda. Czy taka będę.

A potem... na koniec... myślę o swoim dziecku.

I ta myśl nagle mnie dopada.

Będę miała dziecko.

Dociera do mnie, że leciutko uśmiecham się przez rzęsiste, pełne strachu łzy.

– Będę miała dziecko – mówię do Charlemagne. – Będę mamą.

Tym razem ona mnie słyszy. I chociaż nie zaczyna czarodziejsko mówić, jednak wstaje, przechodzi przez konsolę i siada mi na kolanach.

– Tylko ty i ja – mówię. – I dziecko. Damy radę, prawda?

Zwija mi się na kolanach i zasypia. Ale myślę, że to mówi samo za siebie, i uważam, że gdyby potrafiła mówić, powiedziałaby „tak".

Jest wcześnie rano, kiedy słyszę pukanie do drzwi. Jestem sama w pokoju. Obudziłam się dopiero parę minut temu. Mój kok prawie się rozwiązał, włosy opadły na ramiona.

Ethan wkłada głowę w drzwi.

– Cześć – mówi cicho, prawie szeptem. – Mogę wejść?

– Oczywiście – mówię.

Miło go widzieć. Może trochę zauroczyła mnie myśl, że między nami został jakiś romantyzm, ale teraz widzę, że nie został. Pewnie zawsze będę go kochać gdzieś w głębi duszy, zawsze będę miała dla niego jakieś miejsce w sercu. Ale ponowne randkowanie, bycie razem to byłby krok wstecz, prawda? Przeprowadziłam się do Los Angeles, żeby zostawić przeszłość za sobą, żeby ruszyć w przyszłość. Przeprowadziłam się do Los Angeles dla zmiany. I mam zamiar jej dokonać.

Ale to nie znaczy, że nic już dla siebie nie znaczymy, że nie możemy być przyjaciółmi.

Klepię bok łóżka, zapraszam go, żeby tam usiadł, tuż obok mnie.

Siada.

– Jak się czujesz? – pyta. Ma w ręku pudełko z piekarni. Mam nadzieję, że dobrze się domyślam.

– To bułka cynamonowa? – pytam go z uśmiechem.

Uśmiecha się w odpowiedzi i podaje mi pudełko.

– Pamiętałeś – mówię.

– Jak mógłbym zapomnieć?

– Świetnie! – mówię, otwierając pudełko. – To z tych dużych.

– Wiem. Zobaczyłem je parę lat temu w tej piekarni na Westside i pomyślałem o tobie. Wiedziałem, że je uwielbiasz.

– To takie podniecające! To znaczy, będę musiała jeść ją nożem i widelcem. – Jest za duża, żebym miała ją jeść rękami. Postanawiam poczekać i wieczorem podzielić się nią z Henrym. Oddaję ją Ethanowi. – Mógłbyś to postawić na stole?

– Nie zjesz teraz?

Niby chcę, ale lepiej poczekam na Henry'ego. Kręcę głową.

– Nie odpowiedziałaś na moje pytanie – mówi – o twoje samopoczucie.

Macham na niego ręką.

– Ze mną w porządku. Dobrze się czuję. Są lepsze i gorsze chwile, ale zastałeś mnie w tej lepszej. Dzisiaj mam wypróbować swój wózek inwalidzki.

Widzę, jak zmienia się mina Ethana. Przez mgnienie oka dostrzegam jego smutek, gdy słyszy, jak bardzo jestem podniecona wózkiem inwalidzkim. Ale nie daję się tym zdołować. Takie jest teraz moje życie. Potrzebuję wózka inwalidzkiego, i już. Głowa do góry i naprzód.

Ethan patrzy w bok, potem wbija wzrok w podłogę. Patrzy wszędzie, byle nie na mnie.

– O co chodzi? – pytam. – Co cię dręczy?

– To wszystko wydaje się takie bezsensowne – mówi, podnosząc na mnie wzrok. – Myśl, że wpadłaś pod samochód. Że mało cię nie straciłem. Kiedy usłyszałem, co ci się stało, natychmiast pomyślałem… ona przecież powinna być ze mną. Gdyby mi się udało namówić cię, żebyś wtedy została ze mną, nie stałabyś pośrodku jezdni, kiedy… To znaczy… temu wszystkiemu można było zapobiec, gdybym… postąpił inaczej?

To jakiś absurd, prawda? Jak chwytamy się faktów i ich następstw, żeby się obwiniać albo oczyszczać? To nie ma z nim nic wspólnego. Wybrałam powrót do domu z Gabby i Markiem, bo taki był mój wybór. Dziewięć miliardów wyborów, których dokonałam w moim życiu mogło zmienić miejsce, w którym teraz jestem, i kierunek, w którym podążam. Nie ma sensu skupiać się tylko na jednym. Chyba, że chce się siebie ukarać.

– Oglądałam tę sprawę z góry, dołu i z boku – mówię. – Leżę na tym łóżku całymi dniami, zastanawiając się, czy wszyscy nie powinniśmy robić czegoś innego.

– I?

– I… to nie ma znaczenia.

– Jak to nie ma znaczenia?

– Wszystko ma swoje przyczyny. W tym jest sens. Nie zostałam tamtego wieczoru z tobą, bo nie miałam zostać. Ze mną miało być inaczej.

Patrzy na mnie. Nic nie mówi.

– Wiesz – kontynuuję – może ty i ja zostalibyśmy tamtej nocy i dalej byśmy się bawili i pili do wczesnego rana. I może chodzilibyśmy po mieście przez całą noc, rozmawiali o naszych uczuciach, odgrzewali stare czasy. A może wyszlibyśmy z tego baru i poszli do innego, gdzie wpadlibyśmy na Matta Damona, a on powiedziałby, że wyglądamy na naprawdę fajnych ludzi i chce nam dać sto milionów dolarów, żebyśmy otworzyli wytwórnię bułek cynamonowych.

Ethan śmieje się.

– Nie wiemy, co się stanie. Ale cokolwiek się stanie, nie można tego zaplanować.

– Naprawdę w to wierzysz? – mówi Ethan.

– Chyba muszę – mówię ja. – W przeciwnym przypadku moje życie to całkowita katastrofa.

W przeciwnym wypadku moje dziecko odeszło bez przyczyny.

– Tak – mówię. – Naprawdę w to wierzę. Wierzę, że do czegoś jestem przeznaczona. Wszyscy jesteśmy do czegoś przeznaczeni. I wierzę, że wszechświat, albo Bóg, albo jak chcesz to nazwać, prowadzi nas po właściwej ścieżce. I wierzę, że było mi przeznaczone, że wybiorę Gabby. Nie było mi przeznaczone, że zostanę z tobą.

Ethan milczy. Potem podnosi wzrok na mnie i mówi:

– Okej. Ja nie byłem… Chyba nie miało tak być.

– Poza tym – mówię, próbując obrócić to w żart – bądźmy szczerzy, gdybym została z tobą, skończyłoby się to tak, że pieścilibyśmy się i zniszczyli wszystko. Tak jak teraz jest lepiej. Dopiero teraz możemy wreszcie zostać przyjaciółmi. Dobrymi prawdziwymi przyjaciółmi.

On na mnie patrzy, patrzy mi prosto w oczy. Przez chwilę się nie odzywamy.

Wreszcie Ethan mówi:

– Hannah, ja…

Urywa w pół zdania, gdy w drzwiach pojawia się Henry.

– Och, przepraszam – mówi Henry. – Nie wiedziałem, że masz gości.

Na jego widok czuję, że odzyskuję animusz. Nosi to samo pielęgniarskie ubranie co poprzedniej nocy.

– Myślałam, że masz nocną zmianę – mówię. – Moją dzienną pielęgniarką jest Deanna.

– Mam zastępstwo – mówi. – Tylko dzisiaj rano. Wrócę, jeśli przeszkadzam.

– Och… – mówi Ethan.

– Nikomu nie przeszkadzasz – mówię, przerywając Ethanowi.

Ethan zbiera się i patrzy na mnie.

– Wiesz co? Powinienem pójść do pracy – mówi.

– Okej. Znów przyjdziesz mnie odwiedzić?

– Tak – mówi on. – A może za kilka dni wyjdziesz stąd.

– Tak – mówię ja. – Może.

– W każdym razie – mówi – niech ci smakuje ta bułka cynamonowa.

Henry śmieje się.

– To dziewczyna, która uwielbia bułki cynamonowe – mówi.

Ethan patrzy na niego.

– Wiem – mówi. – Dlatego ją dla niej przyniosłem.

W ŁAZIENCE APTEKI, TUŻ OBOK DOMU GABBY, robię sobie trzy testy ciążowe. Mogłam zostawić Charlemagne w samochodzie, ale czułabym się wtedy fatalnie, nawet gdybym lekko odkręciła okna, więc wkładam ją do plecaka i biorę z sobą. Szczeknęła ze dwa razy w łazience, ale nikt nie zwrócił na to uwagi.

Wszystkie trzy paski dały pozytywny wynik. I nawet ani trochę się nie zdziwiłam.

Teraz jest prawie dziewiąta wieczór, zatrzymuję się przed domem Gabby. Musi słyszeć mój samochód, bo wygląda przez okno. Widzę ją, śmieję się. Wygląda jak marudna starsza pani. Prawie się spodziewam, że krzyknie: „Co to za hałasy?"

Gdy otwieram drzwi wejściowe, a Charlemagne drepcze za mną na smyczy, Gabby już stoi po ich drugiej stronie. Nawiasem mówiąc, głupio mi, że przyprowadzam psa do domu Marka. Wiem, że ma alergię, a jednak to robię. Ale nie mogłam zostać u Ethana. I nie mogłam porzucić Charlemagne. Więc jesteśmy tutaj.

– Kupiłaś samochód? – pyta Gabby.

Jest w piżamie.

– Gdzie jest Mark? – pytam ją.

Charlemagne stoi za mną. Gabby chyba jej nie widzi.

– Znowu pracuje do późna – mówi Gabby.

– Mam trochę informacji – oznajmiam.

– Wiem, kupiłaś samochód.

– Hm, mam więcej informacji.

Charlemagne podszczekuje. Gabby patrzy na mnie z ukosa. Ciągnę Charlemagne, żeby stanęła z przodu.

– Masz psa?

– Adoptuję ją – mówię. – Przepraszam, naprawdę.

– Adoptujesz psa?

– Może zostać tylko na tę noc? Kupiłam Markowi całą garść pigułek na alergię. – Wyjmuję pięć opakowań leków, które kupiłam bez recepty w aptece.

Gabby patrzy na mnie.

– Hm... Może?

– Świetnie. Dziękuję. Mam informację.

– Masz więcej informacji?

Kiwam głową, a Gabby nadal na mnie patrzy. Odpowiadam spojrzeniem, nie jestem pewna, czy naprawdę jestem na to gotowa.

– Może byśmy usiadły? – pytam.

– Aż muszę usiąść, żeby się dowiedzieć?

– Ja muszę – odpowiadam.

Przechodzimy do kanapy. Podnoszę Charlemagne i sadzam ją sobie na kolanach. Charlemagne szybko z nich schodzi i siada na kanapie. Widzę, że Gabby nie jest pewna, czy chce, żeby pies leżał na jej kanapie, więc podnoszę Charlemagne i stawiam ją na podłodze.

– Jestem w ciąży.

Słowa wypowiedziane na głos wywołują falę emocji. Zaczynam płakać. Zakrywam twarz dłońmi.

Gabby z początku nic nie mówi, ale wkrótce czuję jej ręce na moich nadgarstkach. Czuję, że odciąga moje dłonie od twarzy. Czuję, że kładzie mi palce na podbródku, zmuszając do spojrzenia jej w oczy.

– Wiesz, że będzie dobrze, prawda? – mówi.

Patrzę na nią przez łzy. Kiwam głową i robię, co mogę, żeby coś powiedzieć.

– Tak.

– Czy Ethan wie? – pyta Gabby.

Kręcę głową.

– Nikt nie wie. Tylko ty. I Charlemagne.

– Kto to jest Charlemagne? – pyta.

Patrzę na suczkę i wskazuję na nią.

– Och – mówi Gabby. – Słusznie. To ma sens. Nie sądziłam, że nadal nadajemy ludziom imię Charlemagne.

Znowu zaczynam płakać.

– Hej – mówi Gabby. – Daj spokój. To dobra informacja.

– Wiem – mówię przez łzy.

– To Michaela – mówi, jakby dopiero jej to zaświtało.

– Tak – mówię

Charlemagne zaczyna piszczeć i podskakiwać, próbuje wskoczyć do nas na kanapę. Gabby patrzy na nią, potem podnosi ją i kładzie mi na kolanach. Suczka zwija się i zamyka oczy. Naprawdę czuję się lepiej, kiedy leży mi na kolanach.

– Okej, przestań na chwilę płakać – mówi Gabby.

Pociągam nosem i patrzę na nią.

– Musimy sobie z tym poradzić i będzie dobrze.

– My?

– Hm, nie pozwolę, żebyś sama przez to przechodziła, ty cymbale – mówi. Sposób, w jaki wymawia słowo cymbał sprawia, że czuję się bardziej kochana, niż czułam się od dawna. Powiedziała to tak, jakbym była kompletną idiotką, skoro kiedykolwiek uważałam się za samotną. A świadomość że to dla niej kompletny absurd, świadomość że to dziwactwo, które robi ze mnie cymbała, to miłe uczucie. – Wiesz, minie wiele lat i będziesz to wspominała jako najlepszą rzecz, jaka ci się przytrafiła, prawda?

Parskam w jej stronę.

– Mam dziecko z żonatym mężczyzną i jestem całkowicie pewna, że to zniszczy związek z moim nowym starym chłopakiem.

– Po pierwsze – mówi Gabby – nie róbmy założeń. Nie wiadomo, co powie Ethan.

– Wiesz, jestem zupełnie pewna, czego nie powie. „Hej, Hannah, jestem taki podniecony, że wezmę na siebie odpowiedzialność za wychowywanie dziecka innego mężczyzny".

Mam rację, to oczywistość. I dlatego Gabby zmienia temat.

– Będziesz kochała to dziecko – mówi. – Wiesz, prawda? Jest w tobie tyle miłości. Tyle miłości do dania i jesteś taka lojalna wobec ludzi, których kochasz. Czy masz w ogóle pojęcie, jaką wspaniałą mamą będziesz? Czy masz w ogóle pojęcie, jak bardzo to dziecko będzie kochane? Miłość, którą dostanie od cioci Gabby, zaćmi słońce.

Śmieję się wbrew sobie.

– Hannah, dasz sobie radę. I już niedługo nie będziesz w stanie sobie wyobrazić, skąd wcześniej czerpałaś sens życia. – Może ona ma rację.

– A jeśli twój tato wyrzuci mnie z pracy, zanim zdąży mnie zatrudnić? „Cześć, jak się masz. Dałeś mi tę pracę, kiedy myślałeś, że nie jestem w ciąży, a teraz jesteś na mnie skazany".

– To dlatego rzygałaś przy kolacji – mówi Gabby.

– Twój tato powinien się wtedy domyślić. – Szczerze mówiąc, ja powinnam się wtedy domyślić.

– Czy ty siebie słyszysz? Mówimy o moim tacie. O człowieku, który wybierał kwiatki do butonierek dla naszych chłopaków na bal maturalny. Mój tato siedział kiedyś z pęsetą i wyciągał kawałeczki szkła z twojej stopy, kiedy zrzuciłaś ulubiony kryształowy wazon mojej mamy.

– Och, nie przypominaj mi – mówię.

– To tylko moja opinia. Mój tato kocha cię. Nie tak, że „och, ja ci mówię, mój tato cię kocha". Rzecz w tym, że on ma w sercu miłość do ciebie. Mój ojciec cię kocha. Oboje moi rodzice cię kochają. Jakby byli tu dla ciebie. Tato nie wyrzuci cię z pracy, kiedy się dowie, że jesteś w ciąży. A mama będzie skakała z radości i opowiadała każdemu, kto zechce słuchać, że wreszcie nadciąga pokolenie wnuków.

Śmieję się.

– Wreszcie, nie może cię wyrzucić za to, że jesteś w ciąży. Prawo tego zabrania. Przepisy Kadrowe, ustęp 101.

W chwili, gdy mówi Przepisy Kadrowe, przypominam sobie rozmowę z Joyce. Przypominam sobie, jak powiedziała, że mam ubezpieczenie i urlop macierzyński. W okamgnieniu prawie jestem pewna, że Gabby ma rację. Że wszystko będzie w porządku.

– Okej – mówię. – Więc nadal mam pracę.

– I nadal masz mnie, moich rodziców, Marka i… – Patrzy na psa i się uśmiecha. – I Charlemagne.

– Muszę zadzwonić do Michaela i powiedzieć mu, prawda?

– Tak? Nie? – mówi ona. – Nie mam pojęcia. Ale zastanowię się nad tym z tobą. Rozważymy pro i kontra.

– Tak?

– Tak. I znajdziemy odpowiedź. A potem ty to zrobisz.

W jej ustach brzmi to tak łatwo.

– A Ethan może mnie nie zostawi?

– Może nie – mówi, chociaż z jej tonu słyszę, że co do tego jest mniej pewna. – Ale mogę ci powiedzieć, że jeśli tak zrobi, to znaczy, że to nie było ci przeznaczone.

– Myślisz, że sprawy zależą od przeznaczenia? – pytam.

Z jakiegoś powodu myślę, że poczułabym się lepiej, gdyby sprawy zależały od przeznaczenia. Pozwoliłoby mi to wybrnąć z kłopotliwej sytuacji, prawda? Jeśli sprawy zależą od przeznaczenia, to znaczy, że nie mam co tak się martwić o konsekwencje i pomyłki. Mogę zdjąć ręce z kierownicy. Wiara w przeznaczenie to jak życie z tempomatem.

– Żartujesz? Oczywiście, że tak myślę. Gdzieś tam jest moc, nazwij ją, jak chcesz. Ja wierzę, że to Bóg – mówi. – Ale to popycha nas we właściwym kierunku, utrzymuje na właściwej drodze. Jeśli Ethan nie przeboleje faktu, że jesteś w ciąży, to nie jest dla ciebie. Byłaś przeznaczona dla kogoś innego. Z tym też razem damy sobie radę. Z tym wszystkim razem damy sobie radę.

Zamykam na chwilę oczy, kiedy je otwieram, świat wydaje się trochę jaśniejszy.

– Więc co mam teraz robić?

– Jutro rano kupimy witaminy prenatalne dla ciebie i umówimy się na wizytę u ginekologa położnika, żebyśmy wiedziały, jak długo jesteś w ciąży.

– Powinnam być co najmniej w ósmym tygodniu – mówię. – Od jakiegoś czasu nie sypiałam z Michaelem.

– Okej – mówi Gabby – więc to wiemy. Ale i tak umówimy wizytę.

– Och, nie – mówię głośno. – Piłam piwo. W ubiegłym tygodniu w barze.

– Jest w porządku – słyszę jej słowa. – Będzie dobrze. To się zdarza. Nie byłaś zawiana. Widziałam cię.

Jestem koszmarną matką. Już teraz. Już teraz jestem koszmarną matką.

– Nie jesteś koszmarną matką, jeśli cię to martwi – mówi Gabby, która wie, jak działa mój mózg, lepiej niż ja sama. Podnosi Charlemagne z moich kolan i gestem pokazuje, żebym wstała. Prowadzi nas dwie do mojej sypialni. – To się zdarza. Od jutra musisz się nauczyć wszystkiego, co musisz przestać robić, i wszystkiego, co musisz zacząć robić. I będziesz fenomenalna w tym wszystkim.

– Naprawdę tak myślisz? – pytam.

– Naprawdę – odpowiada.

Wkładam piżamę. Ona sadowi się po drugiej stronie łóżka. Charlemagne kładzie się z nią.

– Jest słodziutka, ta mała Charlemagne – mówi Gabby. – Jak to się stało, że wylądowała w moim domu?

Śmieję się.

– To długa historia – mówię. – Podjęłam decyzję w mgnieniu oka i teraz zdaję sobie sprawę, że pewnie powodowały mną hormony.

Gabby się śmieje.

– Hm, ona jest cudowna – mówi. – Cieszę się, że jest przy mnie.

Patrzę na Charlemagne.

– Ja też się cieszę.

– Nie znoszę głupiej alergii Marka na psy – mówi Gabby. – Potrzymajmy ją tutaj przez noc i zobaczymy, czy będzie go swędziało. Jestem pewna, że nie. Jestem pewna, że to wszystko pochodzi z jego głowy.

Śmieję się i kładę się do łóżka obok Gabby. Trzyma mnie za rękę.

– Wszystko pójdzie doskonale – mówi.

Robię wdech i wydech.

– Mam nadzieję.

– Nie – mówi Gabby. – Powtarzaj za mną. Wszystko pójdzie doskonale.

– Wszystko pójdzie doskonale – mówię.

– Wszystko pójdzie doskonale – powtarza Gabby.

– Wszystko pójdzie doskonale.

Wiecie co, prawie w to uwierzyłam.

Gabby wyłącza światło.

– Jeśli obudzisz się w środku nocy przerażona, bo przypomnisz sobie, że jesteś w ciąży – mówi – obudź mnie. Jestem tutaj.

– Okej – mówię. – Dziękuję.

Charlmagne wtula się między nas dwie, a ja myślę, czy to może właśnie Gabby, Charlemagne i ja jesteśmy sobie przeznaczone.

– Zaczęliśmy z Markiem rozmawiać, kiedy zdecydować się na dziecko – mówi Gabby.

– Fantastycznie, naprawdę? – Mimo że to właśnie ja mam dziecko, nie potrafię zrozumieć ludzi, którzy mają dzieci.

– Tak – mówi Gabby. – Może niedługo. Mogę się pospieszyć i zajść w ciążę. Możemy mieć dzieci w tym samym wieku.

– Zmusiłybyśmy je, żeby były najlepszymi przyjaciół-mi – mówię ja.

– Oczywiście – mówi ona. – Albo może po prostu rzucę Marka. Ty i ja razem wychowamy twoje dziecko. W ten sposób nawet nie będę musiała mieć dziecka. Tylko ja, ty i dziecko.

– I Charlemagne? – pytam.

– Tak – mówi. – Najwspanialsza na świecie para lesbijek.

Śmieję się.

– Jedyny problem, że mnie nie pociągasz – mówi ona.

– Jak wyżej – mówię ja.

– Ale pomyśl tylko. To dziecko byłoby wychowane przez międzyrasową parę lesbijek. Dostałoby się do każdej dobrej szkoły.

- Pomyśl o drzewie genealogicznym.
- Zawsze mówiłam, że Bóg popełnił pomyłkę, czyniąc nas kobietami heteroseksualnymi.

Śmieję się, a potem ją poprawiam:
- Staram się wierzyć, że Bóg nie popełnia pomyłek.

HENRY COŚ SPRAWDZA I OPUSZCZA PODKŁADKĘ DO PISANIA.

- Doktor Winters twierdzi, że możemy wypróbować wózek inwalidzki – mówi. Jego głos jest poważny. Jakbyśmy łamali jakieś tabu.
- Teraz? – pytam. – Ja i ty?
- No wiesz, pielęgniarki nie wycisną tyle na ławce, co ja. Więc owszem, to ja przeniosę cię na wózek.
- Nie wiadomo – mówię. – Może każda, bez wyjątku, pielęgniarka może wycisnąć tyle co ty. Nie wiesz, bo nie pytałeś.
- Cóż – mówi – bez względu na to, ile kto da radę wycisnąć, to ja mam cię podnieść. Ale zanim to zrobię, musimy omówić parę spraw.
- Och – mówię. – Dobrze, do roboty.

Mówi mi, że to może boleć. Mówi, że to będzie zaledwie początek. Nie można od razu zrobić za dużo, trzeba tylko usiąść na wózku i nauczyć się nim jeździć. Samo poruszanie się na wózku może na początku być wyczerpujące. Potem zaczyna odłączać mnie od paru maszyn, które zaczęłam już traktować jak trzecie i czwarte ramię. Zostawia kroplówkę. Mówi, że w szpitalu kroplówka będzie jeździć ze mną.

– Jesteś gotowa? – pyta, kiedy wszystko już przygotował i tylko ze mną trzeba jeszcze coś zrobić.

– Jak nigdy w życiu – mówię.

Boję się. A jeśli to zaboli? A jeśli się nie uda? A jeśli będę musiała zostać w tym łóżku do końca życia, nie będę mogła się ruszać i taka już jest moja dola? A jeśli moje życie to żelatynowe deserki bez cukru i kolacyjki z gotowanych kurczaków? Będę leżeć tutaj, w szpitalnym szlafroku, z rozcięciem z tyłu przez resztę moich świadomych dni.

O Boże. Ten szlafrok ma rozcięcie z tyłu. Henry zobaczy mój tyłek.

– Zobaczysz moje pośladki, prawda? – pytam, kiedy podchodzi do mnie.

Na jego korzyść, że się nie roześmiał.

– Nie będę patrzeć – mówi.

Chyba nie wystarcza mi ta odpowiedź.

– Hannah, jestem zawodowym pielęgniarzem. Zaufaj mi troszkę. Nie będę zerkał na twój tyłek dla zabawy.

Nie mogę wytrzymać, wybucham śmiechem, kiedy zastanawiam się, co zrobić. I myślę, że właściwie to nie mam nad czym się zastanawiać, jeśli chcę wydostać się z tego łóżka.

– W porządku? – pyta.

– W porządku – odpowiadam.

Chwyta mnie za nogi i obraca. Przesuwam się w jego stronę. Staje blisko mnie. Obejmuje ramieniem moje plecy, drugie ramię podkłada pod nogi.

– Raz – mówi.

– Dwa – mówię razem z nim.

– Trzy! – mówi, podnosi mnie i po sekundzie siedzę na wózku inwalidzkim.

Siedzę na wózku inwalidzkim.

Właśnie ktoś musiał mnie dźwignąć i przenieś na wózek inwalidzki.

Miałam dziecko, ale umarło.

– Okej? – pyta Henry.

– Tak – mówię, kręcę głową, wyrzucam z siebie złe myśli. – Tak! – dodaję. – Ależ mnie to kręci! Dokąd jedziemy?

– Specjalnie nigdzie, tak sobie pojeździmy – mówi. – W tej chwili chcę, żebyś zapoznała się z wózkiem i dobrze na nim poczuła. Może po prostu trochę przejedziemy się po sali.

Odwracam się i patrzę na niego.

– No, daj spokój – mówię. – Chcę stąd wyjechać. Przez całe dni siusiałam do basenu. Chcę coś zobaczyć.

Spogląda na zegarek.

– Powinienem odwiedzić innych pacjentów.

Zrozumiałam. Jest w pracy. Ja jestem jej częścią.

– Okej – mówię. – Powiedz mi, jak to działa.

Zaczyna mi pokazywać, jak kręcić kołami i jak się zatrzymywać. Krążymy po pokoju. Odpycham się tak mocno, że uderzam w ścianę, a Henry biegnie do mnie i mnie łapie.

– Hola – mówi on. – Rób to spokojnie.

– Przepraszam – mówię ja. – Wyrwało mi się spod kontroli.

– Chyba już wiemy, że nie będzie z ciebie kierowca wyścigowy.

– Zrezygnowałam z tego całkowicie, kiedy wpadłam pod samochód.

W tej chwili Henry mógłby być na mnie zły. Ale nie jest. Podoba mi się to. Bardzo mi się podoba.

– Hm, pilot też nie – mówi. – A może to już wykreśliłaś, bo wpadłaś przedtem pod samolot?

Podnoszę na niego oburzony wzrok.

– Czy tak rozmawiasz z wszystkimi swoimi pacjentami? – pytam. To jest to. Całymi dniami zastanawiałam się nad tym. Zadałam je tak, jakby w najmniejszym stopniu nie obchodziła mnie jego odpowiedź.

– Tylko z tymi złymi – mówi. Potem nachyla się i chwyta za poręcze mojego wózka. Jego twarz jest tuż przy mojej, tak blisko, że widzę pory w jego skórze, złote plamki w jego oczach. Gdyby na jego miejscu był jakiś inny mężczyzna, myślałabym, że mnie pocałuje. – Gdybyś przypadkiem wytoczyła się z sali – mówi z chytrym uśmieszkiem – to na pewno zajmie mi tylko minutę, zanim cię dopędzę i z powrotem tutaj doturlam.

Henry powoli puszcza mój wózek, odsuwa się z drogi.

Nie patrzę na drzwi. Gapię się na niego.

– Gdybym przypadkiem mocno zakręciła kołami – mówię – i wyjechała prosto na korytarz…

– Mógłbym cię nie zauważyć, chyba że tam dłużej pobędziesz.

– Więc to jest w porządku? – mówię. Patrzę na niego, ale jadę do drzwi.

Śmieje się.

– Tak, to jest w porządku.

– A jeśli dojadę do progu?

Wzrusza ramionami.

– Zobaczymy, co się stanie.

Dalej toczę się do przodu. Ramiona już mnie bolą od kręcenia kołami.

– Jeśli po prostu nad nim przejadę?

Śmieje się.

– Może byś przestała na mnie patrzeć i zaczęła uważać, dokąd jedziesz – mówi w chwili, gdy uderzam kołem o framugę.

– Ojej – mówię, cofam, prostuję wózek, a potem wytaczam się prosto na korytarz.

Jest tam większy ruch, niż mi się zdawało. Więcej
dyżurek i gabinetów, więcej pielęgniarek. Potem zerkam
na moją salę. To oczywiste, że oddycham tym samym po-
wietrzem, co na szpitalnym łóżku, ale tutaj, na zewnątrz,
powietrze wydaje się jakieś świeższe. Korytarz jest bardziej
nijaki, bardziej banalny, niż wyobrażałam sobie, leżąc
w łóżku. Podłoga pod kołami lśni czystością. Ściany po
obu stronach mają niewinny jasnobeżowy odcień. Ale pod
pewnymi względami równie dobrze mogłabym wylądować
na Księżycu. Przez ułamek sekundy tak osobliwie i obco się
czuję.

– W porządku, Magellanie – mówi Henry, chwytając
rączki za oparciem wózka. – Dość odkryć jak na jeden dzień.

Dziękuję mu, kiedy wracamy na moją salę. Kiwa do
mnie głową.

– Nie ma o czym mówić.

Podwozi mnie do łóżka.

– Gotowa? – pyta.

Kiwam głową i przygotowuję się. Wiem, że boli, kiedy
mnie podnosi, kiedy mnie kładzie.

– Do dzieła – mówię.

Podkłada ramię pod moje nogi. Mówi, żebym objęła
go za szyję i mocno się trzymała. Nachyla się nade mną,
drugie ramię podkłada mi pod plecy. Pocieram czołem
o jego podbródek, czuję zarost.

Z głuchym odgłosem ląduję na łóżku. Pomaga mi wy-
prostować nogi i okrywa mnie kocem.

– Jak się czujesz? – pyta.

– Dobrze się czuję – mówię. – Dobrze.

Prawdę mówiąc, tak się czuję, że chce mi się płakać.
Niewiele brakuje, żebym zaczęła płakać łzami wielkimi jak

kulki do gry. Nie chcę znowu leżeć na tym łóżku. Chcę wstać, ruszać się, żyć, robić coś, widzieć coś. Posmakowałam chwały siedzenia na korytarzu. Nie chcę znowu leżeć na tym łóżku.

– Dobrze – mówi. – No, Deanna przychodzi za jakąś godzinę. Przyjdzie, żeby sprawdzić, co u ciebie, i zobaczyć, czy z tobą w porządku. Powiem doktor Winters, że dzisiaj poszło dobrze. Na pewno w najbliższym czasie każą ci chodzić na fizjoterapię. Trzymaj tak dalej.

Wiem, że kiedy pielęgniarka albo pielęgniarz mówią do pacjenta „trzymaj tak dalej", to jest to coś normalnego. Wiem. I to mnie niepokoi.

Henry jest przy drzwiach, chce wyjść.

– Dziękuję! – wołam do niego.

– Cała przyjemność po mojej stronie – mówi. – Do widzenia w nocy. – I nagle zaczyna się nerwowo zachowywać. – Chciałem powiedzieć… gdybyś nie spała.

– Wiem, co chciałeś powiedzieć – mówię z uśmiechem.

Nic na to nie poradzę, ale myślę, że nie może się doczekać, żeby mnie zobaczyć. Może się mylę. Ale chyba nie.

– Do widzenia w nocy.

Uśmiecha się do mnie i znika.

Jestem tak roztrzęsiona, że nie mogę spokojnie uleżeć, a przecież jedyne, co mogę, to leżeć spokojnie. Więc włączam telewizor. Leżę i czekam, aż zdarzy się coś interesującego. Nic się nie zdarza.

Parę razy przychodzi Deanna, żeby sprawdzić, co u mnie. Poza tym nic się nie dzieje.

Szpital jest nudnym, bardzo, bardzo nudnym, cichym, sterylnym miejscem. Wyłączam telewizor i obracam się na bok, tyle ile mogę. Próbuję zasnąć.

Budzę się dopiero, kiedy około wpół do siódmej przychodzi Gabby. Niesie pizzę i stertę amerykańskich czasopism.

– Ale głośno chrapiesz – mówi Gabby. – Przysięgam, słychać cię na korytarzu.

– Oj, zamknij się – mówię. – Tamtej nocy, kiedy tutaj spałaś, Henry porównał cię do buldożera.

Patrzy na mnie, kładzie pizzę i czasopisma na stole.

– Kto to jest Henry?

– Ten facet, nocny pielęgniarz – mówię. – Nikt.

Nazywam go nikim, ale wygląda, jakby jednak był kimś. Teraz zdaję sobie z tego sprawę. Gabby unosi brwi.

– Naprawdę – mówię ja. Głos mam spokojny. – To naprawdę tylko nocny pielęgniarz.

– Okej… – mówi ona.

A potem załamuję się, zakrywam zaczerwienioną twarz dłońmi.

– Uf – mówię, odwzajemniając jej spojrzenie. – Mam ogromny, zawstydzający, krwawiący serce pociąg do mojego nocnego pielęgniarza.

JESTEM W JEDENASTYM TYGODNIU CIĄŻY. Dziecko jest zdrowe. Wszystko wygląda dobrze. Lekarka, doktor Theresa Winthorp, zapewniła mnie, że nie jestem jedyną kobietą, która dopiero po pierwszym trymestrze ciąży doszła do wniosku, że zaszła. Trochę lepiej się z tym czuję.

Po drodze do samochodu zatrzymuje mnie Gabby.

– Co o tym wszystkim sądzisz? Wiesz, że jeśli nie chcesz, nie musisz tego robić. Jedenaście tygodni to jeszcze nie za późno.

Mówi o sprawach dobrze mi znanych. Całe życie byłam za prawem wyboru. Z całego serca wierzę w prawo wyboru. I może, gdybym nie była przekonana, że mogę dać dziecku dom czy dobre życie, może wybrałabym to drugie. Nie wiem. Nie jesteśmy w stanie powiedzieć, co byśmy zrobili w innych okolicznościach. Wiemy tylko, co zrobimy w tych okolicznościach, wobec których stajemy.

– Wiem, że nie muszę tego robić – odpowiadam. – Wybieram to.

Uśmiecha się. Nie może się powstrzymać.

– Mam trochę czasu przed powrotem do biura – mówi. – Mogę zaprosić cię na lunch?

– Fajnie – odpowiadam – ale chcę wrócić do was, zanim Charlemagne obsiusia cały twój dom.

– Jest w porządku – mówi. – Dziś rano Mark nie powiedział ani słowa, że go swędzi. Jestem przekonana, że to wszystko sobie wymyślił. Zamierzam przekonać go, że powinien zatrzymać i ciebie, i Charlemagne u nas. Właściwie to jesteśmy niedaleko jego firmy. Wejdziemy, żeby niespodzianie zaprosić go na lunch i zacząć naszą kampanię? Poza tym chcę zobaczyć jego minę, kiedy mu powiesz, gdzie byłyśmy dziś rano.

– Naprawdę boję się, że mój pies zniszczy ci dom.

– Co za sens mieć własny kąt, jeśli nie można w nim trochę nasiusiać? – mówi Gabby.

– W porządku. Ale nie przychodź do mnie z płaczem, że poplamiła ci boazerię.

Wsiadamy do samochodu i przejeżdżamy tylko kilka przecznic, potem Gabby wjeżdża na podziemny parking i parkuje. Jeszcze nie widziałam gabinetu Marka. Przychodzi mi do głowy, że nie byłam też od dawna u dentysty.

– Wiesz, skoro już tu jesteśmy – mówię – powinnam umówić wizytę, żeby mi oczyścili zęby.

Gabby śmieje się, wsiadamy do windy. Naciska guzik czwartego piętra, ale guzik nie działa. Drzwi są zamknięte i jakoś tak się dzieje, że zjeżdżamy na najniższy poziom parkingu. Drzwi się otwierają i wsiada starsza pani. W jej wykonaniu trwa to około trzydziestu lat.

Razem z Gabby uśmiechamy się uprzejmie, a potem Gabby ponownie wciska guzik czwartego piętra. Teraz się zapala jasnym, gościnnym pomarańczowym światłem.

– Które piętro? – pyta starszą panią.

– Drugie, proszę.

Jedziemy do góry i zatrzymujemy się na piętrze, na którym wsiadłyśmy. Gabby odwraca się do mnie i unosi oczy.

– Gdybym wiedziała, że winda będzie się tyle razy zatrzymywała, zaproponowałabym, żeby najpierw pójść zjeść – szepcze do mnie. Śmieję się.

Potem drzwi się otwierają.

I tam jest Mark.

Całuje blondynkę w obcisłej spódniczce.

GABBY WYSZŁA OKOŁO DZIESIĄTEJ WIECZÓR DO DOMU, do Marka. Nie widziałam Marka, odkąd leżę w szpitalu. Właściwie nie ma w tym niczego dziwnego, bo nigdy nie byliśmy z Markiem szczególnie blisko. Ale wydaje się dziwne, że Gabby jest tutaj tak często w nocy i podczas przerw na lunch, a Mark nawet nie wpadł. Gabby ciągle mówi, że Mark ma mnóstwo pracy. Podobno w tym tygodniu musiał wziąć udział w konferencji stomatologicznej w Anaheim. Niewiele wiem o życiu dentysty, ale zawsze myślałam, że dentyści to tacy ludzie, którzy są domu na kolację. Domyślam się, że z Markiem jest inaczej. Tak czy owak jego praca jest dla mnie ogromnym dobrodziejstwem, bo Gabby zamiast z nim spędza czas ze mną, na czym mi zależy.

Od jej wyjścia czytam czasopisma, które przyniosła. Znacznie bardziej wolę te czasopisma niż brytyjskie. I dobrze, bo przespałam dzisiaj większą część dnia, więc wiem, że długo się nie zmęczę.

– Wiedziałem, że nie śpisz – mówi Henry, wchodząc do sali. Popycha wózek inwalidzki.

– Myślałam, że tej nocy wziąłeś wolne – mówię. Kręci głową.

– Dziś rano poszedłem do domu. Przespałem swoje osiem godzin, zjadłem jakąś kolację, pooglądałem trochę telewizję. Dopiero co przyszedłem.

– Och – mówię.

– I obszedłem wszystkich innych pacjentów. Śpią i nie potrzebują mojej pomocy.

– Więc… kolejna lekcja? – pytam.

– Nazwałbym to raczej przygodą.

Ma dzikość w oczach. Jakbyśmy robili coś, czego nie wolno. To podniecająca myśl, że robię coś, czego nie wolno. Wszystko, co dotąd robiłam, to tylko leczenie się.

– W porządku! – mówię. – Do dzieła. Co mam robić?

Znowu opuszcza balustradkę łóżka. Przesuwa moje nogi. Powtarzamy te same ruchy co rano, tylko szybciej, łatwiej, z większą wprawą. Kilka sekund i jestem na wózku.

Spoglądam w dół, na moje nogi. Henry bierze koc i kładzie mi go na kolana.

– Na wypadek gdyby było ci zimno – mówi on.

– I żebym nie świeciła nikomu golizną – mówię ja.

– Hm, to też, ale nie chciałem tego mówić.

Staje za mną, przymocowuje kroplówkę z morfiną do wózka i popycha mnie naprzód.

– Dokąd jedziemy? – pytam.

– Dokąd tylko zechcemy – mówi.

Wyjeżdżamy na korytarz.

– Więc? – mówi. – Dokąd najpierw?

– Kafeteria? – pytam.

– Naprawdę chcesz jeszcze jedzenie z kafeterii? – pyta.

– Dobra uwaga. A może automat do sprzedaży? – proponuję.

Kiwa głową i ruszamy.

Jestem poza salą! Jadę!

Paru lekarzy i pielęgniarek stoi przed kilkoma salami, ale poza tym korytarze są puste. I jest cicho, nie licząc pikania maszyn.

Ale ja się czuję, jakbym z opuszczonym dachem jechała kalifornijską autostradą.

– Ulubiony film – mówię, kiedy skręcamy za kolejny róg.

– *Ojciec chrzestny* – odpowiada z pewnością siebie.

– Nudna odpowiedź – mówię.

– Co? Dlaczego?

– Bo to oczywiste. Wszyscy uwielbiają *Ojca chrzestnego*.

– Hm, przepraszam – mówi. – Nie będę uwielbiać innego filmu tylko dlatego, że wszyscy uwielbiają film, który ja uwielbiam.

Odwracam się, żeby na niego popatrzyć. Robi do mnie minę.

– Chyba to jest tak, że serce nie sługa – mówię ja.

– Chyba tak – mówi on. – A twój?

– Nie ma takiego – mówię.

Henry się śmieje.

– Nie możesz kazać mi wybierać, skoro sama nie masz żadnego.

– Dlaczego? Pytanie było w porządku. Po prostu przypadkiem nie mam na nie odpowiedzi.

– To wybierz jakiś pierwszy z brzegu. Taki, który ci się podoba.

– W tym problem. Za każdym razem odpowiadam inaczej. Czasem wydaje mi się, że mój ulubiony film to *Narzeczona dla księcia*. Ale potem myślę, nie, *Toy Story* to oczywiście najlepszy film wszech czasów. A innym razem jestem przekonana, że nie będzie filmu lepszego niż *Między słowami*. Nigdy nie potrafię się zdecydować.

– Za dużo myślisz – mówi. – Oto twój problem. Za bardzo się starasz znaleźć perfekcyjną odpowiedź, kiedy zwyczajna wystarczy.

– Co chcesz przez to powiedzieć? – pytam. Zatrzymaliśmy się przed automatem z napojami, ale nie o to mi chodziło. – Czekaj, chodziło mi o automat z przekąskami. Nie automat z colą.

– Proszę o wybaczenie królowo Hannah z Korytarza – mówi i popycha mnie naprzód. – Jeśli ktoś zapyta cię o ulubiony film, powiedz po prostu *Narzeczona dla księcia*.

– Ale czasem nie jestem pewna, czy to rzeczywiście mój ulubiony film.

– Ale to wystarczy, na to o czym mówię. To tak jak wtedy, kiedy zapytałem cię o ulubiony pudding, a ty wymieniłaś wszystkie trzy smaki. Po prostu wybierz smak. Nie musisz przez cały czas szukać czegoś doskonałego. Znajdź coś, co ujdzie, i trzymaj się tego. Jeśli tak, to teraz moglibyśmy porozmawiać o ulubionych kolorach.

– Twoim ulubionym kolorem jest granatowy – mówię ja.

– Tak – mówi on. – Ale tego mogłaś się domyślić po moim szpitalnym ubraniu, więc nie przekonasz mnie, że masz zdolności telepatyczne.

– A moim? – pytam go. Na końcu korytarza widzę automat do sprzedaży. I przy tym naprawdę mam nadzieję, że Henry ma pieniądze, bo ja ich nie wzięłam z sobą.

– Nie wiem – mówi – ale jestem pewien, że to coś między dwoma kolorami.

Unoszę wzrok, ale on tego nie widzi. Ma rację. Właśnie to mnie denerwuje.

– Purpurowy i żółty – mówię.

– Niech zgadnę – mówi ironicznym tonem. – Czasem lubisz żółty, ale kiedy widzisz purpurę, myślisz, że to jest twój ulubiony kolor.

– Oj, zamknij się – mówię. – Oba kolory są piękne.

– I – mówi, kiedy dojeżdżamy do automatu – każdy z nich ci odpowiada.

Wyciąga z kieszeni dolara.

– Mam jednego baksa – mówi. – Musimy się podzielić.

– Niezła ta randka z tobą – żartuję i natychmiast chciałabym cofnąć te słowa.

Śmieje się i puszcza je mimo uszu.

– Co mam wziąć?

Przeszukuję automat. Solone, słodkie, czekolada, masło z orzeszków ziemnych, precle, orzeszki ziemne. Nie do wytrzymania. Spoglądam na niego.

– Zwariować można – mówię.

Śmieje się.

– Musisz wybrać coś jednego. Mam tylko jednego dolara.

Patrzę na wszystko. Henry na pewno lubi oreos. Wszyscy lubią oreos. Dosłownie, każda ludzka istota.

– Oreos – mówię.

– Oreos może być – mówi. Wkłada dolara do otworu i naciska guzik. Oreos wypada tuż przede mną, na mojej wysokości. Wyjmuję je z pojemnika i otwieram. Daję mu jednego.

– Dziękuję – mówi.

– To ja tobie dziękuję – mówię. – Ty za nie zapłaciłeś. Odgryza kawałek. Ja zjadam całego.

– Każdy sposób jest dobry, żeby jeść oreo – mówi.

– Tu jest reese's. Każdy sposób dobry, żeby jeść reese's – poprawiam go. – O kurczę! Trzeba było wziąć reese's. Wyciąga kolejnego dolara i wkłada go do automatu.

– Co? Mówiłeś, że masz tylko dolara! Kłamałeś!

– Och, uspokój się. Od początku chciałem kupić ci dwie rzeczy – mówi. – Próbuję tylko pomóc ci, żebyś zdobyła się na stanowczość.

Mówiąc to, śmieje się do mnie, a ja oburzona szeroko otwieram usta. Uderzam go w ramię.

– Palant – mówię ja.

– Hej – mówi on. – Kupiłem ci dwa desery. Spada reese's. Chwytam je i znowu daję mu jednego.

– Masz rację – mówię. – I zabrałeś mnie na wycieczkę po korytarzu. Czego prawdopodobnie nie powinieneś robić.

– Nie było specjalnego zakazu – mówi, odgryzając kawałek babeczki z masłem orzechowym.

Ja już swoją zjadłam. Właściwie to połknęłam w całości.

Mogłabym zapytać go w tej chwili, dlaczego jest dla mnie taki miły. Dlaczego spędza ze mną tyle czasu. Ale boję się, że jeśli spytam, to wszystko się skończy. Więc nic nie mówię. Tylko uśmiecham się do niego.

– Zabierzesz mnie w długą podróż powrotną? – pytam.

– Oczywiście – mówi. – Chcesz sprawdzić, jak długo możesz sama kręcić kołami, zanim zmęczą ci się ręce?

– Tak – mówię. – Dobry pomysł.

Jest świetnym pielęgniarzem. I uważnym słuchaczem. Bo to jest naprawdę to, czego najbardziej chcę. Chcę spróbować czegoś sama, ze świadomością, że jak mi już nic nie zostanie, to ktoś pomoże mi przebyć resztę drogi.

Obraca mnie we właściwym kierunku i staje za mną.

– Do dzieła – mówi. – Jestem z tobą.

Kręcę, on idzie za mną.

Kręcę.

I kręcę.

Przejechaliśmy przez dwa długie korytarze, zanim się zmęczyłam.

– Teraz ja przejmuję dowodzenie – mówi.

Chwyta tył mojego wózka i pcha mnie do przodu. Prowadzi mnie do windy i naciska guzik przywołania.

– Jesteś śpiąca? Chcesz wracać?

Obracam się, jak mogę, żeby na niego popatrzeć.

– Powiedzmy, że nie jestem śpiąca, to co byśmy robili?

Śmieje się. Drzwi windy się otwierają. Wtacza mnie do środka.

– Powinienem wiedzieć, że nie wybierzesz snu.

– Nie odpowiedziałeś na pytanie. Co byśmy robili?

Ignoruje mnie przez chwilę i naciska guzik pierwszego piętra. Zjeżdżamy. Kiedy drzwi się otwierają, wypycha mnie na długi korytarz.

– Naprawdę mi nie powiesz?

Henry uśmiecha się i kręci głową. Potem skręcamy za róg i Henry otwiera drzwi.

Owiewa mnie chłodne, świeże powietrze.

Popycha mnie przez drzwi. Jesteśmy na odkrytym tarasie, gdzie wolno palić. Na maleńkim, brudnym, zapuszczonym, zakopconym, pięknym, odświeżającym, przywracającym chęć życia otwartym tarasie, gdzie wolno palić.

Robię głęboki wdech.

Słyszę przejeżdżające samochody. Widzę światła miasta. Czuję smołę i metal. Nareszcie nie ma ścian ani okien między mną a wirującym światem.

Mimo wszelkich starań czuję, że zaraz się rozpłaczę.

Powietrze wpływające i wypływające z płuc wydaje się lepsze, bardziej ożywcze niż całe to powietrze, które wdychałam, odkąd się obudziłam. Zamykam oczy i słucham odgłosów ulicy. Kilka łez spływa mi z oczu, Henry kuca obok mnie.

Nareszcie jest na mojej wysokości. Po raz pierwszy naprawdę jesteśmy twarzą w twarz.

Wyciąga z kieszeni chusteczkę i podaje mi. Kiedy jego dłoń ociera się o moją, a ja chwytam jego spojrzenie, nie muszę się zastanawiać, co by się stało, gdybyśmy spotkali się na wieczornym przyjęciu. Wiem, co by się stało.

Odprowadziłby mnie do domu.

– Gotowa do powrotu?

– Tak – mówię, bo wiem, że nadszedł czas, bo wiem, że czeka go praca, bo wiem, że nie powinniśmy być tutaj, na zewnątrz. Nie dlatego, że jestem gotowa. Nie jestem gotowa. Ale kiedy popycha mnie przez te drzwi, które zamykają się za nami, po raz pierwszy jestem pełna radości, że przeżyłam. Tak przepełnia mnie radość życia, że z chęcią wybrałabym się dokądkolwiek.

– Jesteś świetnym pielęgniarzem – mówię, kiedy wracamy. – Wiesz?

– Mam nadzieję – mówi. – Uwielbiam swoją pracę. To jedyna rzecz, do której jestem chyba przeznaczony.

Wracamy na moją salę. Stawia wózek obok łóżka.

Podkłada pode mnie ramiona.

– Obejmij mnie za szyję – prosi.

Obejmuję.

Podnosi mnie i trzyma przez chwilę. Cały ciężar mojego ciała spoczywa w jego ramionach. Jestem tak blisko, że czuję zapach mydła na jego skórze i czekoladę w jego oddechu. Rzęsy ma dłuższe i ciemniejsze, niż wcześniej mi się wydawało, wargi pełniejsze. Pod lewym okiem ma maleńką bliznę.

Kładzie mnie do łóżka. Przysięgam, trzyma mnie o sekundę dłużej, niż trzeba.

To chyba najbardziej romantyczna chwila w moim życiu, a ubrana jestem w szpitalny szlafrok.

Życie jest nieprzewidywalne ponad wszelką miarę.

– Przepraszam. – Z korytarza dobiega surowy głos.

Oboje, i ja i Henry podnosimy wzrok na pielęgniarkę stojącą w drzwiach do mojej sali. Jest starsza i ma trochę podniszczoną cerę. Pofarbowane na jasno włosy, sczesane do góry, przytrzymuje klamra. Ubrana w bladoróżowe ubranie szpitalne i dopasowany do tego szpitalny żakiet we wzory.

Henry nagle odsuwa się ode mnie.

– Wydawało mi się, że na drugą część nocy Eleanor ma za ciebie zastępstwo – mówi pielęgniarka.

Henry kręci głową.

– Musiałaś myśleć o Patricku. Patrick musi mieć zastępstwo na swojej zmianie do siódmej.

– Okej – mówi. – Mogę z tobą porozmawiać, kiedy tutaj skończysz?

– Jasne – odpowiada Henry. – Będę w pobliżu.

Pielęgniarka kiwa głową i wychodzi.

Zachowanie Henry'ego się zmienia.

– Dobranoc – mówi, zbierając się do wyjścia.

Już prawie jest za drzwiami, kiedy wołam do niego.

– Dziękuję – mówię. – Ja naprawdę...

– Nie mów o tym – odpowiada Henry, nie patrząc na mnie, już zza drzwi.

GABBY RZUCA PRZEDMIOTAMI PO DOMU. Dużymi przedmiotami. Porcelaną. Charlemagne przytula się do moich nóg. Stoimy w drzwiach pokoju gościnnego. Próbuję się nie mieszać. Ale jestem w to bardzo zamieszana.

Gabby już nie wróciła do pracy. Zawiozłam nas do domu, przez cały czas patrzyła prosto przed siebie, bez kontaktu ze światem. Przez całe popołudnie niewiele mówiła. Ciągle próbowałam się dowiedzieć, czy dobrze się czuje. Ciągle próbowałam dać jej coś do jedzenia albo trochę wody, ale ona cały czas odmawiała. Przez całe popołudnie reagowała, jakby była posągiem.

A potem, kiedy Mark stanął w drzwiach i powiedział, „Pozwól, że ci wyjaśnię", dopiero wtedy wróciło w nią życie.

„Nie interesuje mnie, co masz do powiedzenia", powiedziała Gabby.

A jemu starczyło czelności, żeby powiedzieć: „Daj spokój, Gabby, zasługuję na szansę, żeby…"

To wtedy rzuciła w niego czasopismem. Nie mogę jej winić. Nawet ja zaczęłabym ciskać w niego czymś, gdy usłyszałam, jak mówi te durne słowa. Zaczęła rzucać tym, co miała pod ręką. Innymi czasopismami, książką ze stolika. Potem rzuciła pilotem. Roztrzaskał się, poleciały baterie. To wtedy razem z Charlemagne błyskawicznie wycofałyśmy się na bezpieczniejszy grunt.

„Co tu robi pies?", zapytał Mark. Zaczął się powoli drapać po nadgarstku. Nawet nie podejrzewam, żeby wiedział, że to robi.

„Nie pytaj o pieprzonego psa!", powiedziała Gabby. „Suka była tutaj przez całą noc, a ty nawet nie zauważyłeś. No to się, kurwa, zamknij i nie mów mi o psie. Dobrze?"

„Gabby, porozmawiaj ze mną".

„Pieprz się".

„Dlaczego przyszłaś dzisiaj do mnie do biura?", zapytał.

„No, nie żartuj sobie ze mnie! Masz znacznie większe kłopoty niż to, dlaczego cię przyłapałam!"

To wtedy przeszła do kuchni i zaczęła rozbijać zastawę. Porcelanową.

I to sprowadza nas do teraźniejszości.

– Co to za jedna?! – wrzeszczy Gabby.

Mark nie odpowiada. Nie jest w stanie spojrzeć na Gabby.

Gabby przerywa i rozgląda się po tym, co narobiła. Garbi się. Widzi mnie. Chwyta moje spojrzenie.

– Co ja wyprawiam? – mówi. Prawda, nie mówi tego ani do mnie, ani do Marka. Mówi to do ścian.

Korzystam z chwili i podchodzę między skorupami, żeby wziąć ją w ramiona. Mark też zbliża się do nas.

– Nie – mówię nagle ostro. – Nie dotykaj jej.

Cofa się.

– Masz się wyprowadzić – mówi do niego Gabby, gdy trzymam ją w ramionach. Zaczynam masować jej plecy, próbuję ją uspokoić, ale ona mnie odpycha. Zbiera siły. – Zabieraj swoje graty i wynoś się – mówi.

– To także mój dom – mówi Mark. – Proszę tylko o parę chwil rozmowy, żeby to wyjaśnić.

– Zabieraj. Swoje. Graty. I wynoś się – mówi Gabby. Głos ma mocny i opanowany. Jest siłą, z którą trzeba się liczyć.

Mark zastanawia się, czy walczyć dalej; widać to po jego twarzy. Ale poddaje się i idzie do sypialni.

– Robisz to, co trzeba – mówię do niej.

– Wiem – odpowiada.

Siada przy stole kuchennym, znów zapada w katatonię.

Charlemagne zaczyna do nas iść, Gabby spostrzega ją przede mną.

– Nie! – krzyczy na psa. – Ostrożnie.

Wstaje, powoli podchodzi do Charlemagne i podnosi ją. Niesie ją w ramionach nad potrzaskanymi talerzami. Znowu siada przy stole z Charlemagne na kolanach.

Mark biega po pokojach, zbiera swoje rzeczy. Trzaska drzwiami. Głośno wzdycha. Teraz nadszedł chyba czas, żebym zrozumiała, że nigdy go nie lubiłam.

To trwa co najmniej czterdzieści pięć minut. Dom jest cichy, nie licząc hałasu robionego przez wyprowadzającego się mężczyznę. Gabby praktycznie skamieniała. Rusza się w zasadzie tylko wtedy, kiedy chce poprawić Charlemagne na kolanach. Stoję obok, blisko, w każdej chwili gotowa, żeby poruszyć się albo odezwać.

Wreszcie Mark wchodzi do salonu. Patrzymy na niego od stołu.

– Odchodzę – mówi.

Gabby nie odpowiada.

Mark czeka, ma nadzieję. Niczego od niej nie uzyskuje. Otwiera drzwi wejściowe, a Charlemagne zeskakuje na podłogę.

– Charlemagne, nie – mówię. Muszę powiedzieć to dwa razy, zanim stanie.

Mark patrzy na nią, najwyraźniej nadal jest zdumiony, skąd w domu wziął się pies o imieniu Charlemagne, ale wie, że nie uzyska odpowiedzi.

Podchodzi do drzwi. Już prawie wyszedł, kiedy odzywa się Gabby.

– Jak długo to trwa? – pyta go.

Głos ma silny i czysty. Nie jest chwiejny. Nie łamie się. Gabby nie wybuchnie płaczem. W pełni się kontroluje. Przynajmniej na razie.

On patrzy na nią, kręci głową. Patrzy w sufit. Ma łzy w oczach. Ociera je i pociąga nosem.

– To nie ma znaczenia – mówi. Też silnym głosem. Ale słychać w nim wstyd; przynajmniej to jest jasne.

– Zapytałam, jak długo to trwa.

– Gabby, nie rób tego…

– Jak długo?

Mark patrzy pod nogi, potem na nią.

– Prawie rok – mówi on.

– Możesz iść – mówi ona.

On odwraca się i odchodzi. Ona podchodzi do okna i patrzy, jak on się oddala.

Kiedy już w końcu go nie ma, Gabby odwraca się do mnie.

– Tak mi przykro, Gabby – mówię. – Tak mi przykro. Co za dupek.

Gabby patrzy na mnie.

– Ty sypiałaś z czyimś mężem – mówi. Nie musi wyciągać z tego bezpośrednich wniosków. Nie musi mówić na głos tego, co myśli. I tak wiem.

– Tak – mówię, zarówno przyznając się do swoich czynów, jak i czując za nie głęboki wstyd. – I to było złe. Tak jak to jest złe.

– Ale ja powiedziałam ci, że to nie znaczy, że jesteś złym człowiekiem – mówi Gabby. – Powiedziałam ci, że nadal możesz być cudownym, pięknym człowiekiem.

Kiwam głową.

– Tak, powiedziałaś.

– A ty komuś to zrobiłaś.

Chcę powiedzieć, że teraz sytuacja jest inna. Chcę powiedzieć, że to, co robiłam z Michaelem, nie jest tak złe jak to, co tamta kobieta robiła z Markiem. Chcę ponownie ukryć się za tym, że nie wiedziałam. Ale przecież wiedziałam. A to, co robiłam, nie było czymś innym niż to, co stało się teraz.

Sypiałam z czyimś mężem. Nie powinnam tego robić. A teraz noszę dziecko tego mężczyzny. I chcę je wychowywać.

Udawanie, że dziecko nie jest wynikiem mojej pomyłki, nie czyni tego ani trochę mniej prawdziwym.

I teraz wiem, że muszę stanąć twarzą w twarz z faktami. Muszę przyznać się do wszystkiego po kolei, żeby posunąć się naprzód.

– Tak – mówię. – Popełniłam coś strasznego. Tak jak Mark i tamta kobieta, którzy zrobili coś strasznego wobec ciebie.

Gabby patrzy na mnie. Podchodzę do niej i obie siadamy.

– Popełniłam błąd. A kiedy to się stało, ty wiedziałaś, że nadal jestem dobrym człowiekiem i nie krytykowałaś mnie, bo mi ufałaś. To był cudowny dar. Twoja wiara we mnie. Dlatego ja uwierzyłam w siebie. Dlatego zaczęłam zmieniać to, co należało zmienić. Ale ty nie musisz tego robić dla nich. Możesz ich po prostu nienawidzić.

Przysięgam, że prawie się uśmiecha.

– Obie możemy po prostu ich nienawidzić tak długo, jak nam będzie to potrzebne, a pewnego dnia, kiedy poczujemy się silniejsze, pewnie przebaczymy im, że byli niedoskonali, że robili straszne rzeczy. Pewnego dnia, szybciej niż ci się wydaje, posuniemy się do tego, że będziemy im życzyły wszystkiego najlepszego i więcej o nich nie będziemy myślały, bo nasze życie posunie się do przodu. Ale nie musisz tak myśleć w tej chwili. Możesz go po prostu nienawidzić. A ja mogę go nienawidzić za to, co tobie zrobił. Ale może pewnego dnia on się zmieni. Będzie człowiekiem, który zrobił kiedyś coś, czego już nigdy, przenigdy nie zrobi.

Ona na mnie patrzy.

– Albo zostanie na zawsze gnojkiem, a tobie się poprawi, bo będziesz od niego tak daleko, jak to tylko możliwe – mówię. – Jest i taka możliwość.

Ona uśmiecha się leciutko i tak szybko, że zaczynam się zastanawiać, czy naprawdę widziałam ten uśmiech.

– Przepraszam – mówi w końcu. – Nie chciałam cię w to wplątywać. Ja po prostu… przepraszam.

– Więcej o tym nie myśl – mówię.

Gabby płacze, trzymając twarz w dłoniach, i pada mi w ramiona.

– On nawet nie ma alergii na psy – mówi. – Od lat chciałam mieć psa i nie mogłam przez niego, ale przysięgam, to wszystko jego wymysł. Jestem pewna, że nie ma alergii na psy.

– Hm, już masz psa – mówię. – Więc jest w tym coś optymistycznego. Dlaczego nie miałybyśmy teraz usiąść i pomyśleć pozytywnie? Jaka jest ta inna? Czy zawsze zapominał wynieść śmieci? Czy zostawiał mokry ręcznik na łóżku?

Podnosi na mnie wzrok.

– Ma małego penisa – mówi. – Poważnie, jak ośmiocentymetrowy ołówek – śmieje się. – Och, jak dobrze to powiedzieć. Nie muszę dalej udawać, że on nie ma małego penisa.

Zaczynam się śmiać razem z nią.

– Niezupełnie o tym chciałam z tobą porozmawiać, ale dobrze! To dobry temat.

Gabby śmieje się. To głęboki śmiech z przepony.

– O Boże, Hannah – mówi. – Kiedy zobaczyłam to po raz pierwszy, pomyślałam: gdzie jest reszta?

Śmieję się tak bardzo, kiedy ona to mówi, że ledwie mogę oddychać.

– Zmyślasz – mówię.

– Nie – mówi z rękami w górę, jakby przysięgała na Boga. – On po prostu ma beznadziejnego penisa.

Obie śmiejemy się do łez. Potem przychodzi czas, żeby przestać. Widzę zmianę nastroju tak, jak widzi się, że lato przechodzi w jesień. Jednego dnia jest słonecznie, a później, nagle już nie.

– Och, Hannah – mówi Gabby, przytulając mi się do piersi. Charlemagne siedzi u naszych stóp.

– Cii – mówię, gładząc ją po plecach. – Już dobrze. Będzie dobrze.

– Nie jestem pewna, czy to prawda – mówi, trzymając głowę na mojej piersi.

– Tak – mówię. – To prawda.

Patrzy na mnie, oczy ma teraz przekrwione i szkliste. Twarz ma zapaćkaną. Wygląda na zrozpaczoną i chorą. Ja jej nigdy takiej nie widziałam. Ona widywała mnie taką. Ale ja nigdy jej takiej nie widziałam.

– Wiem, że będzie dobrze, bo jesteś Gabrielle Jannette Hudson. Jesteś nie do pokonania. Jesteś najsilniejszą kobietą, jaką znam.

– Najsilniejszym człowiekiem – mówi.

– Hę? – Chyba się przesłyszałam.

– Jestem najsilniejszym człowiekiem, jakiego znasz – mówi, ocierając oczy. – Płeć jest nieważna.

Ma absolutną rację. Jest najsilniejszym człowiekiem, jakiego znam. Jej płeć jest nieważna.

– Masz rację – mówię. – To dla mnie po prostu kolejne potwierdzenie, że z tego wyjdziesz.

Zalała się łzami. Ciężko dyszy.

– Może miał dobry powód. Albo jest coś, co źle zrozumiałam.

Chcę jej powiedzieć, że może ma rację, że może jest jakaś rzecz, która by to pokazała w lepszym świetle. Chcę jej to powiedzieć, bo chcę, żeby była szczęśliwa. Ale wiem przy tym, że to nieprawda. A cząstką miłości do kogoś, cząstką wiarygodności jest mówienie prawdy, nawet jeśli jest okropna.

– Oszukiwał cię prawie przez rok – mówię. – Nie popełniał błędów, nie zamotał się.

Podnosi na mnie wzrok i znowu zaczyna płakać.

– Więc już po moim małżeństwie?

– To zależy od ciebie – mówię. – Ty musisz zadecydować, co będziesz tolerowała i z czym będziesz musiała żyć. A może usiądziesz na kanapie, a ja przyniosę ci jakąś kolację?

– Nie – mówi. – Nie mogę jeść.

– Hm, to co mogę dla ciebie zrobić?

– Posiedź tu po prostu – mówi. – Posiedź obok mnie.

– Będzie, jak chcesz – mówię.

– Charlemagne też – mówi.

Wstaję i podnoszę Charlemagne. We trzy siedzimy na kanapie.

– Mój mąż mnie oszukuje, a ty jesteś w ciąży z żonatym – mówi Gabby.

Zamykam oczy, myślę o tym, co powiedziała.

– Życie jest do bani – mówi.

– Tak, czasem – odpowiadam.

Obie milkniemy.

– To boli – mówi. Znów zaczyna płakać. – Tak bardzo boli. Tam, głęboko boli.

– Wiem – mówię. – Ty i ja jesteśmy jak w zaprzęgu, prawda? Czego by życie nie postawiło przed tobą, postawi i przede mną. Wszystko, co byłaś gotowa zrobić dla mnie ubiegłego wieczoru, dzisiaj ja zrobię dla ciebie. Licz na mnie, dobrze? Razem przez to przejdziemy. Oprzyj się o mnie. Weź mnie za rękę.

Patrzy na mnie i uśmiecha się.

– Kiedy boli tak bardzo, myśli się, że się nie wytrzyma – mówię. – Weź mnie za rękę.

Wyciągam do niej dłoń, a ona ją przyjmuje.

Znowu zaczyna płakać i ściska mi dłoń.

A ja myślę, że jeśli moja obecność zmniejsza ból Gabby o jedną setną, to może mam większy cel w życiu, niż mi się wydawało.

– Podziel ból na dwoje – mówię – i daj mi połowę.

GABBY PRZYCHODZI W SOBOTNIE POPOŁUDNIE, ale zanim zdąży wejść do sali, mówię, żeby się zatrzymała. Przy moim łóżku stoi Deanna.

– Poczekaj – mówię do Gabby. – Poczekaj tam, gdzie jesteś.

Deanna uśmiecha się i wystawia rękę.

– Jesteś gotowa? – pyta. Kiwam głową.

Deanna pomaga mi postawić stopy na ziemi. Przerzucam mój ciężar na Deannę, a ona pomaga mi przerzucić mój ciężar na stopy. Stoję. Naprawdę stoję. Co prawda opieram się o innego człowieka, ale jednak. Ćwiczyłyśmy z nią całe rano.

– Okej – mówię. – Chcę usiąść. – Deanna pomaga mi opaść z powrotem na łóżko. Ulga jest ogromna.

– O mój Boże! – mówi Gabby, oklaskując mnie, jakbym była dzieckiem. – Popatrz, co zrobiłaś! To szaleństwo!

Uśmiecham się i śmieję. Moja energia i podniecenie Gabby muszą być zaraźliwe, bo Deanna uśmiecha się i śmieje z nami.

– Niesamowite, prawda? – mówię. – Ćwiczyłam, ile się dało. Dziś rano doktor Winters dała mi parę rad, jak utrzymać się na nogach. Jeszcze nie potrafię chodzić, ale mogę stanąć.

– Wspaniale – mówi Gabby, odkładając torebkę.

Podchodzi do nas. Deanna pomaga mi położyć się do łóżka.

– Jestem pod wrażeniem – mówi Gabby. – Robisz postępy ponad plan.

– Wkrótce wpadnę, żeby sprawdzić, co u ciebie – mówi Deanna. – Dzisiaj to była dobra robota.

– Dziękuję – mówię, gdy wychodzi.

Opowiadam Gabby o ostatniej nocy.

– Henry zabrał mnie na zewnątrz – mówię.

– Wyszłaś na zewnątrz?

– Nie – mówię. – Wywiózł mnie wózkiem na odkryty taras, gdzie wolno palić.

– Och – mówi.

Nie ma w tym ani trochę romantyzmu, który wtedy odczułam.

– Och, niby nic – mówię. – Ale gdybyś tam była.

Gabby śmieje się.

– Hm, jestem z ciebie dumna, że dzisiaj wstałaś.

– Wiem! Zanim się zorientujesz, będę się sama przemieszczała i jadła porządne jedzenie.

– Tylko nie rób tego, jak mnie tu nie będzie! – mówi. – Wiesz, chciałabym to nagrać na wideo.

Śmieję się.

– Ciesz się, że nie musisz zmieniać mi pieluchy – mówię. To tylko żart, ale trafia prawie w sedno. Nadal nie potrafię samodzielnie pójść do łazienki.

– Co u ciebie? – pytam, zapraszając ją, żeby usiadła. – Co u Marka?

– U niego w porządku – mówi. – Tak.

Coś tu nie gra.

– Co chciałaś powiedzieć? – pytam.

– Nie, nic – mówi. – On chyba jest bardzo… bo ja wiem. Chyba ten wypadek, całe to wariactwo, może to tak go poruszyło. Był słodziutki, bardzo troskliwy. Przynosi mi kwiaty. Kupił mi naszyjnik.

Zaczyna się bawić naszyjnikiem, który ma na sobie. To złota nić z diamentową przywieszką.

– Ten? – mówię, nachylając się. Biorę diament w dłonie. – Fantastyczne, to prawdziwy diament.

– Wiem – mówi Gabby. – Zażartowałam sobie, kiedy mi to dał: „Dziękuję, ale co złego zrobiłeś?"

Śmieję się.

– W telewizji facet zawsze przychodzi do domu z kwiatami i biżuterią, gdy zaprasza szefa na kolację w Święto Dziękczynienia, a zapomniał cię zapytać, czy zgadzasz się na to.

– Rezczywiście – mówi Gabby ze śmiechem. – Może on mnie oszukuje. Będę musiała sprawdzić w domu, czy są ślady szminki na jego kołnierzykach od koszul, prawda?

– Tak – mówię. – Jeśli opery mydlane mogą służyć jakąś wskazówką, to jeśli cię oszukuje, znajdziesz jaskrawe plamy po szmince na jego kołnierzu.

Gabby śmieje się.

Mija chwila, a wiem, że obie o tym myślimy. Kiedyś byłam kobietą, której żony się wystrzegają. Straciłam dziecko żonatego mężczyzny. Czasem zastanawiam się, czy ten wypadek nie posłużył temu, żebym nie mogła zacząć żyć z czystym kontem. Jakby to był zakaz ponownego startu, lepszego życia.

A potem zastanawiam się, czy jeśli to jest czyste konto, to co mam z nim zrobić?

– Hm, co tutaj robisz? – pytam Gabby. – Nie obijaj się ze swoją kulawą najlepszą przyjaciółką. Bo on może właśnie teraz kupuje ci kaszmir i czekoladę.

– Nie, właśnie teraz lepiej, żebym była tutaj. Wolę być z tobą. Poza tym Mark powiedział, że dzisiaj ma pracę. Powiedział, że nie będzie go dziś wieczór do późna. Domyślam się, że mieli w pracy problemy z fakturami.

– Nie ma kierownika biura, czy kogo tam, żeby się tym zajął?

Gabby się zastanawia.

– Hm, tak, ma – mówi. – Ale niedawno powiedział, że musi mieć więcej czasu, żeby przejrzeć ich pracę. Więc co dzisiaj zrobimy? Mam przynieść książkę, żebyśmy razem poczytały? Oglądamy *Prawo i bezprawie*?

Kręcę głową.

– Nie. Poszukamy przygód.

– Dokąd idziemy?

– Dokąd chcemy. – I pokazuję wózek inwalidzki w kącie.

Przyprowadza go, a ja przesuwam się bliżej skraju łóżka.

– Możesz opuścić poręcz? – pytam. – To ten guzik tutaj, potem zwyczajnie naciskasz.

Załapała.

– Dobrze, teraz tylko przysuń wózek do boku łóżka, do samego… tak.

Przerzucam nogi w dół.

– Przepraszam, ostatnia rzecz. Możesz złapać mnie w talii? Dam radę. Trzeba mi tylko trochę pomóc.

Łapie mnie pod ramiona.

– Gotowa? – pyta.

– Tak! – mówię i w chwili, gdy Gabby podnosi mnie, podpieram się rękami.

To nie jest przyjemne. Właściwie dość bolesne, bardzo hałaśliwe i kończy się na tym, że połowa tyłka wystaje mi ze szlafroka, ale siedzę. Jestem na wózku.

– Możesz… – mówię, pokazując połę szlafroka.

– Och, prawda.

Gabby go naciąga, kiedy ja próbuję unieść się trochę, żeby dobrze się usadowić.

– Dziękuję – mówię. – Dobrze. Mogłabyś wziąć kroplówkę z morfiną i położyć ją tutaj, na wózku?

Bierze i kładzie.

– Gotowa? – pytam.

– Gotowa – mówi.

– Och! – mówię, zanim zaczynam się toczyć. – Masz banknoty jednodolarowe?

– Tak – mówi – chyba mam jednego lub dwa. – A co, idziemy do klubu go-go?

Śmieję się, gdy bierze torebkę.

Wyruszamy.

W korytarzu widzę Deannę, mówi mi, żebym się nie wybierała za daleko. Prowadzę nas korytarzem na prawo, dokładnie tak, jak prowadził mnie wtedy Henry.

– Masz ulubiony film? – pytam Gabby. Gdybym miała zgadywać, powiedziałabym, że jej ulubiony film to *Kiedy Harry spotkał Sally…*

– *Kiedy Harry spotkał Sally…* – mówi. – Dlaczego pytasz?

– Ja nie wiem, który film jest moim ulubionym – odpowiadam.

– Czy to ważne? Mnóstwo ludzi nie ma ulubionego filmu.

– Ale choćby na użytek rozmowy nie potrafię wybrać tego jednego. Nie mogę zdecydować się na film, o którym mogłabym powiedzieć, że to mój ulubiony film.

– Mam nadzieję, że to dla ciebie nie nowina, że jesteś niezdecydowana.

Śmieję się.

– Henry mówi, że nie trzeba podawać właściwej odpowiedzi. Wystarczy byle jaką odpowiedź.

– Henry, Henry, Henry – mówi Gabby i śmieje się do mnie. Dotaczamy się do skrzyżowania korytarzy. Jestem zupełnie pewna, że automaty są po lewej.

– Hyrny…hyr…hyr, ale pytam poważnie – mówię Nadal toczę się korytarzem. Jeszcze starcza mi sił.

– Właściwie, to o co mnie pytasz?

– Czy myślisz, że nie trzeba podawać odpowiedzi doskonałej, że tylko jakąkolwiek?

– Jeśli chodzi o ulubiony film, tak. Ale czasem jest tylko jedna odpowiedź. Więc myślę, że to nie jest powszechnik filozoficzny.

– Na przykład?

– Z pewnością, za kogo wyjdziesz za mąż. To najbardziej oczywisty przykład, jaki przychodzi mi do głowy.

– Myślisz, że jest tylko ktoś jeden dla każdego?

– A ty nie? – Tak mnie o to zapytała, jakby nigdy jej nie przyszło do głowy, że mogłabym myśleć inaczej. Mogłabym z równym powodzeniem zapytać: „Czy myślisz, że oddychamy tlenem?"

– Bo ja wiem – mówię. – Wiem, że istotnie tak mi się kiedyś wydawało. Ale… teraz nie jestem pewna.

– Och – mówi ona. – Nigdy mi się chyba nie zdarzyło myśleć inaczej. Po prostu zakładałam, że Bóg, los, życie, czy jak to nazwać, prowadzi cię do człowieka, który był ci przeznaczony.

– Tak myślisz o Marku?

– Tak, myślę, że Mark jest człowiekiem, do którego doprowadziło mnie życie. Jest dla mnie tym jedynym. Gdybym myślała, że jest ktoś inny, lepiej do mnie pasujący, to po co bym za niego wychodziła za mąż? Wiesz? Wyszłam za niego za mąż, bo to on jest tym jedynym.

– Więc jest bratnią duszą?

Zamyśla się nad tym.

– Tak? To znaczy, tak. Chyba można go nazwać bratnią duszą.

– A jeśli wy dwoje skończycie rozwodem?

– Dlaczego tak mówisz?

– Po prostu stawiam hipotetyczne pytanie. Jeśli dla każdego jest tylko jeden człowiek, co się dzieje, kiedy bratnie dusze nie dają sobie z sobą rady?

– Jeśli nie dają sobie z sobą rady, to nie są bratnimi duszami – mówi.

Słucham jej uważnie. Rozumiem. To ma sens. Jeśli wierzy się w los, jeśli wierzy się, że coś popycha nas ku naszemu przeznaczeniu, to jest także człowiek, z którym miałoby się spędzić resztę życia. To dociera do mnie.

– Ale nie dotyczy to miast – mówię.

– Co?

– Nie musi się szukać miasta doskonałego, żeby w nim mieszkać. Wystarczy znaleźć takie, w którym da się żyć.

– Zgadza się – mówi.

– Więc można wybrać któreś i na tym poprzestać – mówię. – Nie muszę sprawdzać wszystkich, aż wreszcie coś zaskoczy.

Śmieje się.

– Nie.

– Chyba skakałam z miejsca na miejsce z nadzieją, że znajdę dla siebie życie doskonałe, które gdzieś tam jest, a ja muszę je tylko znaleźć. A wystarczy, żeby było jako tako. Wiesz?

– Owszem, wiem, że zawsze czegoś szukałaś – mówi Gabby. – Zawsze zakładałam, że będziesz wiedziała, kiedy je znajdziesz.

– Bo ja wiem. Zaczynam sądzić, że może po prostu wybiera się jakieś miejsce i tam zostaje. Wybiera się zawód i przy nim zostaje. Wybiera się człowieka i z nim zostaje.

– Myślę, że dokąd jest się szczęśliwym i robi się z życia dobry użytek, naprawdę nie ma znaczenia, czy szukało się i znalazło coś doskonałego, czy wie się, że wybrało się to, co będzie dla człowieka w porządku.

– Czy to cię nie przeraża? – pytam. – Myśl, że mogłaś pójść w niewłaściwą stronę? I ominąć przeznaczone ci życie?

Gabby zamyśla się nad tym, bierze moje pytanie na poważne.

– Niespecjalnie – mówi.

– Dlaczego?

– Nie wiem. Może dlatego, że życie jest krótkie? I po prostu trzeba sobie z nim dać radę.

– Więc powinnam przeprowadzić się do Londynu czy nie? – pytam.

Uśmiecha się.

– Och, rozumiem, do czego to zmierza. Jeśli chcesz jechać do Londynu, to powinnaś jechać. Ale więcej ze mnie nie wydobędziesz. Ja nie chcę, żebyś jechała. Chcę, żebyś została tutaj. Tam często pada, chociaż to może nie najważniejsze.

Śmieję się do niej.

– Okej, to ma sens. Tak czy inaczej, mamy większy problem niż Londyn.

– Mamy?

– Zgubiłyśmy się – mówię.

Gabby rozgląda się na lewo i prawo. Widzi to, co ja widzę. Wszystkie korytarze wyglądają tak samo. Jesteśmy na ziemi niczyjej.

– Nie jesteśmy w pobliżu automatów? – pyta.

– Ni cholery nie wiem – mówię. – Nie mam pojęcia, gdzie jesteśmy.

– Okej – mówi, łapiąc wózek. – Spróbujmy wydostać się z tego labiryntu.

———

Gabby upiera się, żeby dzisiaj iść do pracy. Próbowałam jej wyperswadować, żeby została w domu, żeby nie zwiększała presji na siebie, ale powiedziała, że jedyny sposób, żeby poczuła się jako tako normalnie, to praca.

Ethan dzwonił do mnie wczoraj dwa razy, a ja nie oddzwoniłam. Wysłałam mu esemesa, że nie mogę rozmawiać. Wczoraj wieczorem poszłam spać ze świadomością, że dzisiaj będę musiała stawić mu czoło. To znaczy, że gdybym nadal go unikała, domyśliłby się, że coś jest nie tak.

Więc dziś rano obudziłam się z postanowieniem, że załatwię tę sprawę. Zadzwoniłam do Ethana i zapytałam, czy wieczorem jest wolny. Powiedział, żebym wpadła do niego około siódmej.

To znaczy, że mam resztę dnia, żeby zadzwonić do Michaela. Chcę mieć odpowiedzi na pytania Ethana, gdyby je zadał. Chcę się dobrze przygotować. A to wymaga dużych przygotowań.

Biorę prysznic. Wyprowadzam Charlemagne na spacer. Gapię się w komputer, czytam teksty z Internetu, czas się wlecze.

Kiedy w Nowym Jorku jest szósta i wiem, że Michael wychodzi z pracy, biorę telefon. Siadam na łóżku i wybieram numer.

Dzwoni.

I dzwoni.

I dzwoni.

A potem włącza się poczta głosowa.

W pewnym sensie ulżyło mi. Bo wcale nie chcę się zmuszać do tej rozmowy.

– Cześć, Michael, tu Hannah. Oddzwoń, gdy będziesz miał chwilkę. Jest coś, o czym musimy porozmawiać. Trzymaj się. Na razie.

Rzucam się do tyłu na łóżko. Tętno mi szaleje. Zaczynam myśleć, co zrobić, jeśli nie oddzwoni. Zaczynam sobie wyobrażać, że postanowił tak zrobić ze względu na mnie. Być może zadzwonię do niego parę razy, zostawię parę wiadomości, a on po prostu nie oddzwoni. A ja będę wiedziała, że próbowałam zrobić to, co trzeba, ale nie byłam w stanie. Mogę z tym żyć.

Mój telefon dzwoni.

– Hannah – mówi on w chwili, gdy ja mówię cześć. Głos ma surowy, prawie gniewny. – Z nami koniec. Sama tak powiedziałaś. Nie wolno ci do mnie dzwonić. Wreszcie udało mi się naprawić sprawy rodzinne. Nie mam zamiaru psuć ich od nowa.

– Michael – mówię. – Wstrzymaj się tylko na minutkę, okej? – Teraz to ja jestem wkurzona.

– Okej – mówi.

– Jestem w ciąży – mówię wreszcie.

Tak ucichł, że aż myślę, że kontakt się urwał.

210

– Oddzwonię do ciebie za trzy minuty – mówi i się rozłącza.

Chodzę wokół pokoju. W brzuchu czuję trzepotanie. Telefon znowu dzwoni.

– Cześć – mówię.

– Okej, to co robimy? – pyta.

Słyszę, że jest w zamkniętym pomieszczeniu. Słychać echo jego głosu, jakby był w łazience.

– Nie wiem – mówię.

– Nie mogę zostawić żony i dzieci – odpowiada stanowczo.

– Nie proszę cię o to – informuję go.

Odrzuca mnie ta rozmowa. Starałam się zostawić to za sobą, a teraz znowu jestem w samym środku.

– Więc o co chodzi? – pyta.

– O nic nie chodzi. Myślałam tylko, że powinieneś o tym wiedzieć. Gdybym ci nie powiedziała, byłoby gorzej.

– Nie mogę tego zrobić – mówi. – Popełniłem błąd, wiążąc się z tobą. Teraz to rozumiem. To była moja wina. Nie powinienem tego robić. To był błąd. Jill wie, co zrobiłem. W końcu doszliśmy do zgody. Kocham swoje dzieci. Nie mogę pozwolić, żeby coś to zniszczyło.

– Niczego od ciebie nie chcę – mówię. – To cała prawda. Po prostu pomyślałam, że powinieneś wiedzieć.

– Okej – mówi. Na chwilę milknie, a potem bojaźliwie pyta mnie o to, o co zapewne chciał mnie zapytać, odkąd mu o tym powiedziałam. – Zastanawiałaś się nad tym... żeby nie rodzić?

– Michael, jeśli chcesz poprosić, żebym zrobiła aborcję, to chociaż powinieneś użyć tego słowa. – Co za tchórz.

– Zastanawiałaś się nad aborcją? – pyta.

– Nie – mówię. – Nie zastanawiałam się nad aborcją.

– Co sądzisz o adopcji?

– A co ci do tego? – pytam. – Będę miała to dziecko. Nie proszę cię o pieniądze, opiekę czy wsparcie. Okej?

– Okej – mówi. – Ale nie wiem, co myśleć, że gdzieś tam będę miał dziecko.

O takich sprawach ludzie naprawdę powinni pomyśleć przed seksem, ale to ja teraz mówię.

– Cóż, zatem stań na wysokości zadania i zajmij się tym, albo się nie zajmuj – mówię. – To twoja sprawa.

– Sądzę, że to nie różni się od oddania spermy – mówi. Nie do mnie. On mówi do siebie.

Ja nie chcę, żeby on pomagał mi w wychowywaniu dziecka, a on nie chce mi w tym pomagać. Najwyraźniej szuka sposobu, żeby oczyścić się z poczucia winy czy odpowiedzialności, a jeśli to jest takie proste, to mu pomogę.

– Tak do tego podejdź – mówię. – Ofiarowałeś spermę.

– Zgadza się – mówi. – Nic więcej.

Chcę mu powiedzieć, jakim jest dupkiem. Ale nie mówię. Niech sobie wmawia, co chce. Wiem, że to dziecko może zniszczyć jego rodzinę. To prawda. Nie chcę rozbijać rodziny bez względu na to, kto ma rację, a kto nie. A on nie jest mi potrzebny. I nie jestem pewna, czy dziecko nie będzie się miało lepiej bez niego w pobliżu. Nie pokazał się jako dobry człowiek.

– Okej – mówię ja.

– Okej – mówi on.

Już mam skończyć rozmowę, ale mówię jeszcze jedno o moim nienarodzonym dziecku.

– Gdybyś kiedyś zmienił zdanie, możesz do mnie zadzwonić. Gdybyś chciał się spotkać z dzieckiem. I mam nadzieję, że gdyby on albo ona chcieli spotkać się z tobą pewnego dnia, ty też będziesz na to otwarty.

– Nie – mówi.

Jego odpowiedź szarpie mi nerwy.

– Co?

– Nie – powtarza. – To ty decydujesz się na to, żeby mieć to dziecko. Ja nie chcę, żebyś je urodziła. Jeśli je urodzisz, będziesz musiała dawać sobie radę z dzieckiem bez ojca. Nie mam zamiaru żyć ze świadomością, że pewnego dnia, niespodziewanie, może się pojawić jakieś dziecko.

– Masz klasę. – To wszystko, co mówię.

– Muszę chronić to, co już mam – mówi. – Czy sprawa między nami załatwiona?

– Tak – mówię. – Między nami załatwione.

Zgubiłyśmy się na porodówce i za nic nie możemy znaleźć drogi. Najpierw utknęłyśmy na oddziale położniczym. Teraz jesteśmy przed żłobkiem.

Ostatnia rzecz, na którą w tej chwili mam ochotę, to patrzeć na śliczne, kochane dzieci. Ale widzę, że Gabby nie stoi już za mną. Patrzy.

– Niedługo będziemy musieli zacząć się starać – mówi.

Nawet na mnie nie patrzy. Patrzy na dzieci.

– O co mamy zacząć się starać?

Patrzy na mnie, jakbym była taka głupia, że aż jej wstyd.

– Nie, Mark i ja. Będziemy się starali o dziecko.

– Chcecie mieć bobasa?

– Tak – mówi. – Chciałam cię zapytać, co o tym sądzisz, kiedy tu przyleciałaś, ale nie miałam okazji przed wypadkiem… a potem, kiedy się obudziłaś…

– Zgadza się – mówię. Nie chcę, żeby powiedziała to na głos. Wniosek jest oczywisty. – Ale myślisz, że jesteście gotowi? To takie podniecające! – Moje niezdecydowanie co do dziecka nawet na chwilę nie tłumi radości, że ona będzie je miała. – Maleńkie pół Gabby, pół Marka – dodaję. – Coś wspaniałego!

– Wiem. To naprawdę podniecająca myśl. Wystraszyć też się można. Ale naprawdę podniecająca.

– Więc będziecie… robić to… Właściwie jaki jest eufemizm na to, że próbuje się zrobić dziecko?

– Nie wiem – mówi. – Ale tak, będziemy to robić…

– Coś wspaniałego – mówię znowu. – Po prostu nie mogę uwierzyć, że jesteśmy w wieku, w którym będziesz próbowała zajść w ciążę.

– Wiem – mówi. – Całe życie upłynęło nam na uczeniu się, jak w ciążę nie zajść, a potem nagle trzeba odwrócić cały trening.

– Hm, to wspaniałe – mówię. – Ty i Mark jesteście taką dobraną parą. Będziecie świetnymi rodzicami.

– Dziękuję – mówi i ściska mnie za ramię.

Podchodzi do nas pielęgniarka.

– Kogo panie przyszły odwiedzić? – pyta.

– Och, nie – mówi Gabby. – Przepraszam. Po prostu się zgubiłyśmy. Może nam pani wskazać drogę na chirurgię ogólną?

– Wzdłuż korytarza, pierwsza w lewo, potem druga w prawo. Zobaczycie automat do sprzedaży. Tamtym korytarzem do końca i w lewo… – Wskazówki nie mają końca. Najwyraźniej wypuściłyśmy się dalej, niż zamierzałam.

– Okej – mówi Gabby. – Dziękuję. – Zwraca się do mnie: – Chodźmy.

Przejeżdżamy obok czegoś, co wygląda na oddział noworodków, może intensywnej opieki. A potem przejeżdża-

my przez podwójne drzwi i jesteśmy na oddziale dziecięcym.

– To chyba nie ta droga – mówię.

– Mówiła, że gdzieś tutaj w lewo…

Kiedy jedziemy korytarzem, patrzę na pielęgniarki,
a potem zaglądam przez okna. To głównie maluchy i dzieci ze szkoły podstawowej. Widzę kilkoro nastolatków.
Prawie wszyscy tutaj leżą w łóżkach podłączeni do maszyn, tak jak było ze mną. Mnóstwo nosi siatki albo czapki.
Uświadamiam sobie, że chodzi o przykrycie ogolonych
głów.

– Okej – mówi Gabby. – Masz rację. Zgubiłyśmy się.

Zatrzymuję się z boku korytarza.

– Zaraz poproszę pielęgniarkę o plan – mówi Gabby.

– Dobrze – mówię.

Z mojego punktu obserwacyjnego widzę salę z dwoma
dzieciakami. Dzieci rozmawiają. Dwie dziewczynki, które
nie weszły jeszcze w wiek dojrzewania. Leżą na dwóch od-
dzielnych łóżkach. Obok stoi lekarz, rozmawia z rodzicami.
Rodzice wyglądają na zmieszanych i strapionych. Lekarz
wychodzi. Widzę, że z rodzicami stoi pielęgniarka. Ona
też chce wyjść, ale rodzice łapią ją przy drzwiach. Są teraz
tak blisko mnie, że słyszę rozmowę.

– Co to wszystko znaczy? – pyta mama.

Pielęgniarka mówi łagodnym głosem.

– Tak jak powiedział doktor Mackenzie, to jest rak
kości, który zazwyczaj występuje u dorosłych. Czasem to
sprawa rodzinna. Rzadko, ale to możliwe, że rozwija się
u rodzeństwa. Dlatego doktor chce zobaczyć także waszą
młodszą córkę. Tak dla pewności.

Mama zaczyna płakać. Tata głaszcze ją po plecach.

– Okej, dziękuję – mówi tata.

Ale pielęgniarka nie odchodzi. Zostaje.

– Sophia jest dzielna. Mówię o tym, co i tak wiecie. A doktor Mackenzie jest nadzwyczajnym onkologiem dziecięcym. Wiem, co mówię, nadzwyczajnym. Gdyby tu leżała moja córka – moja córka ma osiem lat, ma na imię Madeleine – to mówię wam, robiłabym dokładnie to, co wy robicie. Oddałabym ją w ręce doktora Mackenzie.

– Dziękuję, siostro – mówi mama. – Dziękuję.

Pielęgniarka kiwa głową.

– Gdybyście państwo czegoś potrzebowali, gdybyście mieli jakieś pytania, wystarczy, że mnie zawołacie. Odpowiem, kiedy tylko będę mogła, a nawet kiedy nie będę mogła. – Patrzy im w oczy, żeby ich upewnić. – Poproszę doktora Mackenzie, żeby wytłumaczył. W prostych słowach, jeśli da radę – mówi żartobliwie.

Tata się uśmiecha. Widzę, że mama przestaje płakać. Kończą rozmowę w chwili, gdy Gabby wraca z planem. Zarówno Gabby, jak i pielęgniarka mogą się teraz domyślać, że podsłuchiwałam. Szybko odwracam wzrok, ale to nie zmieni sprawy. Przyłapano mnie.

Gabby popycha mój wózek korytarzem.

– Dam radę – mówię. Chwytam za koła. Kiedy już jesteśmy daleko, pytam ją. – Czy to był dziecięcy oddział raka?

– Tam jest napisane „Oddział onkologii dziecięcej" – mówi. – Więc tak.

Przez chwilę nic nie mówię. Ona też.

– Właściwie to jesteśmy niedaleko twojej sali – mówi. – Po prostu przeoczyłam skręt w lewo.

– Być pielęgniarką... to chyba trudna praca. Ale daje satysfakcję – mówię.

– Mój tata zawsze mówił, że to pielęgniarki dbają o opiekę – mówi Gabby. – Zawsze uważałam, że to dość tandetny dwuznacznik, ale jego słowa mają sens.

Śmieję się.

– Tak, mógł po prostu powiedzieć: „Może pielęgniarki was nie leczą, ale na pewno dzięki nim lepiej się czujecie".

Gabby się śmieje.

– Powiedz mu to, dobrze? Może teraz sam tak zacznie mówić.

NIE WIEM, W CO NALEŻY SIĘ UBRAĆ, żeby powiedzieć swojemu nowemu chłopakowi, jednocześnie byłemu chłopakowi i mężczyźnie, co do którego jest się pewnym, że to miłość twojego życia, że ma się dziecko z innym mężczyzną.

Decyduję się na dżinsy i szary sweter.

Tyle razy szczotkuję włosy, że nabierają połysku. Potem związuję je w najlepszy z możliwych wysoki kok.

Przed wyjściem po raz kolejny proponuję, że zostanę w domu z Charlemagne i Gabby.

– O nie – mówi Gabby. – W żadnym wypadku nie.

– Ale nie chcę cię zostawiać samej.

– Będzie dobrze – mówi. – To znaczy, wiesz, nie będzie dobrze. Kłamałam. Ale będzie dobrze w tym sensie, że nie zamierzam spalić domu, czy coś takiego. Po prostu, kiedy wrócisz, będę tak samo smutna jak teraz. Jeśli to jakoś cię pocieszy.

– Nie pocieszy – mówię. Zdejmuję rękę z klamki. Naprawdę nie podoba mi się, że zostawiam ją samą. – Nie powinnaś być sama.

– Kto jest sam? – mówi. – Mam Charlemagne. Obie będziemy oglądały telewizję, aż oczy wyjdą nam na wierzch, a potem pójdziemy spać. Możemy wziąć ambien. – Poprawia się. – Ja mogę wziąć ambien. – Przez cały czas patrzy na mnie. – Żeby było jasne – mówi – nie mam zamiaru uśpić psa.

– Zostaję – mówię.

– Idziesz. Nie wykorzystuj mnie jako wymówki, żeby unikać własnych problemów. Obie mamy mnóstwo poprawek do zrobienia i będzie lepiej, jeśli jak najszybciej dowiemy się, jak stoją sprawy z Ethanem.

Ona ma rację. Oczywiście, że ma rację.

– Zabierasz się porządnie do życia, pamiętasz? To nowe – mówi. – Już nie uciekasz przed swoimi problemami, pamiętasz?

– Fuj – mówię, otwierając drzwi. – Nie znoszę tej nowej mnie.

Kiedy wychodzę, Gabby się uśmiecha. To pierwszy uśmiech od dwóch dni.

– Jestem dumna z nowej ciebie – mówi.

Dziękuję jej i znikam za drzwiami.

Jest za dziesięć siódma, gdy parkuję przed mieszkaniem Ethana. Muszę trzy razy objechać przecznice, zanim znajduję miejsce, ale potem widzę samochód wyjeżdżający tuż sprzed jego domu. Jestem jednocześnie przygnębiona i podniecona tym, co mnie czeka. Nagle zaczynam się zastanawiać, jak będę jeździć po Los Angeles z dzieckiem. Czy wsiadanie i wysiadanie z samochodu zajmie mi pół godziny, bo nigdy nie nauczę się porządnego montowania fotelika? Czy będę krążyła bez końca po przecznicach w towarzystwie kojącego płaczu dziecka? O Boże, nie wytrzymam.

Muszę wytrzymać.

Co się robi, kiedy trzeba zrobić coś, czego nie da się zrobić?

Wysiadam z samochodu i zamykam drzwi. Robię gwałtowny wdech, potem powolny wydech.

Życie to tylko seria wdechów i wydechów. To, co robię na tym świecie, to tylko wdychanie i wydychanie, raz za razem, aż do śmierci. Dam radę. Mogę wdychać i wydychać.

Pukam do drzwi Ethana, otwiera je, jest w fartuchu z napisem „Przystojniak gotuje, każdemu smakuje". Jest tam ludzik z kresek ze szpatułką.

Dam radę.

– Cześć, mała – mówi.

Mocno chwyta mnie w ramiona. Zastanawiam się, czy nie za mocno dla dziecka. Nic nie wiem o byciu w ciąży! Nic nie wiem o macierzyństwie. Co ja robię? To wszystko musi się skończyć straszną katastrofą. Jestem Huragan Hannah i wszystko, czego dotknę, zamienia się w syf.

– Tęskniłem za tobą – mówi. – Czy to nie śmieszne? Nie mogę znieść jednego dnia bez ciebie po tylu latach bez ciebie.

Uśmiecham się do niego.

– Rozumiem cię.

Prowadzi mnie do kuchni.

– Pamiętam, że mówiliśmy o wyjściu do restauracji, ale postanowiłem przyrządzić ci jedzenie jak trzeba.

– Och, świetnie – mówię i próbuję wzbudzić w sobie entuzjazm, ale chyba nie bardzo mi to idzie.

– Wyszukałem w Google kilka przepisów i wróciłem do domu ze sklepu parę minut przed twoim przyjściem. Właśnie widzisz kurczaka sopa seca.

Wymawia to z przesadnym hiszpańskim akcentem. Jest głupiutki, słodki i serdeczny, a ja postanawiam właśnie w tej chwili, że dziś wieczór mu nie powiem.

Kocham go. I chyba zawsze go kochałam. I mam go stracić. A tego wieczoru chcę doświadczyć, jak to jest, kiedy go się ma, kiedy on kocha, kiedy wierzy się, że to początek czegoś.

Bo jestem całkowicie pewna, że to koniec.

I ot tak, staję się wersją siebie samej, taką jaką byłam dwa dni temu. Jestem Hannah Martin, kobietą, która nie ma pojęcia, że jest ciężarna, która nie ma pojęcia, że wkrótce straci jedyną rzecz pożądaną przez całe jej dorosłe życie.

– Wymyślne! – mówię. – Wygląda, że trzeba było się przy tym nieźle natrudzić.

– Właściwie to wykonałem parę ruchów więcej i wszystko dochodzi w piecyku – mówi. – Chyba. Tak, chyba dochodzi w piecyku.

Zaczynam się śmiać.

– Nigdy tego wcześniej nie robiłeś?

– Kurczaka sopa seca? Czy miałem powód, żeby robić kurczaka sopa seca? Jeszcze parę godzin temu nawet nie wiedziałem, co to jest. Robiłem grillowany ser. Piekłem kartofle. Kiedy naprawdę mam ochotę na coś wyrafino-wanego przyrządzam sobie garnek chili. Nie chodzę po mieście, żeby uwodzić dziewczyny na kurczaka sopa seca.

Sieka warzywa i wkłada je do garnka. Zostaję w kuchni i siadam na stołku.

– Co to jest kurczak sopa seca? – pytam.

– Nadal nie jestem tego pewien – mówi ze śmiechem. – Ale w to wchodzi ciasto, więc…

– Nigdy tego nie robiłeś?

– Hannah, ponownie cię pytam, z jakiej to niby okazji miałbym robić kurczaka sopa seca?

Śmieję się.

– Hm, to dlaczego go robisz? – pytam.

Nalewa wywar do garnka. Wygląda swobodnie.

– Bo jesteś z tych osób, które zasługują, żeby wokół nich się krzątać. Właśnie dlatego. A ja jestem ten facet, który się krząta.

– Mogłeś mi upiec bułkę cynamonową – mówię.

Śmieje się.

– Rozpatrzono i odrzucono. To zbyt oczywiste. Każdy daje ci bułki cynamonowe. Chciałem zrobić coś niespodziewanego.

Śmieję się.

– Hm, skoro nie robisz bułek cynamonowych, to co jest na deser?

– Ach! – mówi. – Cieszę się, że pytasz. – Wyjmuje pęk bananów.

– Banany?

– Deser bananowy. Mam zamiar włożyć ślicznotki do ognia.

– To jakiś straszny pomysł.

Śmieje się.

– Żartuję. Kupiłem owoce i nutellę.

– Och, dzięki Bogu.

– Jak się miewa Charlemagne? – pyta Ethan.

Charlemagne, dziecko, Gabby i Mark. Chcę to wszystko zostawić za drzwiami. Nie chcę żadnej z tych spraw przynosić tutaj.

– Nie mówmy o Charlemagne – mówię. – Porozmawiajmy o…

– Porozmawiajmy o tym, jaka z ciebie fajna dziewczyna – mówi Ethan. – Z nową pracą, nowym samochodem, psem i przystojnym chłopakiem, znawcą kuchni światowej klasy.

Teraz coś powinnam powiedzieć. Moja kolej. Ale ma takie dobre oczy, taką znajomą twarz. A w moim życiu tyle jest rzeczy niepokojących i nowych.

Całuje mnie. Natychmiast w niego wsiąkam, w jego oddech, w jego ramiona.

To wszystko musi się skończyć. To jest koniec.

Podnosi mnie ze stołka, a ja obejmuję go mocno ramionami.

Niesie mnie do sypialni. Zdejmuje ze mnie T-shirt. Zaczyna rozpinać mi biustonosz.

– Czekaj – mówię.

– Och nie, jest w porządku – odpowiada. – Sopa seca musi przez jakiś czas podusić się na małym ogniu. Nie przypali się.

– Nie – mówię. Siadam. Z powrotem wkładam T-shirt. – Jestem w ciąży.

P OD KONIEC DNIA PRZYCHODZI DOKTOR WINTERS, żeby sprawdzić, co u mnie. Gabby poszła do domu.

– Słyszałam, że rozbijałaś się po szpitalu na wózku inwalidzkim – uśmiecha się. To wymówka, ale uprzejma.

– A nie powinnam tego robić, prawda? – pytam.

– Wcale nie – mówi. – Ale mam na głowie inne, ważniejsze sprawy.

Uśmiecham się ze zrozumieniem.

– Twój powrót do zdrowia przebiega gładko. Prawie wyszliśmy na prostą, jeśli chodzi o ryzyko komplikacji.

– Tak?

– Tak – mówi, spoglądając na moją kartę pacjenta. – Powinnyśmy porozmawiać o następnych krokach.

– Okej – mówię. – Słucham.

– Jutro, około jedenastej, przyjdzie jeden z naszych fizjoterapeutów.

– Tak?

– Razem z nim ocenimy, jakie są twoje możliwości ruchowe, czego można się spodziewać w rozsądnym czasie, co powinnaś wiedzieć o rokowaniach.

– Świetnie.

– Zaproponujemy program i wstępne terminy, kiedy już będziesz mogła chodzić bez pomocy.

– Nieźle brzmi – mówię.

– Przed tobą jeszcze długa droga. Może być bardzo denerwująca.

– Wiem – mówię. – Przez tydzień uwiązana byłam do łóżka, opuszczałam je rzadko i tylko z czyjąś pomocą.

– Będziesz jeszcze bardziej zdenerwowana. Będziesz się uczyć, jak robić coś, o czym od dawna wiesz, jak to robić. Będziesz zła. Będzie ci się wydawało, że się poddajesz.

– Nie martw się – mówię. – Nie poddam się.

– Och, wiem – mówi ona. – Chcę tylko, żebyś wiedziała, że jeśli zachce ci się poddać, to nic takiego. Że przy tych ćwiczeniach małe załamanie to normalne. Będziesz musiała mieć cierpliwość dla siebie.

– Chcesz powiedzieć, że mam się ponownie uczyć chodzenia – wpadam jej w słowo. – Już o tym wiem. Jestem gotowa.

– Chcę powiedzieć, że masz ponownie nauczyć się życia – mówi. – Nauczyć się, jak przez dłuższy czas robić różne rzeczy rękami, a nie nogami. Nauczyć się, jak prosić o pomoc. Nauczyć się, kiedy doszło się do skraju, a kiedy można jeszcze chodzić. A przede wszystkim chcę ci powiedzieć, że wszystko, co mamy, jest do twojej dyspozycji. Jesteśmy w stanie pomóc ci przez to przejść. Dasz sobie radę.

Miałam wrażenie, że do pewnego stopnia wszystko miałam pod kontrolą, zanim tu weszła, ale teraz to się rozpadło.

– Dobrze – mówię ja. – Niech będzie, co ma być.

– Okej – mówi ona. – Jutro rano wpadnę sprawdzić, jak się czujesz.

– Świetnie – mówię, chociaż bez przekonania.

Jest czwarta po południu, ale wiem, że jeśli teraz zasnę, to obudzę się w sam raz, żeby zobaczyć się z Henrym. Więc właśnie to robię. Idę spać. Zostało mi jeszcze tylko parę nocy w szpitalu. Byłabym wściekła, gdybym którąś przespała.

O jedenastej, kiedy przychodzi, nie śpię. Jestem gotowa na jego żart, że ze mnie nocny marek, ale on nic takiego nie mówi. Po prostu mówi cześć.

– Cześć – odpowiadam.

Patrzy na moją kartę pacjenta.

– Więc już niedługo wychodzisz – mówi.

– Tak. Chyba po prostu za dobrze się czuję jak na to miejsce.

– Jeszcze o nikim zdrowym tutaj nie słyszałem.

Uśmiecha się do mnie zdawkowo, a potem sprawdza ciśnienie krwi.

– Pomógłbyś mi poćwiczyć stanie? – pytam. – Chcę ci pokazać, jak dobrze mi idzie. Dziś rano stałam prawie bez pomocy.

– Czeka na mnie mnóstwo pacjentów, więc chyba nie – mówi. Nawet na mnie nie patrzy.

– Henry? Co się z tobą dzieje?

Podnosi wzrok.

– Henry?

– Przenieśli mnie na dzienną zmianę, na inne piętro. Do ciebie przyjdzie miła kobieta, Marlene. Będzie się tobą opiekowała przez resztę twoich nocy tutaj.

Zdejmuje mi z ramienia mankiet i odsuwa się ode mnie.

– Och – mówię. – Okej. – Czuję się odrzucona. Odtrącona. – Możesz nadal wpadać, żeby chociaż powiedzieć cześć?

– Hannah – mówi Henry. Teraz jego głos jest ponury, poważny. – Nie powinienem zachowywać się wobec ciebie tak… przyjacielsko. To moja wina. Nie możemy dalej sobie żartować i się wygłupiać.

– Okej – mówię. – Dotarło do mnie.

– Nasze stosunki muszą pozostać zawodowe.

– W porządku.

– W tym nie ma niczego osobistego. – To zdanie zawisa w powietrzu. Myślałam, że to właśnie było osobiste. Chyba na tym polega problem.

– Muszę iść – mówi.

– Henry, daj spokój.

Czuję, że opanowują mnie emocje; słyszę, że głos mi się łamie. Rozpaczliwie próbuję się opanować. Wiem, że kiedy mu pokażę, że tak bardzo chcę się z nim znowu zobaczyć, tylko mocniej go od siebie odepchnę. Wiem. Ale czasem nic się nie poradzi, nie da się ukryć uczuć. Czasem, choćby się z całych sił próbowało stłumić uczucia, wychodzą w szklistości oczu, smutnym wygięciu warg, w roztrzęsionym głosie, w ściśniętym gardle.

– Jesteśmy przyjaciółmi – mówię.

Staje jak wryty. Podchodzi do mnie. Ma łagodny, współczujący wyraz twarzy. Nie chcę, żeby był łagodny i współczujący. Mam do cholery dość łagodności i współczucia.

– Hannah – mówi on.

– Dość – mówię ja. – Zrozumiałam. Przepraszam.

Patrzy na mnie i wzdycha.

– Chyba wszystko fałszywie zrozumiałam – mówię w końcu.

– Okej – mówi.

A potem wychodzi. Naprawdę wychodzi. Okręca się na pięcie i niknie za drzwiami.

Nie zasypiam, chociaż jestem zmęczona. Nie, że nie mogę zasnąć. Chyba mogę. Ale nadal mam nadzieję, że przyjdzie sprawdzić, jak się czuję.

O drugiej nad ranem przychodzi kobieta w jasnoniebieskim ubraniu szpitalnym i przedstawia się jako Marlene.

– Od dzisiaj będę się tobą opiekowała w nocy – mówi. – Jestem zaskoczona, że nie śpisz!

– Cóż, przespałam całe popołudnie – mówię ponuro..

Uśmiecha się uprzejmie i daje mi spokój. Zamykam oczy i mówię sobie, że trzeba spać.

Henry nie przyjdzie. Nie ma powodu, żeby czekać.

Wiecie co? Chyba nie zrozumiałam fałszywie tego całego cholerstwa.

Lubię go. Lubię być w jego towarzystwie. Lubię być obok niego. Lubię jego zapach i to, że nigdy dokładnie się nie goli. Podoba mi się jego zachrypnięty głęboki głos. Podoba mi się jego oddanie pracy. Podoba mi się, że taki w tym dobry. Po prostu on mi się podoba. Tak jak podobają się nam ludzie, którzy nam się podobają. Jak udaje mu się rozśmieszyć mnie, kiedy najmniej się tego spodziewam. Jak mniej bolą mnie nogi, gdy na mnie patrzy.

Albo… bo ja wiem. Może to wszystko sztuka pielęgniarstwa. Może każdy tak się przy nim czuje.

Wyłączam lampkę obok łóżka i zamykam oczy.

Dzisiaj przed południem doktor Winters powiedziała, że jutro mogę spróbować pochodzić.

Próbuję się na tym skoncentrować.

Skoro przeżyłam wypadek samochodowy, to dam sobie radę z namiętnością do nocnego pielęgniarza.

Serca są chyba jak nogi. Zrastają się.

NIE JEST TWOJE – MÓWIĘ DO ETHANA. On to wie, oczywiście, wystarczy policzyć. Ale chcę, żeby to było kryształowo jasne.

– Ale mogłoby być, prawda? – pyta mnie. – To znaczy, może w ubiegłym tygodniu...

Kręcę głową.

– Jestem w jedenastym tygodniu. Nie jest twoje.

– Czyje jest?

Robię wdech i wydech. Tylko to mi pozostało.

– Ma na imię Michael. Spotykaliśmy się w Nowym Jorku. Myślałam, że to poważniejsza sprawa niż była. Pod koniec byliśmy nieostrożni. On nie chce mieć kolejnego dziecka.

– Kolejnego dziecka?

– Jest żonaty, ma dwoje dzieci – mówię.

Wzdycha głośno, jakby niezupełnie mógł uwierzyć w to, co mówię.

– Wiedziałaś, że ma rodzinę?

– Trochę trudno to wyjaśnić – mówię. – Z początku nie wiedziałam. Długo zakładałam, że jest tylko ze mną. Ale przecież powinnam się domyślać i, powiedzmy, popełniłam... parę błędów.

– A teraz jest mu obojętne, że zaszłaś w ciążę? – Ethan wstaje, jest wściekły. Uczucia zaczynają grać, rzeczywistość go dopada. Łatwiej jest mu być wściekłym na Michaela niż na mnie albo na okoliczności. Więc przez chwilę zostawiam go z jego myślami.

– On nie chce dziecka – mówię. – To jego prawo. Wierzę w to, że mężczyzna ma prawo nie chcieć dziecka tak samo jak kobieta.

– I pozwolisz, żeby ten dupek tak cię potraktował?

– On nie chce dziecka. Jestem przygotowana, żeby dawać sobie radę sama.

To słowo, słowo „sama" sprowadza go z powrotem na ziemię.

– Co to oznacza dla nas? – pyta.

– Cóż, decyzja należy do ciebie.

Patrzy na mnie. Wbija we mnie oczy i nie ustępuje. Potem odwraca wzrok. Patrzy na swoje ręce leżące twardo na jego kolanach.

– Prosisz mnie, żebym został czyimś ojcem?

– Nie – zaprzeczam. – Ale nie mam też zamiaru wmawiać ci, że to niczego nie zmienia. Jestem w ciąży. A jeśli chcesz być ze mną, to znaczy, że będziesz musiał ze mną przez to przejść. Moje ciało będzie się bardzo zmieniać. Wpadnę w huśtawkę nastrojów. Kiedy przyjdzie czas na dziecko, będę się bała, będę ogłupiała, będzie mnie bolało. A potem, po porodzie, w moim życiu zawsze będzie dziecko. Jeśli chcesz być ze mną, będziesz z moim dzieckiem.

Słucha, milczy.

– Wiem, nie pytałeś o to – mówię.

– Tak, możesz to powtórzyć – rzuca. Patrzy na mnie z wyrzutem.

– Ale chciałam, żebyś wiedział i mógł podjąć decyzję dotyczącą twojej przyszłości.

– Naszej przyszłości – mówi on.

– Chyba tak – mówię ja. – Tak.

– Czego oczekujesz? – pyta.

O kurczę. Nie wiem nawet jak zacząć.

– Chcę, żeby moje dziecko było zdrowe i szczęśliwe i miało bezpieczne, stabilne dzieciństwo. – Chyba tylko tyle wiem na pewno.

– A my?

– Nie chcę cię stracić. Myślę, że między tobą a mną naprawdę coś jest, że to początek czegoś, co niesie dla nas wielką szansę... Ale za nic nie chciałabym nastawać, żebyś robił coś, na co nie jesteś gotowy.

– To jest mnóstwo – mówi – materiału do przemyślenia.

– Wiem – odpowiadam. – Masz tyle czasu, ile ci potrzeba. – Wstaję, gotowa do wyjścia, gotowa, żeby dać mu czas na przemyślenie tego.

Zatrzymuje mnie.

– Naprawdę jesteś gotowa, żeby zostać samotną matką?

– Nie – mówię. – Ale tak ułożyło mi się życie. A ja to przyjmuję.

– Rzecz w tym, że to może być błąd – mówi. – A jeśli pewnej nocy spędzonej z tym facetem popełniłaś błąd? Czy jesteś gotowa przeżyć całe życie z jego konsekwencjami? Czy ja mam żyć z jego konsekwencjami całe moje życie?

Znowu siadam.

– Muszę myśleć, że w tym szaleństwie jest metoda – mówię Ethanowi. – Że gdzieś tam, jest jakiś większy plan. Wszystko dzieje się z jakiejś przyczyny. Czy nie tak się mówi? Spotkałam Michaela i zakochałam się w nim, chociaż teraz jasno widzę, że nie był tym, za kogo go miałam. Pewnego wieczoru to się stało, ot tak, i zaszłam w ciążę. Może dlatego, że moim przeznaczeniem jest mieć to dziecko. Właśnie tak chcę na to patrzeć.

– A jeśli ja nie mogę tak na to patrzeć? Jeśli nie jestem gotowy przyjąć tego wszystkiego?

– Chyba następstwa byłyby takie: ty i ja dochodzimy do punktu, poza który nie potrafimy się przebić, czyli nie jesteśmy sobie przeznaczeni. Zgadza się? Czyli nie pasujemy do siebie. Chodzi mi o to, że życie pokaże, jak to się rozwinie. Jeśli wszystko, co się dzieje na świecie, to wynik przypadku i nie ma ładu ni składu, to dla mnie to jest zbyt chaotyczne, żeby sobie z tym poradzić. Musiałabym chodzić w kółko, podważać wszystkie podejmowane przez siebie decyzje, wszystkie decyzje, które jeszcze podejmę. Jeśli nasz los określony jest przez każdy krok, który robimy... to jest zbyt męczące. Wolę myśleć, że wszystko dzieje się tak, jak przeznaczenie tego chciało.

– Więc w końcu wybraliśmy odpowiedni czas, wreszcie możemy być razem, być tym, czym zawsze mieliśmy być. I nagle okazuje się, że nosisz dziecko innego mężczyzny, a ty mówisz: *que sera, sera?*

Chcę płakać. Chcę wrzeszczeć i krzyczeć. Chcę błagać go, żeby był ze mną przez cały czas, kiedy to się będzie działo. Chcę mu powiedzieć, że wieczór, w którym się ponownie spotkaliśmy, noc, którą spędziliśmy razem, to był pierwszy raz od dawna, kiedy czułam się swobodnie. Ale nie mówię. Bo to by tylko przeciągało sprawę. Tylko by sprawę pogarszało.

– Tak. *Que sera, sera.* Właśnie to mówię.

Wstaję i przechodzę do salonu. On idzie za mną. Czuję zapach kolacji. Przez chwilę żałuję, że mu powiedziałam. W tej chwili bylibyśmy w jego sypialni.

A potem myślę, że jeśli już mam czegoś żałować, to może powinnam żałować, że jestem w ciąży. Albo, że to nie jest jego dziecko. Albo że wyjechałam z Los Angeles. Albo że zerwaliśmy z Ethanem.

Zastanawiam się, jak inny byłby mój świat, gdyby któraś z tych rzeczy się nie zdarzyła. Nie można zmienić choćby jednej części, prawda? Kiedy się tak tutaj siedzi i żałuje, że sprawy nie przebiegły inaczej. Nie można żałować, że wszystko nie poszło dobrze. Trzeba myśleć także o tym, że wszystko mogło pójść źle. Lepiej trzymać się teraźniejszości i skupić się na tym, co można lepiej zrobić na przyszłość.

– Ethan – mówię – w chwili, gdy znowu cię zobaczyłam, po prostu wiedziałam, że ty i ja byliśmy... Chcę powiedzieć, jestem pewna, że ty i ja...

– Nie – mówi. – Tylko... nie w tej chwili, okej?

– Okej. Zostawię cię z twoim sopa seca. – Uśmiecham się czule i otwieram drzwi, żeby wyjść. Odprowadza mnie i zamyka drzwi.

Gdy docieram do ostatniego stopnia, woła do mnie. Odwracam się. Stoi u szczytu schodów, patrzy na mnie.

– Kocham cię – mówi. – Chyba nigdy nie przestałem cię kochać.

Zastanawiam się, czy zdołam dojść do samochodu, zanim wybuchnę płaczem, zanim przestanę być istotą ludzką i stanę się zwyczajną kałużą z cyckami i wysokim kokiem.

– Miałem ci to powiedzieć dziś wieczór – mówi Ethan. – Przed tym wszystkim.

– A teraz? – pytam.

Uśmiecha się do mnie gorzko-słodko.

– Nadal cię kocham – mówi. – Zawsze cię kochałem. Nigdy nie przestałem.

Opuszcza wzrok, potem znów patrzy na mnie.

– Tak sobie pomyślałem, że powinnaś wiedzieć... na wypadek... – Nie kończy zdania.

Nie chce wypowiadać tych słów i wie, że ja nie chcę ich usłyszeć.

– Ja też cię kocham – mówię, patrząc na niego. – Więc teraz wiesz. Tak na wszelki wypadek.

Szczęśliwie dla wszystkich zainteresowanych fizjoterapeuta nie jest w moim typie.

– Okej, panno Martin – mówi. – My…

– Ted, mów mi po prostu Hannah.

– W porządku, Hannah – mówi Ted. – Dzisiaj popracujemy nad staniem przy chodziku.

– Wydaje się łatwe – mówię, bo zazwyczaj tak mówię o wszystkim, a nie dlatego, żeby to wydawało się łatwe. Na tym etapie mojego życia to wydaje się dość trudne.

Zestawia moje stopy na ziemię. W tym już jestem dobra. Stawia przede mną chodzik. Podciąga mnie w jego stronę, opierając moje ramiona i pierś na swoich barkach. Przejmuje na siebie mój ciężar.

– Powoli spróbuj zdjąć ciężar ze swojej prawej stopy – mówi. Trzymam się go, ale próbuję się troszeczkę cofnąć. Kolana mi się rozjeżdżają.

– Powoli – mówi. – To maraton, a nie sprint.

– Nie wiem, czy powinieneś używać terminów sportowych wobec kogoś, kto nie może chodzić – odpowiadam.

Ale on się nie odszczekuje. Tylko się uśmiecha.

– Dobra uwaga, panno Martin.

Kiedy ludzie są dobrzy i szczerzy i nie wymądrzają się w odpowiedzi, moje sarkastyczne uwagi stają się na wskroś grubiańskie,

– Tylko żartowałam – mówię, natychmiast próbując zatrzeć swoje słowa. – Korzystaj z wszystkich analogii sportowych według uznania.

– Się zrobi – mówi.

Wchodzi doktor Winters, żeby sprawdzić, co z nami.

– Dobrze wygląda – mówi.

Jestem w na wpół stojącej pozycji w szpitalnym szlafroku i białych skarpetkach, opieram się o dorosłego mężczyznę, ręce trzymam na chodziku. Ostatnie, co można o mnie powiedzieć, to że dobrze wyglądam. Ale postanawiam mówić tylko miłe rzeczy, bo nie sądzę, żeby doktor Winters i Ted, fizjoterapeuta, byli gotowi na mój poziom sarkazmu. To dlatego potrzebny mi jest Henry.

Doktor Winters zaczyna zadawać pytania i kieruje je bezpośrednio do Teda. Mówią o mnie, a mnie ignorują. To jest tak, jak kiedy byłam mała i schodziły się przyjaciółki mamy, żeby powiedzieć: „Hm, czyż nie jest śliczna", albo: „Patrzcie, jaka milusia!", a ja zawsze chciałam odwarknąć: „Przecież tutaj jestem!"

Ted przesuwa się troszeczkę i przenosi więcej mojego ciężaru na moje stopy. Sama jakoś nie mogę utrzymać równowagi.

– Właściwie, Ted – mówię – czy możesz...

Wskazuję chodzik z prośbą, żeby postawił go dokładnie przede mną. Robi to. Chybotliwie odsuwam się od Teda i kładę obie ręce na chodziku. Sama utrzymuję się w pionie. Nie trzymam się innej osoby.

Doktor Winters klaszcze w dłonie. Jakbym uczyła się raczkować.

Tak długo można zniżać się do czyjegoś poziomu, dopóki nie ma się ochoty wyskoczyć ze skóry.

– Panno Martin, proszę mi powiedzieć, kiedy pani będzie znowu chciała usiąść – mówi Ted.

– Hannah! – mówię. – Mówiłam, zwracaj się do mnie Hannah! – Głos mam ostry i nieuprzejmy.

Ted nawet nie drgnie.

– Ted, może zostawisz Hannah i mnie na minutkę? – mówi doktor Winters.

Nadal o własnych siłach stoję przy chodziku. Ale już nikt mi nie wiwatuje.

Ted wychodzi i zamyka za sobą drzwi.

Doktor Winters odwraca się do mnie.

– Możesz usiąść o własnych siłach? – pyta.

– Tak – odpowiadam, chociaż nie jestem pewna. Próbuję ugiąć biodra, ale słabo to kontroluję. Ląduję na łóżku z większym impetem, niż zamierzałam. – Powinnam przeprosić Teda – mówię.

Ona się uśmiecha.

– Ech – mówi. – Niejedno już słyszał wcześniej.

– A jednak...

– To trudne – mówi lekarka.

– Tak – odpowiadam. – Ale dam radę. Po prostu chcę dać radę. Chcę, żeby przestano mnie traktować jak dziecko i chwalić, że czuję palce u stóp. Wiem, że to trudne, ale chcę to zrobić. Chcę zacząć chodzić.

– Nie chciałam powiedzieć, że chodzenie jest trudne – mówi lekarka. – Chodzi mi o to, że trudno jest nie móc chodzić.

– Trochę mnie nabrałaś – mówię ze śmiechem. – Twoje zdanie może wprowadzić w błąd.

Doktor Winters też zaczyna się śmiać.

– Wiesz, o co mi chodzi – mówi. – To musi być denerwujące. Ale nie da się tego przyspieszyć.

– Ja po prostu chcę stąd wyjść – mówię.

– Wiem, ale tego też nie możemy przyspieszyć...

– Daj spokój! – mówię coraz bardziej podniesionym tonem. – Całe dni leżałam na tym łóżku. Straciłam dziecko. Nie mogę chodzić. Siedzę tu od wieków. Mogę wstawać tylko wtedy, kiedy ktoś popycha mnie po tych paskudnych korytarzach. Coś tak prozaicznego, jak przejście o własnych siłach na drugą stronę pokoju, jest dla mnie nie do wyobrażenia. Właśnie jestem na takim etapie. Prozaiczność nie do wyobrażenia. I absolutnie nie mam kontroli nad niczym! Całe moje życie wpadło w korkociąg i nic na to nie poradzę. – I Henry. Teraz nie mam nawet Henry'ego.

Doktor Winters nic nie mówi. Tylko na mnie patrzy.

– Przepraszam – mówię. Biorę się w karby.

Podaje mi poduszkę. Biorę ją i patrzę na lekarkę, jakbym nie miała pojęcia do czego to wszystko zmierza.

– Przyłóż poduszkę do twarzy – mówi.

Zaczynam myśleć, że doktor Winters zwariowała.

– Po prostu zrób to – mówi. – Słuchaj mnie chociaż przez chwilę.

– Okej – mówię i przykładam poduszkę do twarzy.

– Dobrze, krzycz.

Odsuwam poduszkę od twarzy.

– Co?

Bierze poduszkę w ręce i ostrożnie przykłada mi do twarzy. Odbieram jej poduszkę.

– Krzycz, jakby twoje życie od tego zależało.

Próbuję krzyknąć.

– No, dalej, Hannah, możesz to zrobić lepiej.

Znów próbuję krzyknąć.

– Głośniej! – mówi.

Krzyczę.

– No, dalej!

Krzyczę głośniej, jeszcze głośniej i jeszcze głośniej.

– Tak! – mówi lekarka.

Krzyczę, dopóki mam powietrze w płucach, póki mam siłę w gardle. Robię wdech, znowu krzyczę.

– Nie możesz chodzić – mówi lekarka. – I straciłaś dziecko.

Krzyczę.

– Miną miesiące, zanim w pełni wrócisz do zdrowia –
mówi.

Krzyczę.

– Nie zatrzymuj tego w sobie. Nie ignoruj tego. Wy-
puść to.

Krzyczę, krzyczę, krzyczę.

Jestem zła, że jeszcze nie mogę chodzić. Jestem zła, że
doktor Winters ma rację, klaszcząc, kiedy staję za chodzikiem, bo wstawanie o własnych siłach nawet z chodzikiem
jest naprawdę bardzo trudne.

Jestem zła, że mnie boli.

I że tamta paniusia po prostu odjechała. Jakbym nic
nie znaczyła. Po prostu pojechała dalej, kiedy ja tam leżałam.

I jestem zła na Henry'ego. Bo dzięki niemu było lepiej, a teraz sobie poszedł. I przez niego głupio się czuję.
Bo myślałam, że mu na mnie zależy. Myślałam, że coś dla
niego znaczę.

I jestem zła, że nic nie znaczę.

Jestem zła, że miałam dziecko z Michaelem.

Jestem zła, że się w nim zakochałam.

Jestem zła, że moi rodzice pojawili się i zniknęli z mojego życia.

W tej chwili, właśnie teraz, mam wrażenie, że jestem
zła na cały cholerny świat.

Więc krzyczę w poduszkę.

Kiedy kończę, odsuwam poduszkę od twarzy, kładę ją
z powrotem na łóżku i zwracam się do doktor Winters.

– Jesteś gotowa? – pyta lekarka.

– Na co? – pytam ja.

– Na krok naprzód – mówi. – Na zaakceptowanie tego,
że jeszcze nie możesz chodzić. I na cierpliwość wobec siebie i wobec nas, kiedy będziesz się tego na powrót uczyła.

Nie jestem pewna. Więc biorę poduszkę i przykładam ją do twarzy. Krzyczę ostatni raz. Ale nie wkładam w to serca. Nie ma już niczego, żeby na to wrzeszczeć. Innymi słowy, nadal jestem zła. Ale to już nie kipi. To się gotuje na wolnym ogniu. A gotowanie na wolnym ogniu można opanować.

— Tak — mówię. — Jestem gotowa.

Staje naprzeciwko mnie. Pomaga mi się podnieść. Wzywa Teda do pokoju.

Oboje stają przy mnie, pomagają mi, trenują mnie, wprowadzają mnie w sztukę łapania równowagi na dwóch stopach.

---

KIEDY WRACAM DO DOMU, Charlemagne biegnie do mnie. Słyszę, jak Gabby wstaje z łóżka.

Wychodzi z sypialni i patrzy na mnie. Ona widzi po mojej minie, że nie poszło dobrze. Ja widzę po jej minie, że płakała.

— Wcześnie wróciłaś.

— Tak — mówię.

— Powiedziałaś mu?

— Tak.

Pokazuje kanapę, obie podchodzimy do niej i siadamy.

— Co powiedział?

— Nic? Wszystko? Przemyśli to.

Potem ja pytam:

— Czy Mark znowu dzwonił?

Mark dzwonił co najmniej dziesięć razy, odkąd się wyniósł. Gabby nie odebrała ani razu.

– Tak – mówi. – Ale znowu nie odbierałam. Jeszcze nie czas na rozmowę. Muszę się pozbierać i przygotować. Wysłucham go. Jakoś nie wykreślam go całkowicie.

– Rozumiem – mówię.

– Ale jestem też realistką. Długo miał romans. Nie wyobrażam sobie wytłumaczenia, które zmieniłoby moje zdanie na temat rozwodu.

– Nie kusiło cię, żeby odebrać telefon i nakrzyczeć na niego?

Śmieje się.

– Jeszcze jak. Jeszcze jak mnie kusiło. Wkrótce chyba to zrobię.

– Ale nie w tej chwili.

– I co mi to da? – mówi, wzruszając ramionami. – Na koniec rozmowy nadal będę sobą. On nadal będzie sobą. Nadal będzie mnie oszukiwał. Muszę to zaakceptować.

– Więc przynajmniej podchodzimy do naszych problemów bezpośrednio – mówię.

Patrzy na mnie i uśmiecha się smutno.

– Przynajmniej tyle.

– Niezła z nas parka, co?

Gabby jest rozdrażniona.

– No pewnie.

– Bez ciebie niczego bym nie zrobiła.

– Ja bez ciebie też – mówi.

– Chyba mam ochotę rozkleić się nad sobą i płakać – mówię. – W przewidywalnej przyszłości.

Kiwa głową.

– Słowo daję, świetnie to brzmi.

Obie osuwamy się na kanapie. Charlemagne dołącza do nas.

Obie cicho popłakujemy przez resztę wieczoru, zamieniając się rolami, to płacząc, to pocieszając.

Myślę, że dzięki temu rozczulaniu się nad sobą, jesteśmy w stanie pozbyć się części naszego strachu i bólu, bo kiedy budzimy się następnego dnia, obie czujemy się silniejsze, lepsze, bardziej przygotowane na stawienie czoła światu, choćby nie wiem jak dał nam popalić.

Wychodzimy na śniadanie, próbujemy żartować. Gabby przypomina mi, żebym zażyła witaminy prenatalne. Wyprowadzamy Charlemagne, a potem kupujemy jej psie posłanie i parę zabawek do gryzienia. Zaczynamy przyzwyczajać ją do żwirku, przenosząc ją przed drzwi wejściowe, kiedy siusia. Za każdym razem kiedy wygląda, jakby miała ochotę na siusiu, podnosimy ją i zabieramy do drzwi wejściowych, gdzie postawiłyśmy pojemnik ze żwirkiem.

Gabby i ja z niedościgłym entuzjazmem przybijamy piątkę za każdym razem, kiedy Charlemagne sama biegnie prosto do żwirku.

Kiedy tego wieczoru dzwoni Mark, Gabby odbiera. Spokojnie słucha tego, co on ma jej do powiedzenia. Nie podsłuchuję. Chcę jej dać swobodę.

Dopiero po paru godzinach przychodzi do mnie do pokoju.

– Milion razy przepraszał. Mówi, że nigdy nie chciał mnie zranić. Mówi, że nienawidzi siebie za to, co zrobił.

– Okej – mówię.

– Mówi, że chciał mi powiedzieć. Że zbierał się na odwagę, żeby mi powiedzieć.

– Okej... – Ma roztrzęsiony głos, denerwuje mnie to.

– Kocha ją. I chce rozwodu.

Siadam na łóżku.

– Właśnie on chce rozwodu?

Gabby kręci głową, jest tak samo oszołomiona jak ja.

– Mówi, że mogę zachować dom. Nie będzie ze mną walczył o niego. Mówi, że zasługuję na wszystko, co może

mi dać. Mówi, że mnie kocha, ale nie jest pewien, czy kiedykolwiek był we mnie zakochany. I że mu przykro, że
zabrakło mu odwagi, żeby wcześniej zmierzyć się z tym
faktem.

Usta mam szeroko otwarte.

– Mówi, że kiedy patrzy na to wstecz, to powinien
inaczej się do tego wziąć, ale wie, że to jest dobre dla nas
obojga.

– Zabiję go – mówię.

Kręci głową.

– Nie – mówi. – Dla mnie to prawie w porządku.

– Co?

– Hm, przede wszystkim chyba mi to nie przeszkadza –
mówi. – Więc przyjmuj to ze szczyptą soli.

– Okej…

– Ale zawsze miałam wrażenie, że gdzieś tam jest ktoś
lepszy.

– Naprawdę?

– Tak – mówi. – Chodzi o to, że byliśmy razem, odkąd spotkaliśmy się w college'u, potem oboje poszliśmy
do kolejnych szkół. Kto miał czas, żeby wtedy zająć się
randkowaniem? Więc zostałam z nim, bo… naprawdę nie
widziałam powodu, żeby z nim nie zostać. Było nam z sobą
wygodnie. Byliśmy nawet szczęśliwi. A potem, doszłam do
wieku, w którym chce się mieć męża. Między nami było
fajnie. Zawsze było fajnie.

– Ale tylko fajnie?

– Właśnie – mówi. – Chociaż nie wiem. Po prostu
czasem myślę, że mogę mieć więcej niż tylko fajne. Kogoś,
kto sprawi, że będę widziała w nim samą doskonałość. Ale
chyba przestałam wierzyć, że coś takiego istnieje. I pomyślałam: a może jednak wyjść za faceta takiego jak Mark?
To miły facet.

– Raczej wątpliwe.

Gabby się śmieje.

– Prawda. Teraz to wątpliwe. Ale wtedy się nie zastanawiałam. Wiesz? Byłam z ustabilizowanym mężczyzną, który chciał się ze mną ożenić, kupić dom i robić wszystko, co się w takich wypadkach robi. Nie widziałam powodu, żeby z tego nie skorzystać tylko dlatego, że jest na czwórkę z plusem. I byłam bardzo szczęśliwa. Ale wątpię, czy gdyby to się nie zdarzyło, powiedziałabym coś na ten temat. Po prostu o tym nie myślałam. Byłam szczęśliwa. Naprawdę.

Znowu zaczyna płakać.

– Dobrze się czujesz? – pytam.

– Nie – mówi i bierze się w garść. – Jestem zdruzgotana. Ale…

– Ale co?

– Ale kiedy to powiedział, zaczęłam myśleć, że gdybym gdzieś spotkała kogoś, kto bardziej by mi odpowiadał, kogoś, kto wzbudzałby we mnie takie gorące uczucia, to chciałabym odejść od Marka. To prawda. Chciałabym odejść. Nie sądzę, że zrobiłabym to, co on zrobił. Ale chciałabym.

Do pokoju wchodzi Charlemagne i zwija się w kłębek.

– I co teraz? – pytam.

– Teraz? – mówi Gabby. – Nie wiem. Za trudno teraz myśleć długoterminowo. Jestem załamana i nieszczęśliwa, trochę mi ulżyło i jestem zażenowana. Aż mi się niedobrze robi.

– To może podejdziemy do tego planowo – mówię.

– Tak.

– Naprawdę mam ogromną ochotę na bułki cynamonowe – mówię.

Śmieje się.

– Fantastyczny pomysł – mówi. – Pewnie z grubym lukrem.

– Kto by chciał bułkę cynamonową z cienkim lukrem? – pytam.

– Dobra uwaga.

– Może w tej chwili wystarczy nam, jeśli kupimy bułki cynamonowe z grubym lukrem?

– Tak – mówi. – Ja i ciężarna paniusia wcinamy pół tuzina bułek cynamonowych.

– Właśnie.

Wychodzi, żeby włożyć buty. Wkładam kurtkę i klapki. W Los Angeles to uchodzi.

Wsiadamy do samochodu.

– Ethan nie dzwonił do ciebie, prawda? – pyta Gabby. Kręcę głową.

– Zadzwoni, kiedy będzie wiedział, czego chce.

– A wcześniej? – pyta.

– Nie mam zamiaru wyczekiwać na telefon jakiegoś mężczyzny – mówię, drażniąc się z nią. – Moja najlepsza przyjaciółka nie zniosłaby tego.

Wzrusza ramionami.

– Bo ja wiem? – mówi. – Są okoliczności łagodzące.

– A jednak – mówię – jeśli on chce być ze mną, to ze mną będzie. Jeśli nie, robię swoje. Mam dziecko, które muszę wychować. Pracę, którą podejmę. Czeka mnie wiele wyzwań. Nie wiem, czy ci mówiłam, ale moja najlepsza przyjaciółka się rozwodzi.

Gabby się śmieje.

– Ty mi to mówisz! Moja ma dziecko z nie swoim chłopakiem.

– Nie chrzań! – mówię.

– Tak! – mówi Gabby. – I pewnego dnia przyszła do domu z psem, którego ni stąd, ni z owąd postanowiła adoptować.

242

– Świetnie – mówię. – Twoja przyjaciółka wygląda na świra.

– Twoja też – mówi Gabby.

– Myślisz, że z nimi będzie dobrze? – pytam.

– Wiem, że powinnam powiedzieć, że tak, ale po prawdzie, myślę, że są z góry skazane.

Obie zaczynamy się śmiać. To chyba jest znacznie, ale to znacznie śmieszniejsze dla nas, niż byłoby dla kogoś innego. Ale sposób, w jaki powiedziała, że jesteśmy z góry skazane, jasno wskazuje, że właśnie nie jesteśmy z góry skazane. I można się wyluzować i śmiać się z tego.

---

WYCHODZĘ ZE SZPITALA PO JEDENASTU DNIACH. Za dwie doby mam tutaj wrócić, ale już jako pacjent ambulatoryjny. Będę się spotykać z Tedem, sumiennym fizjoterapeutą kilka razy tygodniu w najbliższej przyszłości.

Doktor Winters przygotowała mnie do tego. Omówiła ze mną wszystkie szczegóły, znam je na wylot.

Jest tutaj Gabby, pomaga mi spakować rzeczy. Nawet samodzielne pójście do toalety, to dla mnie problem. Ale powoli tam idę. Chcę umyć zęby.

Z pomocą chodzika podchodzę do umywalki.

Stoję przed lustrem i po raz pierwszy od prawie dwóch tygodni naprawdę siebie widzę. Po lewej stronie twarzy, w okolicach skroni mam blady siniak. To na pewno był problem, kiedy tu mnie przywieźli, ale teraz jest już nieźle. Na pewno wyglądam blado. Ale gdybym miała zgadywać, to w równej mierze wynik przebywania całymi dniami w czterech ścianach, jak stanu mojego zdrowia. Włosy mam skołtunione. Od wieków nie brałam porządnego prysznica.

Nie mogę się doczekać, kiedy prześpię się w prawdziwym łóżku, wykąpię się i może wysuszę włosy suszarką. Żeby to się udało, trzeba było dokonać pewnych przygotowań. Mark wstawił pod prysznic siedzenie. Och, żeby się umyć bez pomocy! Są sprawy, które należą do świata marzeń.

Teraz, kiedy wychodzę ze szpitala, zaczynam zdawać sobie sprawę, ile mnie to opóźniło. Wiem na pewno, że przynajmniej parę tygodni temu poszłabym na miasto kupić samochód albo zaczęła szukać pracy. Tymczasem nie jestem nawet na starcie, ale głęboko z tyłu, za nim.

Ale wiem też, że przeszłam długą drogę, i wracając do zdrowia, i jako człowiek. Stanęłam w obliczu spraw, których inaczej bym nie poznała. I patrząc na swoją twarz w lustrze, po raz pierwszy, odkąd tu przybyłam, stwierdzam, że jestem gotowa stanąć wobec najwstrętniejszej z prawd: w istocie to może być akt łaski losu, że tutaj stoję, nieobciążona pączkującym we mnie życiem.

Nie jestem gotowa na macierzyństwo.

Zupełnie.

Powoli szczotkuję zęby. Kiedy już je umyłam, są czyste i śliskie.

– Dlaczego w twoim pokoju zawsze jest budyń? – pyta mnie Gabby.

Obracam się napędzana powolnymi zrywami energii.

Trzyma w dłoni kubek z puddingiem czekoladowym. Nie wiem, kiedy tu się znalazł. Ale wiem, że to sprawka Henry'ego.

Wczoraj, w którymś momencie, zostawił dla mnie pudding. Zostawił mi czekoladowy pudding. Czy to może coś znaczyć?

Gabby skończyła już o puddingu. Przeszła do innych spraw.

– Wkrótce przyjdzie doktor Winters, żeby sprawdzić, jak się czujesz – mówi. – A ja przeczytałam wszystkie dokumenty. Przestudiowałam rehabilitację fizjoterapeutyczną…

Nie zostawia się tak sobie puddingu komuś, kto nas nie obchodzi.

– Możesz przysunąć mi wózek? – pytam.

– Och – mówi. – Jasne. Myślałam, że będziesz korzystała z chodzika, dokąd stąd nie wyjdziemy.

– Chcę znaleźć Henry'ego – mówię.

– Nocnego pielęgniarza?

– Zaczął pracować na dzienną zmianę, na innym piętrze. Chcę go znaleźć. Chcę go zaprosić na randkę.

– Czy to dobry pomysł? – pyta Gabby.

– Zostawił mi pudding – mówię.

To moja cała odpowiedź. Ona czeka, ma nadzieję na coś więcej, ale ja nic nie dodaję. To wszystko, co mam do powiedzenia: „Zostawił mi pudding".

– Mam pójść z tobą? – pyta, kiedy dociera do niej, że nie mam zamiaru zmienić zdania.

Kręcę głową.

– Chcę to zrobić sama.

Siadam na łóżku. Zajmuje mi to pełne trzydzieści sekund. Ale kiedy już siedzę, natychmiast czuję się lepiej. Gabby stawia obok mnie wózek inwalidzki.

– Jesteś pewna, że nie mam z tobą iść? Może bym cię popchała?

– I tak będę musiała prosić cię o pomoc pod prysznicem. Mój poziom godności jest całkiem niski, więc po prostu mam nadzieję, że oszczędzę sobie tego doświadczenia, kiedy ty będziesz patrzyła, jak mówię komuś, że coś do niego czuję, a on pewnie to odrzuci.

245

– To jest chyba coś takiego, że lepiej poczekać i pomyśleć – mówi.

– I kiedy mu powiedzieć? Co mam robić? Zadzwonić do niego? „Halo szpital. Henry'ego proszę. Tu Hannah".

– Trzy razy h – mówi Gabby.

– Tego rodzaju odwagę można zmobilizować w sobie tylko parę razy w życiu. Jestem tak głupia, że teraz zrobiłam się odważna. Więc pomóż mi usiąść na tym cholernym wózku, żebym mogła zrobić z siebie durnia.

Gabby się uśmiecha.

– W porządku, masz, co chcesz.

Zaczyna mi pomagać usiąść na wózku i wkrótce już się toczę.

– Życz mi szczęścia! – mówię i jadę do drzwi. Gwałtownie hamuję, tak jak się nauczyłam. – Czy myślisz, że czasem można po prostu wyczuć człowieka?

– Niby, że go spotykasz i myślisz, że nie jest taki jak inni, że jest kimś?

– Tak – mówię. – Właśnie tak.

– Bo ja wiem? – komentuje Gabby. – Może. Chciałabym tak myśleć. Ale nie jestem pewna. Kiedy spotkałam Marka, pomyślałam, że wygląda jak dentysta.

– Przecież jest dentystą – mówię zbita z tropu.

– Tak, ale kiedy byliśmy w college'u, kiedy miałam jakieś dziewiętnaście lat, pomyślałam, że ten facet wygląda tak, że będzie z niego dentysta.

– Wyglądał na statecznego? Inteligentnego? Co chcesz powiedzieć?

– Nic – mówi. – Nieważne.

– Myślałaś, że wygląda na nudziarza? – pytam, próbując dojść do sedna.

– Myślałam, że wygląda nijako – mówi Gabby. – Myliłam się, prawda? Chcę po prostu powiedzieć, że do męża nie czułam tego, o czym teraz mówisz. I okazało się, że to wspaniały facet. Więc nie mogę potwierdzić ani zaprzeczyć, że można kogoś zwyczajnie wyczuć.

Myślę, że można. Tak właśnie myślę. Chyba zawsze tak myślałam. Po raz pierwszy tak pomyślałam, gdy spotkałam Ethana. Pomyślałam, że jest w nim coś innego, coś specjalnego. I miałam rację. Patrz na to, co jest. Okazało się, że to nie na całe życie, ale i tak okej. To było prawdziwe, kiedy się działo.

A teraz to samo czuję do Henry'ego.

Ale nie wiem, jak pogodzić to ze słowami Gabby. Nie chce powiedzieć, że można wyczuć, że spotyka się kogoś odpowiedniego dla siebie, a potem przyjąć to, że Mark nie jest tym jedynym dla niej.

– Może niektórzy ludzie potrafią wyczuwać – podsuwam.

– Tak – mówi Gabby. – Może niektórzy ludzie potrafią. Tak czy siak, uważasz, że to czujesz. To się liczy.

– Tak – mówię. – Zgadza się. Ja mu to powiem.

– Co mu powiesz? – pyta Gabby.

– Właśnie – mówię, odwracając wózek tyłem do niej. – Co ja mu powiem? – Przez chwilę zastanawiam się nad tym. – Powinnam poćwiczyć. Ty będziesz Henry.

Gabby uśmiecha się i siada na łóżku, przybiera afektowaną męską pozę.

– Nie, on nie jest taki – mówię. – I stałby.

– Och – mówi Gabby, wstając. – Przepraszam, chciałam tylko, żeby to poszło łatwiej, bo ty…

– Siedzę na wózku, zgadza się – mówię. – Ale nie rozpieszczaj mnie. Jeśli będę jechała wózkiem po korytarzach, żeby go znaleźć, to najprawdopodobniej on będzie stał, a ja będę siedziała.

– Okej – mówi Gabby. – Do boju.

Robię głęboki wdech. Zamykam oczy.

– Henry, wiem, że to zabrzmi dziwnie…

– Nie – mówi Gabby. – Nie zaczynaj od tego. Nigdy nie zaczynaj od: „wiem, że to zabrzmi dziwnie". Pokaż siłę. On będzie szczęśliwy z tobą. Masz nadzwyczajne nastawienie, brylantowe serce, zaraźliwy optymizm. Jesteś kobietą z marzeń. Pokaż siłę.

– Okej – mówię i patrzę sobie na nogi. – Bo ja wiem, Gabby, jestem kaleką. To nie jest moja najsilniejsza chwila.

– Jesteś Hannah Martin. Twoja najsłabsza chwila jest chwilą siły. Bądź Hannah Martin. Niech to usłyszę.

– Okej – mówię i zaczynam od początku. Potem to po prostu ze mnie wychodzi. – Henry, myślę, że coś między nami jest. Wiem, jestem pacjentką, a ty jesteś pielęgniarzem, a to jest całkowicie przeciwko zasadom, ale naprawdę wierzę, że możemy dla siebie coś znaczyć i powinniśmy to sprawdzić. Często zdarza ci się powiedzieć to o kimś i to na poważne? Że oboje macie szansę na coś wielkiego? Chcę sprawdzić, jak skończymy. Jest w tobie coś, Henry. Jest w nas coś. Ja to po prostu czuję. – Patrzę na Gabby. – Okej, jak poszło?

Gabby wpatruje się we mnie.

– Naprawdę to czujesz?

Kiwam głową.

– Tak.

– Jedź, szukaj go! – mówi. – Po jaką cholerę ćwiczysz na mnie?

Śmieję się.

– Jak sądzisz, co on powie?

– Nie wiem – mówi Gabby. – Ale jeśli ci odmówi, to jest tak wielkim idiotą, że na pewno unikniesz poważnego problemu.

– To mi nie dodaje odwagi.

Gabby wzrusza ramionami.

– Czasem prawda jej nie dodaje – mówi. – Już jedź.

Więc jadę.

Wytaczam się z sali i pędzę korytarzem do pokoju pielęgniarek. Pytam, gdzie jest Henry, a one mówią, że nie wiedzą. Więc wsiadam do windy, jadę na najwyższe piętro i zaczynam jeździć po korytarzach. Nie przestanę, póki go nie znajdę.

NIEDZIELA WIECZÓR. Razem z Gabby oglądamy film. Charlemagne leży na psim posłaniu u naszych nóg. Zamówiłyśmy tajskie jedzenie i Gabby zjadła cały słodko-kwaśny makaron, zanim zdołałam się do niego dorwać.

– Wiesz, że jestem w ciąży, prawda? Powinnam chociaż dostać szansę, żeby coś zjeść.

– Mój mąż mnie oszukiwał, a potem mnie rzucił – mówi Gabby. Nawet nie podnosi wzroku. Po prostu wpycha kluski do ust, nie odrywając oczu od telewizora. – W tej chwili nie muszę być dla nikogo miła.

– Uff, świetnie, wygrałaś.

Dzwoni telefon, patrzę na identyfikator dzwoniącego, jestem oszołomiona. To Ethan.

Gabby zatrzymuje film.

– No, odbierz! – mówi.

Odbieram.

– Cześć – mówię ja.

– Jak się masz – mówi on. – Dzwonię nie w porę?

– W porę.

– Myślałem, czyby nie wpaść – mówi. Mógłbym pod-
jechać.

– Tak – odpowiadam. – Absolutnie. Przyjeżdżaj.

Rozłączam się i patrzę na Gabby.

– Co on powie? – pytam.

– Właśnie miałam ciebie zapytać. Co on powiedział?

– Powiedział, że chce wpaść. Powiedział, że podjedzie.

– Jedno czy drugie. Wpadnie czy podjedzie.

– Oba naraz. Najpierw powiedział jedno, potem drugie.

– Co było pierwsze?

– Zajdzie. To znaczy wpadnie. Tak, potem powiedział
„podjadę".

– Nie wiem, czy to dobrze, czy źle – mówi Gabby.

– Ja też nie wiem. – Nagle ogarnia mnie rozpacz. Co
się stanie? – Myślisz, że po tym wszystkim on jednak się
zdecydował? Że nie muszę go stracić?

– Nie wiem! – mówi Gabby.

Jest cała w nerwach, tak samo jak ja.

– Ludzie w zasadzie nie powinni zrywać ze swoimi
chłopakami, kiedy są w ciąży – mówię. – Całe te nerwy
nie mogą być dobre dla dziecka.

– Przebierzesz się? – pyta Gabby.

Patrzę na siebie. Noszę czarne legginsy i obszerną bluzę.

– Powinnam?

– Łagodnie mówiąc, tak.

– Okej – odpowiadam. – Co włożyć?

Wstaje i idę do mojego pokoju, myśląc, jak się ubrać.

– A może ten czerwony sweter?! – krzyczy Gabby
w stronę schodów. – I tylko dżinsy, czy coś tam. Najzwyczajniejsze ubranie.

– Tak, okej – mówię, wystawiając głowę, żeby z nią
porozmawiać. – Najzwyczajniejsze, ale ładne.

– Zgadza się! – krzyczy. – I popraw kok. Rozłazi się.

– Okej.

Dzwonek u drzwi, kiedy nakładam makijaż. Ostatnio czuję się taka gruba. Nie wiem, czy naprawdę jestem gruba, czy tylko myślę, że jestem gruba. A może jest i tak, i tak.

– Ja otworzę drzwi! – wrzeszczy Gabbi. Słyszę jak wbiega po schodach, nie w stronę drzwi, ale do mnie. – Ale zanim to zrobię… – mówi, stając przed moim pokojem.

– Tak?

– Jesteś fantastyczna. Jesteś inteligentna i jesteś kochana, i jesteś najlepszą przyjaciółką, jaką w życiu miałam. Po prostu jesteś naj, naj, najlepszym człowiekiem we wszechświecie. Nigdy o tym nie zapominaj.

Uśmiecham się do niej.

– Okej – mówię.

A potem Gabby się odwraca i biegnie do drzwi. Słyszę, jak się wita z Ethanem. Wychodzę z pokoju i schodzę na dół.

– Cześć – mówię do niego.

– Cześć – mówi. – Możemy porozmawiać?

– Jasne.

– Idźcie do salonu – mówi Gabby. – I tak miałam zabrać Charlemagne na spacer.

Ethan nachyla się i głaszcze Charlemagne, a Gabby chwyta smycz i wsuwa na stopy pantofelki. Potem z Charlemagne znika za drzwiami.

Ethan patrzy na mnie.

Nie musimy nic mówić. Poznaję po smutnym wyrazie jego twarzy, co przyszedł powiedzieć.

Skończone.

Ja muszę tylko przez to przejść. Tylko tyle muszę zrobić. A kiedy sobie pójdzie, mogę płakać, póki się nie zestarzeję.

– Usiądźmy, proszę – mówię.

Jestem dumna, że głos mi nie drży.

– Nie mogę – mówi i się nie rusza.

– Wiem – mówię.

Głos mu się łamie. Podbródek zaczyna się trząść, chociaż tylko lekko.

– Myślałem, od wielu lat, że jak do mnie wrócisz, wszystko będzie dobrze. – Jest taki smutny, że brakuje miejsca dla mojego smutku.

– Wiem – mówię. – No usiądźże.

Prowadzę go do kanapy. Siadam, żeby i on usiadł. Siedzenie pomaga smutnym, myślę. Później, jak już pójdzie, kiedy znowu będę smutna, usiądę. Usiądę właśnie tutaj.

– Wszystko zepsułem. W college'u nie powinniśmy zrywać. Powinniśmy zostać razem. Powinniśmy... powinniśmy postąpić zupełnie inaczej.

– Wiem – mówię.

– Nie jestem gotowy – mówi. – Nie mogę tego zrobić.

Wiedziałam, że tak powie, ale gdy słucham tych słów, czuję się, jakby ktoś uderzył mnie pięścią w pierś.

– Doskonale rozumiem – mówię, bo to prawda.

Szkoda, że rozumiem. Może wtedy mogłabym być zła. Ale nie mam o co być zła. To wszystko moja sprawka.

– Od wielu dni próbowałem pogodzić się z tą myślą. W kółko powtarzałem sobie, że się do tego przyzwyczaję. Że będzie w porządku. Ciągle powtarzam sobie, że jeśli ktoś postępuje wobec ciebie jak trzeba, nic nie powinno stanąć sprawie na drodze. Ciągle próbuję przekonać się, że dam sobie radę.

– Nie musisz...

– Nie – mówi. – Kocham cię. Wtedy mówiłem to poważnie i teraz też. I chcę z tobą przeżyć wszystko w życiu. I chcę być takim mężczyzną, który powie: „Okej, jesteś w ciąży z innym, ale damy sobie radę". Ale nie jestem takim mężczyzną, Hannah. Nie jestem jeszcze gotów na własne dziecko. Nie mówiąc o wychowywaniu cudzego. I wiem, co powiesz, że nie będzie ze mnie ojciec. Ja to wiem. Ale jak mogę cię kochać i nie dzielić tego z tobą? Jak mogę nie być przy tym wszystkim? To wbiłoby klin między nas, zanim by coś się zaczęło.

– Ethan, posłuchaj, zrozumiałam – mówię. – Przykro mi, że stawiam cię w takim położeniu. Nigdy nie chciałam ci tego robić. Żebyś wybierał między życiem, którego chcesz, a życiem ze mną.

– Chcę mieć kiedyś własną rodzinę. A jeśli teraz powiem ci tak, jeśli powiem, że myślę, że możemy być razem, kiedy będziesz miała to dziecko, to jakbym teraz godził się mieć rodzinę z tobą. Jestem całkowicie przekonany, że razem możemy mieć wspaniałe życie. Ale nie sądzę, żebyśmy byli na to gotowi, na to, żeby mieć dziecko. Nawet gdyby było moje.

– Cóż, nigdy się nie wie, na co jest się gotowym, póki nie musi się temu stawić czoła – mówię.

Nie próbuję do niczego go przekonać. Właśnie tego niedawno się nauczyłam.

– Gdybym przyszedł tydzień temu i powiedział: „Hannah, miejmy razem dziecko", co ty byś powiedziała?

– Powiedziałabym, że to coś pomylonego. – Nie podoba mi się myśl, że on ma rację. – Powiedziałabym, że nie jestem gotowa.

– Nie jestem gotowy do uznania dziecka innego mężczyzny – mówi. – I wstyd mi za to. Naprawdę. Bo chcę być tym mężczyzną, którego potrzebujesz. Ile razy ci mówiłem, że nie będziemy w stanie tego zepsuć?

Kiwam ze zrozumieniem głową.

– Chcę być tym odpowiednim dla ciebie mężczyzną – mówi dalej. – Ale nie jestem. Nie mogę uwierzyć, że to mówię, ale… nie jestem odpowiednim dla ciebie mężczyzną.

Patrzę na niego. Nic nie mówię. Cokolwiek bym powiedziała, nie zmieniłoby to naszego nastroju. Znacznie bardziej lubię problemy, które da się rozwiązać, spory, w których jeden ma rację, a drugi jej nie ma, i wystarczy po prostu pomyśleć, kto ma rację.

To nie ten przypadek.

Ethan wyciąga rękę i łapie mnie za moją. Ściska ją. I po tym jednym ruchu już nie on jest smutny. Ja jestem smutna.

– Kto wie? – mówi. – Może za parę lat skończę jako samotny tata i znowu się odnajdziemy. Może to tylko kwestia czasu. Może teraz to nie jest nasz czas.

– Może – mówię. Serce mi pęka. Czuję to.

Z trudem przełykam i się opanowuję.

– Zostawmy to – mówię. – Tak jak w ogólniaku, to nie jest nasz czas. Może pewnego dnia on nadejdzie. Może to środek dłuższej historii miłosnej.

– Podoba mi się ta myśl.

– A może po prostu nie jest nam przeznaczone być razem – mówię. – I może tak jest w porządku.

Kiwa lekko głową i patrzy w dół, na swoje buty.

– Może – mówi. – Tak, może.

Henry'ego nie ma na moim piętrze ani na wyższych piętrach. Sprawdzałam u pielęgniarek, administratorów, trzech lekarzy i dwóch gości pacjentów, których pomyłkowo wzięłam za personel. Przejechałam po dwóch różnych stopach dwojga różnych ludzi i przewróciłam kosz na śmieci. Nie sądzę, żeby samodzielna jazda na wózku inwalidzkim była taka trudna. Pewnie to ja jestem taka nieskoordynowana.

Kiedy zrezygnowałam na szóstym piętrze, wróciłam do windy i pojechałam na czwarte. To moja ostatnia próba. Według guzików w windzie na pierwszych trzech piętrach jest hol, kawiarnia i biura administracji, więc powinien być na czwartym. Jedynym, jakie zostało.

Otwierają się drzwi windy, czeka przed nimi jakiś mężczyzna. Zaczynam się wytaczać, trzyma drzwi otwarte, kiedy przejeżdżam. Uśmiecha się i wchodzi do windy. Jest nieszablonowo przystojny, coś przed pięćdziesiątką. Przez chwilę zastanawiam się, czy uśmiechnął się, bo myśli, że jestem atrakcyjna, ale potem przypominam sobie, że jestem inwalidką. Po prostu pożałował mnie, chciał mi pomóc. Ta myśl mi dopieka. To tak, jak kiedy ludzie przyglądali mi się w spożywczym, niby że mam piękne włosy, a potem docierało do mnie, że kapie mi z nosa. Tyle że to jest gorsze, mówiąc szczerze. W incydencie z kapiącym nosem było mniej protekcjonalizmu.

Otrząsam się z tego, tak jak otrząsam się z wszystkiego, co mi doskwiera, robię głęboki wdech i jestem gotowa potoczyć się dalej, żeby dotrzeć do Henry'ego. Zatrzymuje mnie pielęgniarka.

– Może pomóc? – pyta.

– Tak – mówię. – Szukam Henry'ego. Jest tutaj pielęgniarzem.

– Jak się nazywa? – pyta. Jest wysoka, ma szerokie ramiona i krótkie, szorstkie włosy. Wygląda, jakby była w zawodzie od dawna i miała go dosyć.

Przecież nie wiem, jak się Henry nazywa. Żadna z innych pielęgniarek o to nie pytała, ale pewnie dlatego, że na ich piętrze żaden Henry nie pracował. Fakt, że o to zapytała, jest całkiem niezłą wskazówką, że on tutaj jest.

– Wysoki, ciemne włosy, brązowe oczy – mówię. – Ma tatuaż. Na przedramieniu. Pani wie, o kim mówię.

– Przepraszam, panienko, nie mogę pomóc. Pani jest pacjentką z którego piętra? – Naciska guzik windy. Chyba to dla mnie.

– Co? Z piątego – mówię. – Nie, proszę posłuchać. Henry z tatuażem. Muszę z nim porozmawiać.

– Nie mogę pomóc – mówi.

Winda przed nami dzwoni i drzwi się otwierają. Ona patrzy na mnie wyczekująco. Nie ruszam się. Ona unosi brwi, ja unoszę brwi. Winda się zamyka. Ona unosi oczy do góry.

– Henry'ego dzisiaj nie ma – mówi. – Zaczyna na mojej zmianie jutro. Nie spotkałam go, więc nie jestem pewna, czy to ten Henry, o którym pani mówi, ale Henry, którego znam, został przeniesiony do mnie, bo jego szef uznał, że za bardzo zbliżył się do pacjenta. – Widzi zmianę na mojej twarzy, robi się mniej sztywna. – Widzi pani moje wahanie – mówi. Znowu naciska guzik.

– Miał kłopoty? – pytam i w chwili, gdy wypowiadam to pytanie, wiem, że nie należało go zadawać.

Ona marszczy brwi, jakbym potwierdziła jej najgorsze obawy na swój temat, jakbym niczego nie rozumiała.

– Cofam pytanie – mówię. – Zapewne nie pomoże mi pani znaleźć go poza szpitalem, prawda? Żadnego nazwiska, żadnego numeru telefonu?

– Zgadza się – mówi.

Kiwam głową.

– Przyjmuję do wiadomości – mówię. – Mogę zostawić wiadomość? Z moim numerem telefonu?

Milczy po stoicku, ma kamienny wyraz twarzy.

– Domyślam się, że nawet gdybym to zrobiła, wyrzuciłaby to pani.

– Nie marnowałabym na to czasu – mówi ona.

– Okej – mówię ja. Wreszcie trafia do mnie, że dzisiaj niczego nie osiągnę. Nawet gdyby udało mi się przebić przez tę kobietę, i tak go tutaj nie ma. Chyba że… może ona kłamie? Może on tu jednak jest?

Naciskam guzik „do góry".

– Okej – mówię. – Rozumiem panią jasno. Nie zawracam głowy.

Ona patrzy na mnie z ukosa. Winda brzęczy i znów nadjeżdża. Ja zaczynam się wtaczać do środka i macham na pożegnanie. Ona odchodzi. Drzwi windy zamykają się za mną, wtedy naciskam guzik piętra, na którym jestem.

Drzwi otwierają się, wyjeżdżam. Jadę w przeciwnym od niej kierúnku, obok pokoju dla pielęgniarek. Jestem na rogu, dopiero wtedy mnie zauważa.

– Hej! – krzyczy. Skręcam za róg i naciskam na koła, żeby jak najszybciej dojechać do końca korytarza. Ramiona mi słabną, serce od wielu dni tak szybko nie waliło, ale jadę dalej. Odwracam się i widzę, że energicznym krokiem idzie za mną. Minę ma wkurzoną, ale odnoszę wrażenie, że nie chce robić sceny.

Przede mną są podwójne szklane drzwi. Z mojej strony się nie otwierają. Utknęłam. Jestem w ślepej uliczce. Zła pielęgniarka idzie po mnie. Widzę, że z drugiej strony drzwi idzie lekarz. Jeszcze sekunda i otworzy drzwi, i będę mogła się wtoczyć. Może.

Nie wiem, co mnie opętało, że to robię. Może to chęć odnalezienia Henry'ego. Może fakt, że tak długo trzymali mnie w małej salce i wszyscy mi mówili, co mam robić. Może fakt, że mało nie umarłam, a to do pewnego stopnia czyni człowieka nieustraszonym. Może wszystkie te trzy rzeczy naraz.

Drzwi otwierają się i lekarz przechodzi obok mnie. Wtaczam się do środka, modląc się, żeby drzwi się zamknęły, zanim siostra Ratched mnie dopadnie. Ale nie mam czasu, żeby zatrzymać się i popatrzeć. Toczę się dalej, zaglądam na

każdą salę, szukając Henry'ego. Dojeżdżam do końca korytarza. Skręcam w lewo za róg i wtedy czuję, jak dwie ręce
chwytają za oparcie mojego wózka. Nagle się zatrzymuje.

Złapali mnie.

Odwracam się i patrzę na nią.

– Co mam powiedzieć, żebyś mnie nie aresztowała?

Popycha mnie do przodu, ale nie odpowiada na pytanie. Nagle, gdy adrenalina mi opada, zaczynam zdawać
sobie sprawę, że mój wyczyn był głupi i bezowocny. Jego
naprawdę tu nie ma. I jeśli jutro nie wrócę do tego szpitala,
żeby spróbować, pewnie nigdy go nie znajdę.

– Sama mogę pojechać – mówię.

– Nie – odpowiada.

Śmieję się nerwowo.

– Założę się, że takie rzeczy ciągle się tutaj zdarzają –
mówię, próbując złagodzić nastrój.

– Nie.

Dojeżdżamy do windy. Ona naciska guzik. Nie mogę
na nią patrzeć. Drzwi windy się otwierają.

– Cóż – mówię – to chyba pożegnanie.

Patrzy na mnie i chwyta oparcie mojego wózka.

– Nie.

Wpycha mnie do windy, wchodzi sama i naciska guzik
piątego piętra.

Siedzę w milczeniu, patrzę przed siebie. Ona stoi obok
mnie. Kiedy drzwi windy się otwierają, popycha mnie
w stronę pokoju pielęgniarek.

– Cześć, Deanna – mówi. – Możesz mi powiedzieć, na
której sali leży ta pacjentka.

– Ja ci mogę powiedzieć – mówię. – Leżę tu obok.

– Jeśli wolno, Wózeczku, wolałabym usłyszeć to od
Deanny – mówi do mnie.

Deanna się śmieje.

– Hannah ma rację. Ona jest tu obok.

Deanna wskazuje moje drzwi, a siostra Ratched popycha mnie aż do samej sali, gdzie czeka Gabby.

Gabby widzi nas obie i nie wie, jak to rozumieć.

– Co się stało?

Siostra Ratched wtrąca się, zanim zdołałam zabrać głos.

– Słuchaj – mówi bezpośrednio do mnie – każdy czasem podejmuje błędne decyzje, a to pewnie jest zwichrowany kawałek twojego życia, więc niech ci będzie. Ale więcej nie pojawisz się na moim piętrze. Rozumiemy się?

Kiwam głową, ona zbiera się do wyjścia.

– Siostro – mówię i wtedy dociera do mnie, że nie wolno mi powiedzieć jej w twarz siostro Ratched. – Przepraszam, jak masz na imię?

– Hannah – odpowiada.

– Na litość boską! Próbuję przeprosić. Pytam tylko, jak masz na imię.

– Wiem – mówi. – Mam na imię Hannah.

– Och – mówię. – Przepraszam.

Hannah patrzy na Gabby.

– Czy ona zawsze jest taka urocza?

– To chyba nie jest jej najlepszy dzień – mówi Gabby.

To wygląda tak, jakby próbowała mnie bronić. Więc doceniam to.

– Chciałam tylko powiedzieć, że przepraszam za kłopot, który sprawiłam. Nie powinnam tego robić.

– Cóż, dziękuję – mówi. Odwraca się, żeby wyjść.

– Hannah – mówię.

Znowu się do mnie odwraca.

– Jestem natrętem.

– Słucham?

– To nie wina Henry'ego – mówię – że za bardzo się zbliżyliśmy. On był samym profesjonalizmem, a to ja się narzucałam. W kółko powtarzał, że między nami jest stosunek zawodowy i nic innego. A ja w kółko naciskałam na niego, żeby zmienił zdanie. To ja. On nie jest… Nie znoszę myśli, że można by go uznać za marnego pielęgniarza ze względu na moje zachowanie. To ja jestem winna.

Kiwa głową i wychodzi. Nie bardzo jestem pewna, czy mi uwierzyła, ale dzisiejsze moje zachowanie trochę wspiera twierdzenie, że mam urojenia. Niech będzie zatem na mnie.

Odwracam się do Gabby.

– Nie było go tam, a ja wywołałam scenę.

– Żadnych połajanek?

Kręcę głową.

– Ale był pościg.

– Hm, myślę, że dość dramatyzmu jak na jeden dzień. Kiedy ciebie nie było, przyszła doktor Winters. Mówi, że stan jest dobry i możemy wyjść.

– Więc wychodzimy? – pytam.

– Tak.

– Co mam zrobić z Henrym? – pytam. – Nie mogę wyjść, wiedząc, że już go nie zobaczę.

– Bo ja wiem – mówi. – Może kiedyś na niego wpadniesz? Tutaj, w szpitalu, podczas sesji fizjoterapeutycznej?

– Może – mówię.

– Jeśli jest to wam przeznaczone, odnajdziecie się – mówi. – Prawda?

– Tak – odpowiadam. – Bo ja wiem. Chyba.

Instynktownie, pod wpływem pamięci motorycznej, kładę ręce na poręczach wózka, jakbym myślała, że mogę wstać. I wtedy przypominam sobie, kim jestem. I co się dzieje.

Wchodzi Deanna.

– Gotowa do wyjścia? – pyta.

– Tak, psze pani – odpowiadam.

Gabby bierze moje rzeczy. Deanna pcha wózek do windy. Zostaje z nami, kiedy zjeżdżamy w dół. Zastanawiam się, czy Deana robi to ze względu na przepisy, czy dlatego, że mogę się wyrwać. Drzwi windy na minutę otwierają się na czwartym piętrze, wsiada starsza kobieta. Widzę siostrę Hannah stojącą przy pokoju pielęgniarek. Rozmawia z pacjentem. Patrzy na mnie, potem odwraca wzrok. Przysięgam, na jej twarzy widzę uśmieszek, ale czasem widzę to, co chcę widzieć.

Kiedy zjeżdżamy do holu, Deanna mówi, że mogę zatrzymać wózek na własność. Przez chwilę myślę: ale fajnie, wózek za darmo, a potem przypominam sobie, że jestem z tych, którym inni dają wózki inwalidzkie. „Otrząśnij się z tego".

– Dziękuję, Deanna – mówię, kiedy wychodzimy na ulicę.

Macha mi ręką i wraca.

Mark podjeżdża samochodem. Wysiada i biegnie w moją stronę. Dociera do mnie, że widzę go po raz pierwszy od dnia, kiedy się obudziłam. Trochę to dziwne, prawda? Czy nie powinien mnie odwiedzać? Ja bym go odwiedzała.

Gabby i Mark wkładają moje rzeczy do samochodu, a ja podjeżdżam do drzwi. Próbuję je sama otworzyć, ale to trudniejsze, niż myślałam. Czekam cierpliwie, aż jedno z nich podejdzie do mnie i podnoszę wzrok na gmach szpitala.

Może już nigdy nie zobaczę Henry'ego.

Gabby otwiera drzwi i pomaga mi wsiąść na tylne siedzenie, Mark wkłada mój wózek do bagażnika. Odjeżdżamy.

Jeśli jest mi przeznaczone odnaleźć go, to go odnajdę. Chyba w to wierzę.

Ale czasem chciałabym sama decydować, co jest mi przeznaczone.

GABBY WYJECHAŁA WCZEŚNIE RANO DO RODZICÓW, żeby spędzić z nimi dzień. Mark przyjeżdża później, żeby zabrać resztę swoich rzeczy, ona nie chce przy tym być.

Mark, odkąd odszedł, wpadł tu wcześniej tylko raz, żeby wziąć parę garniturów i drobiazgów. Nie było ani Gabby, ani mnie i szczerze mówiąc, zrobiło się trochę strasznie, kiedy wróciło się do domu, który ktoś przeszukał. Po tym Gabby zmieniła zamki. Więc teraz, jeśli Mark zechce zabrać jakieś swoje rzeczy, któraś z nas musi tu być. Wydaje się całkiem oczywiste, że ja jestem kobietą do tej roboty.

W mailu napisał, że będzie koło południa, ale jest jeszcze wcześnie, więc jakoś muszę spędzić ten czas. Postanawiam zadzwonić do rodziców i przekazać im najnowsze informacje. O tej godzinie powinnam ich zastać, zanim wyjdą na kolację w Londynie.

Wybieram numer stacjonarny, jestem gotowa, żeby im powiedzieć o mojej ciąży, kiedy któreś odbierze. Mam zamiar wyrzucić to z siebie, zanim zaczną się zamartwiać, co by tu powiedzieć.

Ale głos, który słyszę po drugiej stronie linii, głos, który mówi: „Halo?", nie należy do ojca ani do matki. Siostra.

– Sarah? – pytam. – Co robisz u mamy i taty?

– Hannah! – odpowiada. – Cześć! George i ja przyjechaliśmy tu na weekend. – Wymawia to z akcentem na „kend", aż unoszę wzrok. W tle słyszę tatę, który pyta, kto dzwoni. Słyszę głos siostry spoza słuchawki.

– To Hannah, tato. Wyluzuj… Tato chce z tobą rozmawiać – mówi.

– Och, okej – odpowiadam, ale ona nie oddaje słuchawki.

– Chcę wiedzieć, kiedy przyjedziesz z wizytą – mówi. –
Na ostatnie Boże Narodzenie nie przyjechałaś jak zwykle,
więc chyba masz wobec nas dług.

Wiem, że żartuje. Ale irytuje mnie, bo przyjmuje za
pewnik, że to ja powinnam zawsze latać tam. Chociaż raz
chcę być na tyle ważna, żeby mnie odwiedzano, zamiast
żebym ja odwiedzała. Chociaż raz.

– Hm, teraz jestem w LA – mówię. – Więc lot jest
trochę dłuższy. Ale przylecę. W końcu.

– Okej, okej – mówi do taty. – Hannah, muszę iść. –
Nie ma jej, zanim nadążam powiedzieć do widzenia.

– Hannah Savannah – mówi tato. – Jak się masz?

– Dobrze, tato. Dobrze. A jak ty się miewasz?

– Jak ja się miewam? Jak ja się miewam? Oto jest pytanie.

Śmieję się.

– Nie, kochanie. Dobrze się czuję. Twoja matka i ja
właśnie siedzimy tutaj i rozmawiamy, czy chcemy zamó-
wić na kolację coś włoskiego, czy tajskiego. Twoja siostra
i George próbują nas gdzieś wyciągnąć, ale leje, a ja po
prostu nie jestem w nastroju.

Mój plan, żeby to z siebie wyrzucić, spalił na panew-
ce.

Czy na pewno?

– To miłe. Więc tato, jestem w ciąży.

…

…

…

Przysięgam na Boga, jakby połączenie się urwało.

– Tato?

– Jestem tutaj – mówi, oddychając z trudem. – Daję
ci matkę.

Teraz słyszę w słuchawce inny głos.

– Cześć, Hannah – mówi mama.

– Hannah, możesz powtórzyć to, co powiedziałaś? – pyta tato. – Obawiam się, że kiedy twoja matka usłyszy to ode mnie, pomyśli, że z niej żartuję.

Dwa razy mam wyrzucać to z siebie?

– Jestem w ciąży.

…

…

…

Znowu cisza. A potem wysoki pisk. Tak wysoki i drażniący, że odsuwam słuchawkę od ucha.

Potem słyszę, jak matka krzyczy.

– Sarah! Sarah, chodź tutaj!

– Co, mamo? Dobry Boże, przestań krzyczeć.

– Hannah jest w ciąży.

Słyszę, jak wyrywają sobie słuchawkę. Słyszę, jak o nią walczą. Słyszę, że wygrała matka.

– Opowiedz nam wszystko. To cudownie. Opowiedz nam o ojcu! Nie wiedziałam, że spotykasz się z kimś na poważne.

Och, nie.

Mama myśli, że świadomie zaszłam w ciążę.

Mama myśli, że jestem przygotowana na dziecko.

Mama myśli, że jest ojciec.

Mama, moja matka, nie ma pojęcia, kim naprawdę jestem i jakie prowadzę życie, skoro uważa, że planowałam to dziecko.

To jedna z najśmieszniejszych rzeczy, jakie w życiu słyszałam. Zaczynam się śmiać i śmieję się, a łzy, które mam w oczach, nie spływają na policzki.

– Nie ma ojca – mówię między napadami śmiechu. – Będę samotną matką. Zupełnie przypadkiem.

Matka szybko dostosowuje swój ton.

– Och – mówi. – W porządku.

Tato wyrywa jej słuchawkę.

– Świetnie! – mówi. – To szokująca wiadomość. Ale świetna wiadomość!

– Świetna? – Mam na myśli świetna. Bo świetna. Ale czy tak uważają?

– Będę dziadkiem! – mówi. – Będę fenomenalnym dziadkiem. Mam zamiar nauczyć twoje dziecko wszelkich spraw dziadkowskich.

Uśmiecham się.

– Oczywiście, że nauczysz! – mówię, ale wcale tak nie sądzę. Jego tutaj nie ma. Jego nigdy tutaj nie ma.

Sarah wyrywa telefon tacie i zaczyna mówić, jaka to ona jest szczęśliwa ze względu na mnie i że nie ma znaczenia, że będę sama wychowywać dziecko.

Potem się poprawia.

– Chciałam powiedzieć, że ma znaczenie. Oczywiście, że ma znaczenie. Ale będziesz taka wspaniała, że to nie będzie miało znaczenia.

– Dziękuję – mówię.

A potem matka wykrada telefon Sarah, a ja słyszę zmianę hałasu w tle, kiedy przechodzi do innego pokoju. Słyszę, jak zamykają się za nią drzwi.

– Mamo? – pytam. – Z tobą w porządku?

Słyszę, że zbiera się na odwagę.

– Powinnaś przeprowadzić się do domu – mówi.

– Co? – dopytuję się. Nawet nie rozumiem, o czym ona mówi.

– Możemy ci pomóc – odpowiada. – Możemy ci pomóc wychowywać dziecko.

– Chcesz powiedzieć, że powinnam się przeprowadzić do Londynu?

– Tak, tutaj do nas. Do domu, naszego wspólnego domu.

– Londyn to nie jest mój dom – mówię, ale to w najmniejszym stopniu jej nie peszy.

– Hm, może powinien być – mówi. – Do wychowania dziecka potrzebna ci rodzina. Nie chcesz tego robić sama. A twój ojciec i ja z rozkoszą ci pomożemy, z rozkoszą przyjmiemy cię tutaj. Powinnaś być z nami.

– Bo ja wiem… – mówię.

– A czemu nie? Dopiero co przeprowadziłaś się do Los Angeles, więc mi nie powiesz, że się tam zadomowiłaś. A skoro tam nie ma ojca, nikt cię nie zatrzymuje.

Myślę o jej słowach.

– Hannah – mówi. – Pozwól, żebyśmy ci pomogli. Pozwól nam być twoimi rodzicami. Wprowadź się do nas razem z dzieckiem. Już dawno mówiłam, że powinnaś przenieść się z nami do Londynu. – Nigdy tego nie mówiła. Ani razu o tym nie napomknęła.

– Pomyślę o tym – mówię.

Słyszę, jak drzwi się otwierają. Słyszę, jak rozmawia z moim ojcem.

– Mówię Hannah, że czas, żeby przeprowadziła się do Londynu.

– Absolutnie powinna to zrobić – słyszę, jak mówi. Potem łapie słuchawkę. – Kto wie, Hannah Savannah, może zawsze było ci przeznaczone mieszkać w Londynie.

Do tej chwili nigdy mi nie przyszło do głowy, że mogłabym znaleźć swoje miejsce w Londynie, w mieście, w którym mieszka moja rodzina. A ja nawet nie pomyślałam, żeby tam się przeprowadzić.

– Może, tato – mówię. – Kto wie?

Kiedy kończę rozmowę, moi rodzice są przekonani, że przeprowadzę się tak szybko, jak tylko się da, chociaż obiecałam bardzo jasno tylko to, że się nad tym zastanowię. Żeby skończyć z nimi rozmowę, muszę przyrzec, że zadzwonię jutro. No to przyrzekam. Dopiero wtedy mi odpuszczają.

Leżę na łóżku, wpatruję się w sufit. Śnię na jawie o tym, co się stanie, jak wyjadę z Los Angeles i przeniosę się do Londynu.

Zastanawiam się, jak może wyglądać moje życie, gdy z noworodkiem zamieszkam w londyńskim mieszkaniu rodziców. Myślę o moim dziecku, które dorastając, nabiera brytyjskiego akcentu.

Ale przede wszystkim myślę o Gabby.

I o wszystkim za czym będę tęsknić, jeśli stąd wyjadę.

Południe, zjawia się Mark.

Szybko otwieram drzwi, ręce trzęsą mi się nerwowo. Nie denerwuję się, bo się go boję czy nie wiem, jak z nim rozmawiać. Denerwuję się, bo boję się, że powiem coś, czego pożałuję.

– Cześć – mówi.

Stoi przede mną w dżinsach i zielonym T-shircie. Jest sam, na co miałam nadzieję. Pod pachą trzyma stare pudła.

– Cześć – odpowiadam. – Wchodź.

Wchodzi do domu ostrożnie, jakby nie był u siebie.

– Za pół godziny przyjedzie furgonetka do przeprowadzek – mówi. – Wziąłem małą. To chyba dobrze? Chyba nie mam zbyt wielu rzeczy?

– Chyba nie – mówię.

Patrzę, jak przenosi wzrok na Charlemagne. Są wrogami w najbardziej konwencjonalnym sensie tego słowa. Dom jest za mały dla nich dwojga.

Mark pociera oczy, potem spogląda na mnie.

– Cóż – mówi – chyba wezmę się do pakowania. Przepraszam.

Czuje się bardziej skrępowany niż ja. Jego bezbronność przynosi mi ulgę. Raczej nie nawrzeszczę na skruszonego mężczyznę.

Siadam na kanapie. Włączam telewizor. Nie mogę się odprężyć, kiedy on tutaj jest, ale też nie będę nad nim stała.

Tragarze dzwonią do drzwi wkrótce potem, pędzi, żeby im otworzyć.

– Jeśli będziecie wchodzić i wychodzić – mówię mu – zamknę Charlemagne w sypialni.

– Świetnie – mówi. – Dziękuję. – Tragarze wchodzą, a Charlemagne i ja zamykamy się w moim pokoju.

Jakoś tak chce mi się płakać. Może to przez hormony. Może dlatego, że nigdy nie chciałam, żeby Gabby musiała przez to przechodzić. Nie wiem. Czasem trudno powiedzieć, jaki naprawdę mam powód do płaczu, śmiechu czy spokoju.

Skończył, puka do moich drzwi.

– Już zrobione – mówi.

– Świetnie – odpowiadam.

Patrzy w podłogę. Potem podnosi wzrok na mnie.

– Przepraszam – mówi. – Choćby niewiele to znaczyło.

– Niewiele znaczy – mówię. Może dlatego, że ma czelność przepraszać, chociaż już mu nie współczuję.

– Wiem – mówi. – Sytuacja nie jest idealna.

– Dajmy z tym spokój – odpowiadam.

– Ona znajdzie kogoś lepiej jej odpowiadającego niż ja – mówi. – Właśnie ty powinnaś wiedzieć, że to dobra wiadomość.

– Och, jasne, że wiem. Znajdzie kogoś lepszego od ciebie – mówię. – Ale to nie zmienia faktu, że postąpiłeś jak tchórz i mięczak. Zamiast zachować się uczciwie, kłamałeś i oszukiwałeś.

– Wiesz, jak się spotyka miłość swojego życia, człowiek wyczynia różne szalone rzeczy – mówi w swojej obronie. Jakbym nie potrafiła zrozumieć, przez co przechodzi, bo nie spotkałam swojej bratniej duszy. Jakby bycie zakochanym tłumaczyło wszystko. – Nie chciałem w ten sposób kochać Jennifer. Nie tak to miało być. Ale kiedy dochodzi do takiego związku z kimś, nic nie może stanąć na drodze.

Nie wierzę, że bycie zakochanym tłumaczy człowieka ze wszystkiego. Już nie uwierzę, że w miłości i na wojnie wszystkie chwyty są dozwolone. Właściwie to posunęłabym się do stwierdzenia, że to, jak się kocha, mówi wiele o człowieku. Właściwie to określa, kim się jest.

– Dlaczego próbujesz mnie przekonać, że jesteś porządnym facetem?

– Bo tylko ciebie Gabby wysłucha.

– Nie mam zamiaru występować w twojej obronie wobec niej.

– Wiem, że…

– A ściślej rzecz ujmując, Mark, nie zgadzam się z tobą. Nie uważam, że spotkanie miłości życia daje przyzwolenie na niszczenie wszystkiego, co stanie ci na drodze. Na świecie jest mnóstwo ludzi, którzy znajdują kogoś, z kim chcieliby być, ale nic z tego nie wychodzi, bo są inne rzeczy, które ich trzymają. I zamiast kłamać i uciekać od odpowiedzialności, postępują jak dorośli i robią to, co trzeba.

– Chcę tylko, żeby Gabby wiedziała, że nigdy nie chciałem jej skrzywdzić.

– Okej, świetnie – mówię do niego, żeby sobie poszedł. Ale prawda jest taka, że to nie jest okej. Wcale nie okej.

O, nieważne, że nie chcemy robić tego, co robimy. To nieważne, że to był przypadek albo pomyłka. Nieważne nawet, jeśli myślimy, że wszystko zależy od losu. Bo bez względu na nasze przeznaczenie i tak musimy odpowiadać za to, co robimy. Dokonujemy wyborów, wielkich i małych w każdym dniu naszego życia i te wybory mają konsekwencje.

Musimy stanąć wobec tych konsekwencji twarzą w twarz, na dobre czy na złe. Nie uda nam się ich wymazać, mówiąc, że nie tego chcieliśmy. Czy to los, czy nie, nasze życie i tak wynika z naszych wyborów. Zaczynam myśleć, że one żyją własnym życiem, a my nie panujemy nad swoim losem.

Mark idzie do drzwi wejściowych, ja za nim wychodzę.

– Więc chyba to byłoby wszystko – mówi. – Zdaje się, że już tutaj nie mieszkam.

Charlemagne wychodzi z sypialni i biegnie do niego. Wystraszony, płoszy się na jej widok. Może dlatego suczka sika mu na buty. A może dlatego, że Mark stoi przy drzwiach, gdzie zazwyczaj stawiamy żwirek.

Robi zniesmaczoną minę i patrzy na mnie. Odpowiadam mu spojrzeniem.

Odwraca się i wychodzi.

Kiedy później do domu przychodzi Gabby, biegniemy z Charlemagne do drzwi. Witam ją, opowiadając o tym, co suczka zrobiła.

Gabby śmieje się z całego serca i nachyla się, żeby przytulić pieska.

Stoimy we trzy i śmiejemy się.

– Moi rodzice chcą, żebym przeprowadziła się do Londynu – mówię. – Powiedzieli, że pomogą mi przy dziecku.

Gabby patrzy na mnie zaskoczona.

– Naprawdę? – pyta. – I co o tym myślisz? Masz zamiar pojechać?

Wtedy mówię coś, czego jeszcze nie mówiłam.

– Nie. Chcę zostać tutaj. – Nagle zaczynam się śmiać. Gabby patrzy na mnie, jakbym miała trzy głowy.

– Co w tym śmiesznego? – pyta.

Śmiejąc się, mówię:

– Zniszczyłam stosunki z mężczyzną, którego naprawdę kochałam. Jestem w ciąży, której nie planowałam, noszę dziecko, bo spałam z żonatym, który nawet nie pojawi się w życiu tego dziecka. Jestem grubsza niż kiedykolwiek. A mój pies nadal sika w domu. A jednak jest mi tutaj tak dobrze, że nie mogę wyjechać. Po raz pierwszy w życiu mam kogoś, bez kogo nie mogę się obejść.

– To ja? – pyta podejrzliwie Gabby. – Bo jeśli nie, to dziwne to jakieś.

– Tak, koleżaneczko – mówię do niej. – To ty.

– Ha! Dzięki kumpelo!

SIEDZĘ NA TYLNYM SIEDZENIU SAMOCHODU, wyglądam przez otwarte okno. Jedziemy przez miasto, wdycham świeże powietrze. Możliwe, że z zewnątrz wyglądam jak pies. Ale nie obchodzi mnie to. Jestem taka szczęśliwa, że wydostałam się ze szpitala. Że żyję poza nim, w rzeczywistym świecie. Że widzę światło słońca nieprzefiltrowane przez szybę. Wszystko w tym świecie ma zapach. Na zewnątrz to nie tylko zapach świeżo ściętej trawy i kwiatów. To także dym z knajpek i czosnek z włoskich restauracji. A ja uwielbiam to wszystko. Pewnie dlatego, że tyle czasu wdychałam nieorganiczne zapachy w sterylnym szpitalu. I może za miesiąc nie będę tego tak doceniać jak w tej chwili. Ale teraz doceniam.

Odwracam głowę od okna w chwili, gdy słyszę, jak Mark wzdycha na czerwonym świetle. Teraz spostrzegam, że w samochodzie jest niesamowicie cicho. Mark robi się jakby coraz bardziej nerwowy, im bliżej jesteśmy domu. Kiedy się przyglądam, domyślam się, że jest w nie najlepszym stanie.

– W porządku? – pyta go Gabby.

– Hm? Co? Nie, tak, w porządku – mówi. – Po prostu patrzę na drogę.

Widzę, że ręce mu drżą. Słyszę, że ma krótki oddech. I zaczynam się zastanawiać, czy czegoś nie przeoczyłam, czy może nie chce, żebym u nich mieszkała, może widzi w tym ciężar.

Jeśli tak, jeśli powiedział Gabby, że nie chce brać na siebie odpowiedzialności, walczyłaby z nim o to. Wiem. I nigdy by mi nie powiedziała. To też wiem. Więc jest całkiem możliwe, że się narzucam i nawet o tym nie wiem.

Zajechaliśmy na pobocze przed ich domem, widzę, że Mark zainstalował dla mnie rampę, żebym była w stanie pokonać trzy małe stopnie do ich drzwi. Wysiada z samochodu i natychmiast podchodzi z mojej strony, żeby pomóc mi wysiąść. Otwiera przede mną drzwi, zanim Gabby jest w stanie do mnie podejść.

– Och – mówi. – Potrzebny ci wózek.

Zanim zdążyłam odpowiedzieć, otwiera bagażnik i wyjmuje go. Wózek z łomotem upada na ziemię.

– Przepraszam – mówi. – Jest cięższy, niż myślałem.

Gabby podchodzi, żeby pomóc mu go rozłożyć, a ja widzę, że wzdryga się pod jej dotknięciem.

To nie przeze mnie Mark czuje się skrępowany. To przez nią.

– Na pewno z tobą okej? – pyta ona.

– Wejdźmy już – odpowiada on.

– Hm, okej...

Oboje pomagają mi usiąść na wózku, a Mark łapie moje torby. Toczę się za Gabby do drzwi frontowych.

Napięcie jest wyczuwalne, kiedy je otwiera i we troje wchodzimy do środka. Coś jest nie tak i wszyscy o tym wiemy.

– Zainstalowałem siedzenie pod prysznicem i wyjąłem drzwi. Teraz tam jest tylko zasłona. To powinno ci ułatwić wchodzenie i wychodzenie o własnych siłach – mówi Mark.

Mówi do mnie, ale patrzy na Gabby. Chce, żeby wiedziała, jak się napracował.

– Przeniosłem też wszystkie twoje rzeczy do gabinetu na parterze. Wstawiłem tam łóżko dla gości, żebyś nie musiała wchodzić i schodzić po schodach. Wyregulowałem łóżko do wysokości talii. Możesz je wypróbować.

Nie ruszam się.

– Może lepiej później.

Gabby patrzy na niego z ukosa.

– Możesz się na nim położyć, najpierw siadając, potem przekładając nogi. Nie musisz nadwerężać miednicy, żeby usiąść albo wstać.

– Mark, o co chodzi? – pyta Gabby.

– Kupiłem pager w obie strony, więc kiedy jesteś w łóżku, tylko dasz znać, a Gabby przyjdzie, żeby cię zabrać. A stół w jadalnym był za wysoki, więc dzisiaj rano przywieźli niższy, żebyś mogła sięgać z wózka.

Gabby, zaskoczona, wygląda zza rogu.

– Zrobiłeś to rano? A gdzie jest nasz stół?

Mark robi wdech.

– Hannah, możesz zostawić nas na chwilę? Może sprawdzisz, czy twoje łóżko ma właściwą wysokość?

– Mark, do diabła, o co chodzi? – Gabby mówi ostrym, spiętym głosem. Nie ma w nim prośby, nie ma cierpliwości.

– Hannah – prosi Mark.

– Okej – mówię i zaczynam się odtaczać.

– Nie! – mówi Gabby, tracąc cierpliwość. – Ona ledwie może się ruszać. Nie każ jej wyjeżdżać z pokoju.

– W porządku, naprawdę – mówię, ale kiedy wypowiadam te słowa, Mark wyrzuca to z siebie.

– Odchodzę – mówi. Patrzy przy tym w ziemię.

– Dokąd idziesz? – pyta Gabby.

– Chodzi o to, że odchodzę od ciebie – mówi Mark.

Gabby przechodzi od zmieszania do osłupienia, jakby dostała policzek. Szczęka jej opada, oczy otwierają się szeroko, głowa trzęsie się leciutko na boki, jakby nie była w stanie przetrawić tego, co słyszy.

On wypełnia lukę, którą mu zostawiła.

– Kogoś spotkałem. I uważam, że to ta jedyna. I odchodzę. Zostawiłem wszystko, co wam obu może być potrzebne. Wziąłem pod uwagę potrzeby Hannah. Zostawiam ci dom i większość mebli. Louis Grant sporządza dokumentację.

– Zadzwoniłeś do swojego adwokata przed rozmową ze mną?

– Po prostu poprosiłem go o konsultację, a on powiedział, że sam może się tym zająć. Nie chciałem niczego robić za twoimi plecami.

Gabby zaczyna się śmiać. Wiedziałam, że zacznie się śmiać po tym, co powiedział. Zastanawiam się, czy w chwili, w której wypowiedział te słowa, nie pomyślał: „O cholera, nie powinienem tego mówić". Bardzo mi zależy, żeby wytoczyć się z tego pokoju, ale wiem, że wózek piszczy, a jesteśmy tu we troje. Jak jedno się usunie, pozostali dwoje zauważą. Ale nie jestem nawet pewna, czy przyjmują do wiadomości, że tutaj jestem. Nie chcę zwracać ich uwagi na fakt, że tu jestem, a jakby mnie nie było.

– Ty chyba kpisz sobie ze mnie – mówi Gabby.

– Przepraszam – mówi Mark. – Wcale nie kpię. Powinniśmy porozmawiać o tym za kilka dni, żebyś miała czas na przemyślenie tej informacji. Naprawdę bardzo mi przykro, że cię zraniłem. Nie miałem takiego zamiaru. Ale kocham kogoś innego i przedłużanie tego stanu nie wydaje się w porządku.

– Czy czegoś nie zrozumiałam? – pyta Gabby. – Rozmawialiśmy o tym, żeby mieć dziecko.

Mark kręci głową.

– To było... to było z mojej strony nie w porządku. Ja... udawałem kogoś, kim nie jestem. Popełniłem błędy, Gabrielle, i teraz próbuję je naprawić.

– Zostawiając mnie, naprawiasz błędy?

– Myślę, że powinniśmy o tym porozmawiać nieco później. Jeśli chodzi o to co teraz, przeniosłem swoje ubrania i inne rzeczy do nowego mieszkania.

– Zabrałeś mój stół z jadalni?

– Chciałem, żebyście z Hannah miały to, co wam potrzebne, więc zabrałem ten stół do mojego nowego domu i kupiłem wam stół, który lepiej się sprawdzi w sytuacji Hannah.

– Mark, ona nie jest inwalidką. W końcu będzie chodzić. Oddaj mój stół.

– Zrobiłem to, co uważałem za najlepsze. Chyba powinienem już iść.

Wpatruje się w niego, mam wrażenie, że przez wieczność, ale trwa to najwyżej jakieś pół minuty. A potem wybucha. Nigdy jej jeszcze takiej nie widziałam.

– Wynoś się z mojego domu! – krzyczy. – Jazda stąd! Wynoś się ode mnie!

Mark idzie do drzwi.

– Nie powinnam za ciebie wychodzić – mówi Gabby i widać, że mówi to poważnie. Bardzo, bardzo poważnie. Nie mówi tego tak, jakby właśnie przyszło jej to do głowy albo chciała zranić jego uczucia. Mówi to, jakby była zrozpaczona, że jej najgorsze obawy ziściły się na jej oczach.

Mark nie patrzy na nią. Po prostu wychodzi za drzwi, zostawia je otwarte. Uderza mnie okrucieństwo tego maleńkiego gestu. Mógł zamknąć za sobą drzwi. To prawie machinalne, prawda? Zamykać za sobą drzwi? Ale nie zamknął. Zostawił je otwarte, zmuszając ją, żeby je zamknęła.

Ale ona nie zamyka drzwi. Zwija się na ziemi, wrzeszczy co sił w płucach. To gardłowy, głęboki krzyk, raczej jęk niż wrzask.

– Nienawidzę cię!

A potem podnosi na mnie wzrok, przypomina sobie, że tutaj jestem. Opanowuje się jak może, ale nie powiedziałabym, że się jej udaje. Łzy kapią jej z oczu, cieknie jej z nosa, usta ma otwarte, pełne śliny.

– Weźmiesz od niego klucze? – pyta. Mówi to szeptem, ale nawet wtedy nie może opanować głosu.

Ruszam do akcji. Wytaczam się za drzwi wejściowe, zjeżdżam z rampy. Mark wsiada do samochodu.

– Klucz – mówię. – Twój klucz do domu.

– Jest na stoliku – mówi. – Razem z aktem notarialnym. Przepisałem w nim dom – dodaje, jakby to była tajemnica, którą wreszcie może wyjawić, jak podekscytowany uczeń, który mówi nauczycielowi, że dostał dodatkowe punkty.

– Okej – mówię, zawracam wózek i odjeżdżam w stronę drzwi wejściowych.

– Chcę, żeby miała dobrze – mówi Mark. – Dlatego dałem jej dom.

– Okej, Mark – mówię.

– Jest wart mnóstwo pieniędzy – mówi Mark. – Mam na myśli kapitał. Moi rodzice pomogli nam spłacić zadatek, a ja go jej daję.

Odwracam wózek.

– Co mam, według ciebie, powiedzieć Mark? Chcesz dostać złoty medal?

– Chcę, żeby zrozumiała, że robię wszystko, co w mojej mocy, żeby ułatwić jej sprawy. Że się o nią troszczę. Rozumiesz, prawda?

– Co rozumiem?

– Że miłość skłania do szaleństw, że czasem musi się robić rzeczy, które z zewnątrz wyglądają źle, ale mimo to są dobre. Myślałem, że zrozumiesz. Biorąc pod uwagę to, co stało się między tobą a Michaelem.

Gdybym dopiero co nie wyszła z wypadku samochodowego, w którym mało nie straciłam życia, może zraniłaby mnie tak nieistotna rzecz jak słowa. Gdybym nie uczyła się ostatniego tygodnia, jak wstawać o własnych siłach i korzystać z wózka inwalidzkiego, może dałabym się nabrać na takie bzdury. Ale Mark mylił się co do mnie. Już nie jestem osobą skłonną udawać, że moje złe czyny dadzą się usprawiedliwić moim obecnym samopoczuciem.

Popełniłam błąd. I ten błąd to jedna z rzeczy, które doprowadziły mnie tutaj. Chociaż nie żałuję ani nie wybaczam sobie swojego postępku, wyciągnęłam z niego nauki. Dorosłam od tamtego czasu. Teraz jestem inna.

Błędy popełnione w przeszłości można sobie wybaczyć tylko wtedy, kiedy się wie, że nigdy się ich nie powtórzy. A ja wiem, że nigdy już nie popełnię tego błędu. Więc jego słowa puszczam mimo uszu. Na wiatr.

– Już jedź, Mark – mówię. – Powiem jej, że dom należy do niej.

– Nigdy nie miałem zamiaru jej skrzywdzić.

Otwiera drzwi samochodu.

– Okej – mówię i odwracam się od niego.

Wtaczam się do góry, po rampie. Słyszę, jak jego samochód wyjeżdża z ulicy. Nie powtórzę jej tego wszystkiego. Sama zobaczy akt notarialny dotyczący domu i sama wyrobi sobie opinię. Nie mam zamiaru powtarzać, że nie miał zamiaru jej skrzywdzić. To bez sensu i bez znaczenia.

Nie ma znaczenia, że nie chcemy robić tego, co robimy. Nie ma znaczenia, czy to przypadek, czy błąd. Nie ma znaczenia nawet to, czy się nam wydaje, że zadecydował los. Bo bez względu na przeznaczenie i tak odpowiadamy za nasze czyny.

Musimy stanąć twarzą w twarz z konsekwencjami na dobre czy na złe. Nie uda nam się ich wymazać, bo powiemy, że nie chcieliśmy. Los czy nie los, nasze życie i tak jest skutkiem naszych wyborów. Zaczynam myśleć, że jeśli się tego wypieramy, to wypieramy się samych siebie.

Wtaczam się z powrotem do domu i widzę, że Gabby nadal leży na ziemi, niemal w katatonii. Wpatruje się w sufit. Łzy skapują jej z twarzy i tworzą maleńkie kałuże na podłodze.

– Chyba jeszcze nigdy tak nie cierpiałam – mówi. – Myślę, że nadal jestem w szoku. Z tym będzie tylko gorzej, prawda? To będzie tylko głębsze i ostrzejsze, a już jest głębokie i ostre.

Po raz pierwszy od dawna jestem wyżej niż Gabby. Muszę patrzeć w dół, żeby spojrzeć jej w oczy.

– Nie będziesz musiała przez to przechodzić w samotności – mówię. – Będę z tobą w każdej chwili. Zrobię dla ciebie wszystko, wiesz? Czy to pomoże? Świadomość, że góry przesunę dla ciebie? Że rozdzielę morza?

Patrzy na mnie.

Stawiam stopę na ziemi i się nachylam. Próbuję położyć dłonie na podłodze.

– Hannah, przestań – mówi Gabby, kiedy przenoszę swój środek ciężkości bliżej niej, próbując się obok niej położyć.

Ale moja mechanika zawodzi. Jeszcze brakuje mi sił. Przewracam się. Boli. Właściwie tylko trochę boli. Ale mam w torbie środki przeciwbólowe i przepis, jak je zażywać. Więc je biorę. Przysuwam się do niej, odpycham z drogi wózek.

– Kocham cię – mówię. – I wierzę w ciebie. Wierzę w Gabby Hudson. Wiem, że ona może wszystko.

Patrzy na mnie z wdzięcznością, potem zaczyna płakać.

– Tak mi wstyd – mówi między jednym a drugim wdechem. Jeszcze trochę i wpadnie w hiperwentylację.

– Cii. Nie ma się czego wstydzić. Ja nie mogę sama pójść do ubikacji. Więc nie masz prawa mówić o wstydzie – mówię.

Gabby się śmieje, chociaż tylko przez mikrosekundę, a potem znów zaczyna płakać. Serce mnie boli, gdy słyszę jej płacz.

– Ściśnij mnie za rękę – mówię, biorąc ją za dłoń. – Kiedy tak bardzo boli, że nie możesz wytrzymać, ściśnij mi dłoń.

Znowu zaczyna płakać i ściska mi dłoń.

I w tej chwili dociera do mnie, że jeśli wzięłam na siebie odrobinę jej bólu, to czeka mnie zadanie ważniejsze, niż sądziłam.

Nie przeprowadzam się do Londynu. Zostaję tutaj. Znalazłam swój dom. I to nie jest Nowy Jork ani Seattle, ani Londyn, ani nawet Los Angeles.

To Gabby.

WIECZOREM RAZEM Z GABBY postanowiłyśmy zabrać Charlemagne na długi spacer. Z początku chciałyśmy tylko przejść się po okolicznych przecznicach, ale Gabby zaproponowała, żeby wybrać się dalej. Więc wsiadłyśmy do samochodu i pojechałyśmy do Muzeum Sztuki Hrabstwa Los Angeles.

Gabby mówi, że wieczorem jest piękne. Tam jest instalacja świetlna jaśniejąca w ciemnościach. Chce mi ją pokazać.

Zatrzymujemy się w Coffee Bean i bierzemy po herbacianym latte. Moje jest ziołowe, bo Gabby czytała artykuł, że ciężarne nie powinny spożywać kofeiny. Jest z dziesięć innych artykułów, w których kofeina w niewielkich dawkach nie szkodzi, ale Gabby jest bardzo konsekwentna.

Pakujemy samochód kilka przecznic od muzeum, stawiamy Charlemagne na chodniku i zaczynamy iść. Jest chłodno, słońce zaszło dziś wcześnie, na ulicach LA jest cicho jak na niedzielny wieczór.

Gabby nie chce rozmawiać o Marku, a ja nie mam ochoty mówić o dziecku. Ostatnio rozmawiałyśmy chyba tylko o Marku i dziecku. Więc postanowiamy, że porozmawiamy o ogólniaku.

– W pierwszej klasie miałaś ciągotki do Willa Underwooda – mówi Gabby.

Potem pociąga łyk latte, a ja patrzę jej w oczy, w których widzę psotne ogniki. To prawda, miałam ciągotki do Willa Underwooda. Ale Gabby wie też, że samo to wspomnienie zawstydza mnie. Kiedy byłyśmy w pierwszej klasie, Will Underwood był wyżej. Taki tandetny laluś, który umawiał się na randki z pierwszoklasistkami. Kiedy zaczyna się ogólniak, jeszcze się nie wie, że w chłopakach, którzy interesują się dziewczynami z pierwszej klasy, jest coś niesympatycznego. Przeciwnie, bardzo chciałam, żeby mnie zauważył. Chciałam być jedną z tych dziewczyn. Teraz on jest prezenterem radiowym, lubi grube żarty i randkuje ze striptizerkami.

– Cóż, zawsze brakowało mi dobrego smaku – mówię, śmiejąc się z siebie, a potem pokazuję swój brzuch. – Dowodem jest moje dziecko bez tatusia.

Gabby się śmieje.

– Ethan był w porządku – mówi. – Wystarczyło ci oleju w głowie, żeby wybrać Ethana.

– Dwa razy – przypominam jej.

Nie przerywamy spaceru. Charlemagne ciągnie za smycz, prowadzi nas w stronę drzew. Zatrzymujemy się.

– Hm, jak widać, nie jestem lepsza, jeśli chodzi o wybór – mówi Gabby.

Zaczynam rozumieć, że kiedy jest się w trakcie rozwodu albo ma się dziecko, nie ma mowy, żeby o tym nie rozmawiać. To odbija się na wszystkim, co się robi. Musi się o tym mówić nawet wtedy, kiedy się o tym nie mówi. I może tak jest dobrze. Może chodzi o to, żeby mieć słuchacza.

Charlemagne siusia pod drzewem, a potem zaczyna drapać trawę. Gabby burczy na suczkę, bo Gabby lubi dobrze utrzymane trawniki.

– Charlemagne, nie – mówi Gabby. Charlemagne przestaje, patrzy na Gabby, podskakuje, żeby się pobawić. – Grzeczna dziewczynka – mówi Gabby i spogląda na mnie. – Jest taka bystra. Czy wiedziałaś, że psy mogą być takie bystre?

Śmieję się do niej.

– Ona nie jest taka bystra – mówię. – Rano wpadła na ścianę. Ty ją po prostu uwielbiasz, więc myślisz, że jest bystra. Nosisz różowe okulary, i tyle.

Gabby przechyla głowę na bok i patrzy na Charlemagne.

– Nie – mówi. – Jest naprawdę bystra. Po prostu wiem. Poznaję. Tak, uwielbiam ją. Uwielbiam do szpiku kości. Naprawdę, nie wiem, co przez cały ten czas robiłam bez psa. Mark zniszczył wszystko, co dobre.

Oczywiście Mark nie zniszczył wszystkiego, co dobre na tym świecie, ale jej nie przeczę. Gniew to część procesu leczenia.

– Tak – mówię. – Hm, właściwie kiedyś miałaś dobry gust, jeśli chodzi o mężczyzn. Pamiętasz, jak Jessie Flint był w tobie zakochany przez cały ogólniak? A potem w ostatniej klasie? Chodziliście na randki?

– O mój Boże! – mówi Gabby. – Jessie Flint! Nigdy nie zapomnę Jessiego Flinta! To był prawdziwy chłopak z marzeń. Nadal uważam, że to najprzystojniejszy facet, jakiego w życiu widziałam.

Śmieję się do niej.

– Och, daj spokój! Był malutki. Chyba nawet nie był wyższy od ciebie.

Kiwa głową.

– Nieprawda, był. Był trzy centymetry ode mnie wyższy i był doskonały. A potem głupia Jessica Campos złapała go dzień po naszej randce i pobrali się, kiedy ukończyli college'e. Wielka tragedia mojej młodości.

– Powinnaś do niego zadzwonić – mówię.

– Zadzwonić do Jessiego Flinta? I co powiedzieć? „Cześć, Jessie, moje małżeństwo się rozpadło, a ja pamiętam jedną miłą randkę tobą, kiedy mieliśmy siedemnaście lat. Jak się miewa Jessica?"

– Rozwiedli się jakieś dwa lata temu.

– Co? – mówi Gabby. Staje jak wryta. – Już nie ma Jessiego i Jessiki? Dlaczego o tym nie wiedziałam?

– Myślałam, że wiedziałaś. To było na Facebooku.

– Rozwiódł się?

– Tak, więc możecie sobie porozmawiać, jak to jest z rozwodami i w ogóle.

Znowu zaczyna iść. Charlemagne i ja idziemy razem z nią.

– Wiesz, jest coś wstydliwego.

– Co?

– W dniu mojego ślubu myślałam o Jessiem. Kiepskie, co? Kiedy szłam wzdłuż nawy, właśnie tak myślałam: „Jessie Flint już się ożenił. Więc nie on jest ci przeznaczony". To ułatwiło mi decyzję. Pomyślałam, że Mark jest najlepszy z tych, których mogę mieć.

Nie wytrzymuję. Zaczynam się śmiać.

– To jakbyś chciała hrabiego Chocolę z pudełka z płatkami śniadaniowymi, ale ktoś zabrał ostatnie pudełko i mieli tylko cheerios, więc powiedziałaś sobie: „Okej, cheerios są mi przeznaczone".

– Mark to w stu procentach cheerios – mówi Gabby. Ale nie brzmi to w jej ustach jak dowcip. Mówi to tak, jakby to była zagadka zen, która opanowała jej umysł. – Ani Honey Nut. Proste, niskotłuszczowe cheerios.

– Okej – mówię. – Więc pewnego dnia, kiedy będziesz gotowa, może niedługo, zadzwoń do hrabiego Choculi.

– Tak po prostu? – pyta.

– Tak – mówię. – Tak po prostu.

– Tak po prostu – odpowiada.

Idziemy jakiś czas, potem Gabby pokazuje serię świateł płonących w długich szeregach.

– To ta instalacja Światła Miasta, o której ci opowiadałam – mówi.

Podchodzimy bliżej i zatrzymujemy się przed nimi po drugiej stronie ulicy. Widzę całość.

Instalacja składa się ze staromodnych latarń ulicznych, takich jakby były prosto ze studia filmowego. Są piękne, zebrane razem, w rzędy i kolumny. Nie wiem, czy dobrze rozumiem zawarty w tym sens. Nie jestem pewna, czy rozumiem, o co artyście chodziło. Ale bez wątpienia to robi wrażenie. A ja się uczę, żeby nie szperać zbyt głęboko w tym co dobre. Uczę się, żeby to doceniać, kiedy się to widzi. Nie przejmować się za bardzo znaczeniem i tym co stanie się później.

– Co o tym sądzisz? – pyta mnie Gabby. – Piękne, prawda?

– Tak – mówię. – Podoba mi się. Jest w tym coś bardzo optymistycznego.

A potem, równie szybko, jak tu przyszłyśmy, odwracamy się i idziemy z powrotem do samochodu.

– Pewnego dnia znajdziesz kogoś wspaniałego – mówię Gabby. – Po prostu mam takie przeczucie, że zmierzamy w dobrym kierunku.

– Tak? – pyta. – Wszystko chyba wskazuje na coś innego.

Kręcę głową.

– Nie – mówię. – Myślę, że wszystko dzieje się tak, jak powinno się dziać.

---

Jest wcześnie rano, a Gabby i ja przeleżałyśmy na podłodze całą noc. Słońce zaczyna przedzierać się przez chmury, świeci w okna, świeci mi prosto w oczy. Teraz tak szybko robi się jasno.

– Nie śpisz? – szepczę. Jeśli śpi, to chcę, żeby spała. Jeśli nie śpi, niech mi pomoże wstać i iść siusiu.

– Nie – mówi. – Chyba nie spałam przez całą noc.

– Mogłaś mnie obudzić – mówię. – Czuwałabym z tobą.

– Wiem – odpowiada. – Wiem, że byś czuwała.

Odwracam głowę w jej stronę i podpieram się rękami. Już siedzę. Ciało mam spięte, bardziej spięte niż zdarzało się w szpitalu.

– Muszę siusiu – mówię.

– Okej – odpowiada i powoli wstaje. Niezdarnie, powoli, ale wstaje. Teraz widzę, że ma czerwone oczy, że policzki ma zapaćkane, skórę ziemistą i pożółkłą. Nie jest z nią dobrze. Chyba tego należało się spodziewać.

– Gdybyś mogła mnie podnieść i przyprowadzić chodzik, to dam radę – mówię. – Chcę to zrobić sama.

– Okej – mówi.

Przynosi chodzik spod drzwi wejściowych, gdzie go wczoraj zostawiłyśmy. Rozkłada go, zatrzaskuje. Stawia przede mną. Potem podkłada ramiona pod moje ramiona i podnosi mnie. Łatwo powiedzieć, że stoję. Ale to niewiarygodnie trudne. Gabby bierze na siebie prawie cały mój ciężar. Musi jej być trudno. Jest znacznie mniejsza ode mnie. Ale udaje jej się. Opiera mnie o chodzik i puszcza. Teraz stoję o własnych siłach, dzięki niej.

– Okej – mówię. – Nie będzie mnie od trzech minut do godziny. W zależności, czy uda mi się trafić w toaletę.

Gabby próbuje się roześmiać, ale nie wkłada w to serca. Przesuwam się powoli, krok za krokiem, we właściwym kierunku.

– Na pewno nie chcesz, żeby ci pomóc? – pyta.

Nawet się nie odwracam.

– Dam radę – mówię. – Ty lepiej zajmij się sobą.

Mam wrażenie, że łazienka jest o milion mil stąd, ale docieram do niej kroczek po kroczku.

Kiedy wracam do salonu, robi mi się zimno, więc przerzucam swoje rzeczy, które Gabby przyniosła do domu ze szpitala. Szperam w torbie, szukam bluzy. Kiedy wreszcie ją znajduję i wyciągam, na podłogę wypada koperta.

Napisane jest na niej po prostu „Hannah". Nie rozpoznaję charakteru pisma, ale wiem, od kogo to.

*Hannah,*

*Przepraszam, że musiałem przekazać opiekę nad tobą innej pielęgniarce, nie mogłem dalej się tobą zajmować. Za miło było mi w twoim towarzystwie. A moi koledzy zaczęli na to zwracać uwagę.*

*Na pewno wiesz, że wysoce nieprofesjonalne dla pielęgniarek i pielęgniarzy jest nawiązywanie kontaktów osobistych z pacjentem, bez względu na ich naturę. Nie wolno mi wymieniać z tobą jakichkolwiek danych osobistych. Nie wolno mi próbować skontaktować się z tobą, kiedy już opuścisz szpital. Gdybyśmy kiedyś wpadli na siebie na ulicy, nie mogę nawet powiedzieć ci cześć, chyba że ty pierwsza to powiesz. Mogą mnie wyrzucić z pracy.*

*Nie muszę ci mówić, jak wiele ten zawód, ta praca dla mnie znaczą.*

*Myślałem o złamaniu przepisów. Myślałem o tym, żeby ci dać mój telefon. Albo poprosić o twój. Ale za bardzo zależy mi na pracy, żebym miał ją narazić, robiąc coś, co byłoby złamaniem zobowiązania.*

*Chcę przez to powiedzieć, że byłoby inaczej, gdybyśmy spotkali się w innych okolicznościach.*

*Może pewnego dnia znajdziemy się w tym samym miejscu, o tym samym czasie. Może spotkamy się, kiedy ty nie będziesz moją pacjentką, a ja twoim pielęgniarzem. Kiedy po prostu będziemy dwojgiem ludzi.*

*Jeśli tak się stanie, to naprawdę mam nadzieję, że powiesz cześć. Żebym mógł odpowiedzieć cześć i zaprosić cię na spotkanie.*

*Serdeczności,*
*Henry*

– Zostawił mi dom – słyszę z kanapy.

Wkładam list z powrotem do torby i wracam. Widzę, że Gabby płacze, patrząc na stolik. W rękach trzyma akt notarialny dotyczący domu.

– Tak – mówię.

– Jego rodzice wpłacili zadatek. Mnóstwo jego pieniędzy poszło na hipotekę.

– Tak.

– Czuje się winny – mówi Gabby. – Wie, że to, co robi, jest popieprzone, ale i tak to robi. Właśnie to jest takie dziwne w tym wszystkim. To niepodobne do niego.

Stawiam chodzik przed kanapą i powoli siadam. Naprawdę mam nadzieję, że nie będziemy zaraz wstawać z kanapy, bo chyba zużyłam całą energię, którą miałam.

Gabby patrzy na mnie.

– Musi ją naprawdę kochać.

Patrzę na nią i marszczę brwi. Kładę jej rękę na plecach.

– To nie usprawiedliwia tego, co zrobił – mówię. – Wybrany przez niego moment, jego samolubstwo.

– Tak – mówi Gabby. – Ale...

– Ale co?

– Zrobił wszystko, co mógł, poza tym, że nie został.

Trzymam ją za rękę.

– Może on miał jakieś przeczucia co do niej – mówi Gabby, powtarzając moje uwagi z wczoraj rano. – Może po prostu to rozpoznał.

Nie wiem, co na to powiedzieć, więc nic nie mówię.

– Nigdy nie byłam pewna, czy on jest tym jedynym. Nawet kiedy mnie o to kilka dni temu spytałaś, przesłodziłam to, co naprawdę myślałam. Po prostu uważałam, że życie z Markiem to była sprytna decyzja. Od dłuższego czasu byliśmy razem i doszłam do takich samych wniosków co ty. Ale nigdy nie było tak, że po prostu wiedziałam, że to on. Ty wiedziałaś.

Macham na to ręką.

– Tylko, że ja czułam to już dawno do Ethana. Teraz czuję to do Henry'ego. Może to się nie liczy, jeśli czuje się to do więcej niż jednej osoby.

– Ale ja nigdy tego nie czułam. Do Marka. On nigdy tego nie czuł do mnie. Ale może teraz to czuje do tej dziewczyny. Dzięki temu jest mi lepiej – mówi Gabby – kiedy pomyślę, że porzucił mnie, bo znalazł tę jedyną.

– Dlaczego jest ci lepiej? – Nie jestem w stanie zrozumieć, dlaczego dzięki temu może lepiej się czuć.

– Bo jeśli nie jestem jego bratnią duszą, to znaczy, że i on nie jest moją. Że gdzieś tam, ktoś na mnie czeka. Jeśli on odnalazł swoją bratnią duszę, to może ja też ją odnajdę.

– I dzięki temu jest ci lepiej?

Zbliża palec wskazujący do kciuka, powstaje maleńka szczelina.

– Choćby o tyle – mówi. – Tak mało, że prawie wcale.

– Nie widać tego gołym okiem – dodaję.

– Ale to jest.

Jeszcze trochę masuję jej plecy, kiedy ona głośno porządkuje swoje przemyślenia.

– Wiesz, o kim wczoraj myślałam, kiedy mówiłaś o tym uczuciu? O tym jedynym, przy którym mogłabym to poczuć?

– O kim?

– O Jessiem Flincie.

– Z ogólniaka?

Kiwa głową.

– Tak – mówi. – W końcu ożenił się z tą dziewczyną, Jessicą Campos. Ale ja... ja aż do ich ślubu wyobrażałam sobie, że między nami coś będzie.

– Rozwiedli się – mówię. – Chyba parę lat temu. Widziałam to na Facebooku.

– A widzisz? – mówi Gabby. – Ta mała informacja daje mi nadzieję, że gdzieś tam jest ktoś, kto sprawi, że poczuję to, co ty czujesz do Henry'ego.

Uśmiecham się do niej.

– Mogę przysiąc, że gdzieś tam jest ktoś lepszy. I mogę wykuć to w kamieniu.

– Musisz znaleźć Henry'ego – mówi Gabby. – Nie sądzisz? Jak to zrobimy? Jak masz zamiar znaleźć Henry'ego?

Mówię jej o liście i wzruszam ramionami.

– Możliwe, że go nie znajdę. I w porządku. Gdybyś miesiąc temu powiedziała mi, że wpadnę pod samochód, a Mark cię zostawi, nie udałoby ci się mnie przekonać, że wszystko będzie okej. Ale ja wpadłam pod samochód, Mark cię zostawił i stoimy na... Hm, ty stoisz. Ja siedzę. Ale jeszcze żyjemy, prawda? Jeszcze z nami jest w porządku.

– Widzisz, Hannah, wszystko jest do dupy – mówi Gabby.

– Ale z nimi jest w porządku, prawda? A z nami nie jest w porządku? Czy nie mamy obie nadziei na przyszłość?

– Tak. – Ponuro kiwa głową. – Mamy.

– Więc nie mam zamiaru w kółko martwić się za bardzo – mówię. – Chcę zrobić, co się da, żeby żyć z przekonaniem, że jeśli na tej ziemi są rzeczy, które powinniśmy zrobić, jeśli są ludzie, których powinniśmy pokochać, to znajdziemy to wszystko. Kiedyś znajdziemy. Przyszłość jest tak niewiarygodnie nieprzewidywalna, że próby jej zaplanowania są jak uczenie się do egzaminu, do którego nie będzie się podchodzić. W tej chwili dobrze się czuję. Cieszę się, że z tobą jestem. Tutaj. W Los Angeles. Jak obie będziemy cicho, usłyszymy ćwierkanie ptaków na dworze. Jeśli będziemy miały szczęście, poczujemy cebulę z meksykańskiej restauracji na rogu. W tej chwili z nami jest dobrze. Więc chcę się teraz skoncentrować na tym, czego chcę i czego potrzebuję właśnie w tej chwili, i chcę ufać, że przyszłość sama się o siebie zatroszczy.

– Więc czego chcesz? – pyta Gabby.
– A czego mam chcieć?
– Czego chcesz od życia w tej chwili?
Patrzę na nią i się uśmiecham.
– Bułki cynamonowej.

*Trzy tygodnie później*

JESTEM ZDECYDOWANIE W DRUGIM TRYMESTRZE. Przybyłam na wadze już tyle, że wyglądam grubo, ale jeszcze nie tyle, żeby było jasne, że jestem w ciąży. Po prostu jestem taka gruba, jakbym miała piwny brzuch. Kiedy będę wielka jak chałupa, zacznę narzekać, ale coś mi się wydaje, że obecny etap jest gorszy, przynajmniej dla mojej próżności. W niektóre dni czuję się dobrze. W inne mam bóle krzyża i zjadam trzy kanapki na lunch. Jestem pewna, że mam podwójny podbródek. Gabby mówi, że nie mam, ale mam. Widzę go, kiedy patrzę w lustro. Tam jest jeden mój podbródek i drugi podbródek zaraz pod tym pierwszym.

Gabby przychodzi na prawie wszystkie moje wizyty lekarskie i kursy rodzenia. Nie na wszystkie, ale na większość. Czyta także ze mną książki i omawia wszystkie sprawy. Czy będę miała poród siłami natury? Czy będę używała pieluszek z materiału? (Instynkt podpowiada mi, że nie i nie). Miło mieć kogoś w swoim narożniku. Dzięki temu robię się pewniejsza, że dam radę.

I wreszcie odnajduję pewność siebie. Jasne, to wszystko napędza strach, czasami mam ochotę wpełznąć pod kołdrę i już stamtąd nie wychodzić. Ale jestem kobietą, która rozpaczliwie szuka celu i rodziny, i znalazła obie te rzeczy. Nigdy nie było dla mnie bardziej oczywiste, że mam przy sobie rodzinę, że mam ważniejszy cel, niż kiedykolwiek myślałam.

Już nie czuję potrzeby, żeby wyjechać z tego miasta i pojechać tam, gdzie trawa bardziej zielona, bo nie ma zieleńszej trawy i nie ma lepszego miasta. Utknęłam tutaj. Mam tutaj wsparcie. Mam kogoś, kto chce, żebym zapuściła korzenie i stworzyła sobie dom.

Rodzice byli rozczarowani, kiedy powiedziałam, że nie mam zamiaru przyjechać do nich do Londynu, ale gdy pogodzili się z moją decyzją, zaproponowali, że oboje z Sarah przyjadą do LA, kiedy dziecko się urodzi. Oni przyjadą z wizytą do mnie. Do nas.

Właśnie zaczęłam pracować w gabinecie Carla i dało mi to dwie rzeczy: wielką stabilizację i nowe, zdumiewające doświadczenia. Codziennie w naszym gabinecie widzę matki i ojców, którzy mają chore dziecko, albo nowego niemowlaka, albo martwią się o jedno czy drugie. Widzę, jak bardzo rodzice kochają swoje dzieci, ile by dla nich zrobili, jak daleko by się posunęli, żeby były szczęśliwe, żeby były zdrowe. To naprawdę skłania mnie do zastanowienia, co jest dla mnie ważne, za co byłabym gotowa oddać wszystko, nie tylko jako przyjaciel albo matka, ale także jako człowiek.

Tak mi się to spodobało, że myślę o długoterminowej pracy w przychodni pediatrycznej. Oczywiście, to jest wszystko bardzo nowe, ale nie pamiętam, kiedy jakaś praca tak mnie ekscytowała. Lubię pracę z dziećmi i rodzicami. Lubię pomagać ludziom, dawać sobie radę ze sprawami, których można się bać, które mogą być nowe albo szarpiące nerwy.

Więc dziś rano, kiedy Gabby zabiera Charlemagne do weterynarza, ja wyszukuję w Google szkoły pielęgniarstwa. Wiem, że to całkowity absurd mieć pracę, chodzić do szkoły dla pielęgniarek i mieć dziecko, ale nie pozwolę, żeby mnie to powstrzymało. Sprawdzam. Zobaczę, czy jest jakiś sposób, żeby to się udało. Tak się postępuje, kiedy czegoś się chce. Nie szuka się przyczyn, dlaczego coś się nie uda. Szuka się przyczyn, dlaczego właśnie się uda. Więc szukam. Poszukuję sposobów, żeby to urzeczywistnić.

Przyglądam się miejscowemu college'owi, kiedy dzwoni moja komórka.

To Ethan.

Przez chwilę się waham. Waham się tak długo, że zanim się zdecydowałam, żeby odebrać, połączenie się kończy.

Zdumiona patrzę na telefon, kiedy słyszę jego głos.

– Wiem, że jesteś w domu – mówi, drażniąc się ze mną. – Widzę twój samochód na ulicy.

Odwracam gwałtownie głowę w stronę wejścia, widzę jego czoło i włosy przez szybę w górnej części drzwi.

– Nie zdążyłam do telefonu – mówię, wstaję i idę do drzwi.

Jakaś cząstka mnie nie chce ich otwierać. Ostatnio myślałam, czy nie jest mi przeznaczone wychowywanie dziecka samej, samotne życie, póki dziecko nie trafi do college'u, a ja nie zbliżę się do pięćdziesiątki. Czasem, kiedy nie śpię w nocy, wyobrażam sobie, jak po wielu latach Ethan, już w średnim wieku, puka do moich drzwi. Mówi, że mnie kocha i już nie może beze mnie żyć. A ja mu mówię, że ze mną jest tak samo. I razem spędzamy drugą część naszego życia. Nie raz sobie mówiłam, że pewnego dnia przyjdzie ten właściwy czas. Tak często to sobie powtarzałam, że zaczęłam w to wierzyć.

Ale teraz, kiedy widzę, że on jest po drugiej stronie drzwi, wiem, że to nieprawda. To nie była część mojego nowego planu.

– Może otworzysz drzwi? – pyta. – Czy aż tak mnie nienawidzisz?

– Nie – mówię. – To nie tak, że cię nienawidzę.

Trzymam rękę na klamce, ale nie naciskam.

– Ale drzwi nie chcesz otworzyć?

Otwarcie drzwi to kwestia uprzejmości. Tak się robi.

– Nie – mówię i wtedy uświadamiam sobie, jaki jest prawdziwy powód, że nie chcę otworzyć i że najlepiej zrobię, jeśli mu to powiem. – Nie jestem gotowa na spotkanie z tobą – mówię. – Na to, żeby na ciebie spojrzeć.

Przez chwilę milczy. Milczy tak długo, aż myślę, że sobie poszedł. Potem się odzywa.

– A może ze mną tylko porozmawiasz? Czy to będzie w porządku? Rozmowa?

– Tak – mówię. – To będzie w porządku.

– Cóż, więc usiądź wygodnie – mówi. – To może zająć chwilę.

Widzę, że jego włosy znikają z pola widzenia, dociera do mnie, że usiadł na podeście schodków przed drzwiami.

– Okej – mówię. – Słucham.

Znowu cisza. Ale teraz wiem, że nie poszedł.

– Zerwałem z tobą – mówi.

– Cóż, nic o tym nie wiem – mówię. – Nie dałam ci wielkiego wyboru. Będę miała dziecko.

– Nie – odpowiada. – W ogólniaku.

Uśmiecham się i kręcę głową, ale zaraz zdaję sobie sprawę, że on mnie nie widzi, więc się odzywam:

– Wielka mi nowina, Sherlocku.

– Chyba chciałem zrzucić to na ciebie, bo nie chciałem przyznać, że mogłem tego wszystkiego uniknąć, gdybym wtedy inaczej postąpił.

– Uniknąć czego? Mojej ciąży?

Nie chcę uniknąć ciąży. Podoba mi się, że życie doprowadziło mnie do tego, a jeśli on nie może sobie z tym dać rady, to nie mój problem.

– Nie – mówi on. – Że tyle lat byłem bez ciebie.

– Och – mówię ja.

– Kocham cię – mówi. – Jestem całkowicie pewien, że kochałem cię od chwili, kiedy spotkałem cię w Homecoming, a ty powiedziałaś mi, że słuchałaś Weezerów.

Śmieję się i siadam na podłodze.

– I zerwałem z tobą, bo myślałem, że się z tobą ożenię.

– Jak mam to rozumieć?

– Miałem dziewiętnaście lat, byłem pierwszoroczniakiem w college'u i pomyślałem, że spotkałem dziewczynę, z którą się ożenię. To mnie wystraszyło, wiesz? Pamiętam, jak myślałem, że z nikim innym nie będę sypiał. Że nigdy nie pocałuję innej dziewczyny. Nigdy nie zrobię tego, co robili moi koledzy ze szkoły, tego, co sam chciałem robić. Bo spotkałem ciebie. Spotkałem dziewczynę swoich marzeń. I wiesz, przez chwilę, głupią chwilę w college'u, myślałem, że to niedobrze. Więc pozwoliłem ci odejść. A jeśli mam być całkowicie szczery, chociaż wyjdę na kompletnego cymbała, zawsze myślałem, że cię odzyskam. Myślałem, że mogę z tobą zerwać, zabawić się, skorzystać z młodości, a potem, jak mi przejdzie, odzyskać cię.

– O tym nie wiedziałam – mówię.

– Wiem, bo ci nie mówiłem. A potem, oczywiście, zdałem sobie sprawę, że nie są mi potrzebne te głupstwa z college'u. Pragnąłem cię, ale kiedy przyjechałem do domu na Boże Narodzenie, żeby ci to powiedzieć, ty już chodziłaś z kimś innym. Powinienem sam siebie winić, ale zrzuciłem winę na ciebie. Powinienem o ciebie walczyć, ale nie walczyłem. Czułem się odrzucony, znalazłem inną.

– Przykro mi – mówię.

– Nie – odpowiada. – Nie powinno być ci przykro. To mnie jest przykro. Przykro mi, że dalej uganiałem się za laskami. Rozumiem, czego chcę, ale za bardzo się boję, żeby zrobić to, co trzeba, żeby to mieć. Jestem za wielkim idiotą, żeby poświęcić małe sprawy, aby dostać coś wielkiego. Kocham cię, Hannah. Bardziej niż kiedykolwiek kogoś kochałem. I powiedziałem ci, kiedy znów cię miałem, że nie pozwolę, żeby cokolwiek stanęło nam na drodze.

Kiwam głową, chociaż wiem, że tego nie widzi.

– I co ja robię? Na pierwsze oznaki kłopotów wycofuję się.

– To nie takie proste, Ethanie. Znów zaczęliśmy z sobą chodzić i po dwóch tygodniach powiedziałam ci, że noszę dziecko innego mężczyzny. To okoliczność łagodząca.

– Bo ja wiem – mówi. – Chyba nie bardzo wierzę w okoliczności łagodzące, kiedy już coś takiego się dzieje.

– Sam powiedziałeś – mówię. – Czasem po prostu nie zagra koordynacja w czasie.

– Chyba i w to już nie wierzę – mówi. – Czas, to brzmi jak wymówka. Okoliczności łagodzące to wymówka. Jeśli się kogoś kocha, jeśli uważasz, że jesteś w stanie uczynić go szczęśliwym na resztę wspólnego życia, to nic cię nie powinno powstrzymać. Trzeba być przygotowanym, żeby brać życie takim, jakie jest, i dawać sobie radę z konsekwencjami. Sprawy między ludźmi nie są eleganckie i czyste. Są bałaganiarskie i powikłane. Prawie nie ma w nich sensu, chyba że dla dwojga ludzi w nie wmieszanych. Tak uważam. Uważam, że jeśli kogoś naprawdę się kocha, akceptuje się okoliczności, nie ukrywa się za nimi.

– To znaczy?

– To znaczy, że cię kocham i nie chcę być bez ciebie, a jeśli ty chcesz być ze mną, to nic mnie nie powstrzyma. Ani czas, ani dzieci, nic. Jeśli tego chcesz, jeśli chcesz być ze mną, wezmę cię bez względu na to, jaką mogę cię mieć. Będę cię kochał taką, jaka jesteś. Nie będę próbował niczego w tobie zmienić.

– Ethan, nie wiesz, co mówisz.

– Wiem – odpowiada.

Siedząc tyłem do drzwi, wyczuwam, że wstał. Wstaję wraz z nim.

– Hannah, uważam cię za miłość mojego życia i wolałbym żyć z czterdziestką nie swoich dzieci niż być bez ciebie. Tęskniłem za tobą, odkąd ostatni raz się z tobą widziałem. Tęskniłem od lat. Nie mówię, że to idealna sytuacja. Chodzi mi o to, że się w to wciągnę, jak będziesz ze mną.

– Co będzie jak urodzi się moje dziecko? – pytam.

– Nie wiem – mówi. – Owszem, powiedziałem, że nie jestem gotowy, żeby zostać ojcem. Ale ciągle myślę, a jeśli to byłoby moje dziecko? Czy zachowałbym się inaczej? Zachowałbym się inaczej. Gdybyś była w ciąży ze mną, przypadkiem czy nie, musiałbym być gotowy.

– A teraz? – pytam przez drzwi. – Kiedy to nie jest twoje dziecko?

– Chyba już nie widzę wielkiej różnicy – mówi. – Kocham to, co ty kochasz.

Wbijam wzrok w podłogę. Ręce mi się trzęsą.

– Możemy znaleźć rozwiązanie, w zależności od tego, jak chcesz to rozegrać – mówi. – Mogę być tatą, ojczymem, przyjacielem albo wujem. Mogę uczestniczyć we wszystkich kursach i być przy porodzie, jeśli mi pozwolisz. Albo będę trzymać się z daleka, jeśli tego zechcesz. Podporządkuję się. Będę taki, jak chcesz, żebym był. Tylko pozwól mi w tym uczestniczyć, Hannah. Pozwól mi być z tobą.

Opieram dłonie o drzwi, żeby się nie trzęsły. Czuję się tak, jakbym miała zaraz upaść.

– Nie wiem, co powiedzieć – mówię.

– Powiedz, co czujesz – odpowiada.

– Czuję się zakłopotana – mówię. – I zaskoczona.

– Jasne – odpowiada.

– I czuję, że może nam się uda.

– Naprawdę?

– Tak – mówię. – Myślę, że może od początku to miało tak właśnie być.

– Tak? – pyta. Wyczuwam radość w jego głosie, dociera do mnie przez drzwi.

– Tak – mówię. – Może moim przeznaczeniem było mieć to dziecko. I być z tobą. I wszystko się dzieje tak, jak miało się dziać. – To, co uważam za los, w każdej chwili idealnie zgadza się z tym, co chcę mieć. Ale myślę, że to dobrze. Myślę, że to nadzieja. – To jest bałaganiarskie – mówię. – Mówiłeś wcześniej, że to jest bałaganiarskie. Masz rację. To jest bałaganiarskie.

– Bałaganiarstwo jest okej – odpowiada. – Prawda? Możemy pobałaganić.

– Tak – mówię, łzy zaczynają mi spływać po twarzy. – Możemy pobałaganić.

– Kochanie, otwórz drzwi, proszę – mówi. – Kocham cię.

– Ja ciebie też kocham – mówię.

Ale drzwi nie otwieram.

– Hannah? – pyta Ethan.

– Jestem teraz gruba – mówię.

– Nic nie szkodzi.

– Nie, naprawdę, wyrósł mi drugi podbródek.

– A mnie wrócił trądzik – mówi. – Nikt nie jest doskonały.

Śmieję się przez łzy.

– Jesteś pewien, że chcesz żyć z grubą damulką?

– Co ci mówiłem? – odpowiada. – Mówiłem ci, że możesz przytyć czterysta funtów, a ja i tak będę chciał być z tobą.

– Mówisz poważnie?

– Poważnie.

Otwieram drzwi, widzę Ethana stojącego na schodkach. Ma na sobie jasnoniebieski T-shirt. Oczy ma szkliste, usta szeroko rozciągnięte w uśmiechu. W ręku trzyma pudełko z bułkami cynamonowymi.

– Jesteś najcudowniejszą kobietą, jaką w życiu widziałem – mówi, wchodzi do domu i całuje mnie.

A ja, po raz pierwszy w życiu, wiem, że zrobiłam wszystko prawidłowo.

*Trzy miesiące później*

JUŻ MOGĘ CHODZIĆ. Bez chodzika. O własnych siłach. Czasem używam laski, kiedy jestem zmęczona albo obolała. Ale to już mnie nie wstrzymuje. Czasem idę do spożywczego przy ulicy, żeby kupić batonik, nie dlatego, że mam ochotę na batonik, ale dlatego, że mogę pójść i kupić batonik.

Rozwód Gabby sfinalizował się wczoraj. Nadal nie jest gotowa na randki, nadal szok po tym wszystkim ją dręczy, ale idzie naprzód. Jest szczęśliwa. Sprowadziła nam psa, bernardyna, takiego, jakiego mają Carl i Tina. Nazwała go Tucker. Mark podobno miał alergię na psy i dlatego nie mieli psa. Ale ona zawsze chciała mieć psa. Teraz nadrabia stracony czas.

Kobieta, która mnie potrąciła, jak się okazało, dwa lata temu też miała na koncie wypadek i ucieczkę. Wtedy nie potrąciła człowieka, ale rąbnęła w samochód i odjechała. Z ubezpieczenia i pozwu będę miała dość pieniędzy, żeby solidnie stanąć na nogi.

Kiedy doszłam do stanu, w którym mogłam już swobodniej chodzić, kupiłam samochód. To wiśniowoczerwony hatchback. Widać mnie z odległości wielu mil, co mi się podoba. Myślę, że to samochód bardzo mój.

Potem, jak już miałam samochód, zaczęłam rozglądać się za pracą.

Powiedziałam Carlowi i Tinie, że myślę pójść do szkoły pielęgniarstwa. Jak wpłyną pieniądze, będę mogła sobie na to pozwolić. Ciągle myślę o pielęgniarzach i pielęgniarkach, które pomagały mi w szpitalu. Szczególnie myślę o pielęgniarce Hannah i o tym, jak w porządku mnie potraktowała, kiedy byłam najbardziej uciążliwa. I myślę o tamtej pielęgniarce pediatrycznej na piętrze onkologicznym.

I oczywiście myślę o Henrym.

Pielęgniarki i pielęgniarze pomagają ludziom. I zaczynam myśleć, że nie ma niczego ważniejszego, na co mogłabym przeznaczyć swój czas.

Kiedy prawie straciło się życie, chce się wszystko po-dwoić, robić coś ważnego i większego od siebie. I myślę, że tak jest ze mną.

Carl zaproponował mi pracę w swoim gabinecie pe-diatrycznym, póki nie dojdę do tego, co chciałabym robić. Mówi, że jego praktyka ma program wspomagania pracow-ników, którzy idą do szkół wieczorowych, o ile wypełniają kryteria finansowe. Kiedy przypomniałam mu, że praw-dopodobnie ich nie spełnię, wyśmiał mnie i powiedział:

– Dobra uwaga! Wystarczy, że podejmiesz pracę dla nabrania doświadczenia i pieniędzy na życie. Swoje pie-niądze wydaj na szkołę.

Więc rozmawiam z nim o tym. Jestem tu jeszcze no-wa, pracuję od paru tygodni, ale daje mi to potwierdzenie czegoś, co już wiem: zmierzam we właściwym kierunku.

Powiedziałam rodzicom, że nie przeprowadzam się do Londynu. Byli smutni, ale chyba dobrze to przyjęli.

– Okej – powiedziała mama – rozumiemy. Ale w takim razie musimy porozmawiać, kiedy znajdziesz czas, żeby nas odwiedzać.

Potem tato odebrał jej słuchawkę i powiedział, że przy-jeżdża w lipcu, czy mi się to podoba, czy nie.

– Nie chcę czekać do Bożego Narodzenia, żeby zno-wu cię zobaczyć i szczerze mówiąc, zaczynam tęsknić za grillem na czwartego lipca.

Kilka tygodni później mama zadzwoniła, żeby powie-dzieć, że myślą o kupieniu mieszkania w Los Angeles.

– Wiesz, takie mieszkanko, w którym będziemy mogli się zatrzymywać, jak przyjedziemy z wizytą – powiedzia-ła. – To znaczy, jeśli zostaniesz w Los Angeles…

Powiedziałam, że zostanę. Powiedziałam, że nigdzie się nie wybieram. Powiedziałam, że jestem tutaj i będę.

Nawet się nad tym nie zastanawiałam. Po prostu powiedziałam.

Bo to była prawda.

Ethan zaczął chodzić z naprawdę miłą kobietą o imieniu Ella. Jest nauczycielką w ogólniaku i bardzo zapaloną rowerzystką. W ubiegłym miesiącu Ethan kupił rower i wybrali się na trzydniową wyprawę, żeby zbierać pieniądze na badania nad rakiem. Ethan wygląda na niewiarygodnie szczęśliwego. Parę dni temu powiedział mi, że nie może uwierzyć, że przeżył tyle lat w Los Angeles, a nie widział miasta z roweru. Nosi teraz szorty rowerzysty. Zabawnie obcisłe, króciutkie szorty rowerowe, a do nich koszulkę rowerową i kask. Parę wieczorów temu jedliśmy kolację. Dojechał od siebie na rowerze. Zajęło mu to pół godziny. Uśmiech na jego twarzy, kiedy wszedł w drzwi, mógłby zaćmić cholerne słońce.

Zachowuje się wobec mnie fantastycznie. Przysyła mi esemesa za każdym razem, gdy widzi sklep z bułkami cynamonowymi, których jeszcze nie próbowałam. Kiedy już mogłam o własnych siłach wejść na górę, przyjechał i pomógł Gabby i mnie przenieść z powrotem moje rzeczy na piętro. On i Gabby zostali nawet kimś w rodzaju przyjaciół. Rzecz w tym, że Ethan to wspaniały przyjaciel. I cieszę się, że nie zniszczyłam tego, myśląc, że jeszcze coś między nami zostało. Tak jest lepiej.

Skłamałabym, gdybym powiedziała, że nigdy nie myślę o dziecku, które bym urodziła, gdybym nie wpadła pod samochód. Czasem, gdy robię coś kompletnie przypadkowego, jak prysznic czy jazda do domu, myślę o tym, myślę o dziecku. Jedynym sposobem, żeby się z tym pogodzić jest świadomość, że wtedy nie byłam gotowa zostać matką. Ale będę pewnego dnia. I próbuję nie zawracać sobie głowy zbyt wieloma myślami o przeszłości albo o tym, co mogłoby być.

Rano budzę się najczęściej wypoczęta, podniecona myślą o nadchodzącym dniu. A dopóki tak się dzieje, wszystko jest jak należy.

Dziś rano obudziłam się wcześnie, więc pomyślałam, że wsiądę do samochodu i pojadę do Primo's. Wyrobiłam sobie taki zwyczaj, mała uczta, kiedy mam na to czas. Jak już tam jestem, często dzwonię do taty. To nie to samo, jak kiedy przyprowadzał mnie tu w dzieciństwie, ale coś podobnego. Zrozumiałam też, przynajmniej jeśli chodzi o rodziców, że im częściej z nimi rozmawiam przez telefon, tym lepiej się czuję.

Dzwonię teraz do ojca, podczas jazdy, ale nie odbiera. Zostawiam wiadomość. Mówię, że jadę do Primo's i że o nim myślę.

Wjeżdżam na zatłoczony parking Primo's i parkuję. Biorę laskę z tylnego siedzenia i okrążam budynek, żeby wejść od frontu. Ustawiam się w kolejce i zamawiam bułkę cynamonową i pączek na maślance dla Gabby.

Płacę, wręczają mi już zatłuszczoną torbę.

I wtedy znajomy głos mówi do kasjera.

– Poproszę bułkę cynamonową.

Odwracam się i patrzę. Przez chwilę nie rozpoznaję go. Nosi dżinsy i T-shirt. Widywałam go tylko w granatowym ubraniu szpitalnym.

Patrzę w dół na jego ramię, żeby upewnić się, że nie zwariowałam, żeby sprawdzić, że nic mi się nie wydaje. „Isabella".

– Henry? – pytam.

Oczywiście, to on. Jestem zaskoczona, jak znajomo wygląda, jak naturalne wydaje się, że wreszcie stoi przede mną. Henry.

– Cześć – mówię. – Cześć, cześć, hej.

– Hej – odpowiada z uśmiechem. – Pomyślałem, że pewnego dnia może cię tu spotkam.

Mężczyzna za ladą podaje Henry'emu bułkę cynamonową, a Henry wręcza mu drobne.

– Tyle jest bud z bułkami cynamonowymi na całym świecie, a ty musiałeś przyjść do mojej – mówię.

Śmieje się.

– Właściwie to specjalnie – mówi.

– Jak to?

– Pomyślałem, że jeśli w ogóle mam cię znowu spotkać, wpaść na ciebie i zacząć rozmowę jak dwoje normalnych ludzi, to najlepsze będzie miejsce, gdzie sprzedają bułki cynamonowe.

Czerwienię się. Wiem, że się czerwienię, bo czuję ciepło na policzkach.

– Porozmawiamy na zewnątrz? – pyta.

Oboje wstrzymujemy kolejkę.

Kiwam głową i wychodzę za nim. Siada przy jednym z metalowych stolików. Kładę moje zakupy. Oboje wyciągamy bułki cynamonowe. Henry pierwszy odgryza kawałek.

– Dostałaś mój list? – pyta, gdy przełknął.

Żuję, zamykam oczy i kiwam głową.

– Tak – mówię wreszcie. – Szukałam cię przez jakiś czas. Na rogach ulic, w sklepach. Ciągle patrzyłam mężczyznom na ramiona.

– Szukałaś tatuażu? – pyta.

– Tak – mówię.

– I nie znalazłaś mnie.

– Aż do dzisiaj – mówię.

Uśmiecha się.

– Przykro mi, że sprawiłam ci kłopoty w pracy – mówię.

Macha z lekceważeniem ręką.

303

– Nie sprawiłaś. Chociaż Hannah nie spodobał się twój wybryk, kiedy odszedłem – mówi ze śmiechem. – Ale powiedziała, że rzeczywiście wyglądałaś na natręta. I że to oczywiste, że to nie była moja wina.

Czerwienię się tak mocno, że muszę zakryć twarz dłońmi.

– Och, tak się wstydzę – mówię. – Byłam naszpikowana lekami.

Śmieje się.

– Nie wstydź się – mówi. – Bardzo się ucieszyłem, gdy się o tym dowiedziałem.

– Ucieszyłeś się?

– Żartujesz sobie ze mnie? Najpiękniejsza dziewczyna, jaką w życiu widziałem, toczy się przez szpital i rozpaczliwie próbuje mnie znaleźć? Naprawdę bardzo, ale to bardzo się ucieszyłem.

– Cóż – mówię. – Ja chyba… chciałam się odpowiednio pożegnać. Uważałam, że my…

Henry kręci głową.

– Z niczego nie musisz mi się tłumaczyć. Czy dziś wieczór jesteś wolna, żeby pójść na kolację? Chcę cię zaprosić na randkę.

– Naprawdę? – pytam.

– Tak – mówi Henry. – Co ty na to?

Śmieję się.

– Ja na to tak. To rozkosznie brzmi. Och, ale dziś wieczór nie mogę. Mam plany z Gabby. Ale jutro? Dasz radę jutro?

– Tak – mówi. – Dam radę, kiedy tylko ty dasz radę. A może teraz? Co robisz teraz?

– Teraz?

– Tak.

– Nic.

– Pójdziesz ze mną na spacer?

– Poszłabym z ogromną chęcią – mówię. Ocieram cukier z rąk i chwytam laskę. – Mam nadzieję, że nie masz nic przeciwko temu, że chodzę o lasce.

– Żartujesz sobie ze mnie? – mówi. – Od miesięcy chodziłem po cukierniach z nadzieją, że cię odnajdę. Coś tak nieistotnego jak laska nie stanie mi w drodze.

Uśmiecham się.

– I jeszcze to, że gdybym nie potrzebowała tej laski, pewnie nigdy bym cię nie spotkała. Chociaż kto wie, może spotkalibyśmy się w innych okolicznościach.

– Jako człowiek, który od miesięcy próbuje się z tobą spotkać, zapewniam cię, że to rzadkość, żeby skrzyżowały się drogi konkretnych ludzi.

Bierze mnie za rękę, a ja tak długo na to czekałam, tak bardzo byłam przekonana, że do tego może nigdy nie dojść, że okaże się to zwyczajnym gestem.

– Więc niech żyją wypadki samochodowe – mówię.

Śmieje się.

– Niech żyją. I niech żyje wszystko to, co nas tutaj doprowadziło.

Potem mnie całuje, a do mnie dociera, że myliłam się co do trzymania za rękę. Teraz wygląda to nastolatkowo i oryginalnie. Na to właśnie czekałam.

I kiedy tak stoję pośrodku wielkiego miasta, całując mojego nocnego pielęgniarza, wiem po raz pierwszy w życiu, że wszystko zrobiłam jak należy.

Przecież on smakuje jak bułka cynamonowa, a ja jeszcze nigdy nie pocałowałam kogoś, kto smakowałby jak bułka cynamonowa.

GABBY NIE ZNOSI NIESPODZIANEK, ale Carl i Tina uparli się, że to będzie przyjęcie niespodzianka. Powiedziałam, że zastosuję się do ich planu, a potem, w ubiegłym tygodniu, wypaplałam wszystko Gabby, żeby wiedziała, czego ma się spodziewać. Po prostu wiedziałam, że gdyby to o mnie chodziło, chciałabym zostać ostrzeżona. Więc jesteśmy tutaj, na przyjęciu z okazji jej trzydziestych drugich urodzin. Ja, Ethan i pięćdziesięcioro innych jej bliskich przyjaciół. Stłoczyliśmy się w salonie jej rodziców, w całkowitej ciemności. Czekamy, żeby zrobić niespodziankę komuś, kto o niej wie.

Słyszymy, jak samochód jej rodziców zatrzymuje się na podjeździe. Kiedy widzę, że reflektory wozu gasną, po raz ostatni ostrzegam wszystkich, żeby byli cicho.

Słyszymy, jak podchodzą do drzwi.

Widzimy, jak otwierają się drzwi.

Włączam światło i cały pokój wrzeszczy.

– Niespodzianka! – Tak jak miało być.

Gabby szeroko otwiera oczy. Jest dobrą oszustką. Wygląda naprawdę na wystraszoną. A potem odwraca się, wpada wprost na Jessiego. Jessie śmieje się, łapie ją w objęcia.

– Wszystkiego najlepszego z okazji urodzin! – mówi i okręca nią, żeby zobaczyła nas wszystkich.

Tina ze smakiem udekorowała pokój. Szampan i bufet deserowy. Białe i srebrne baloniki.

Gabby najpierw podchodzi do mnie.

– Dzięki Bogu, że mi powiedziałaś – szepcze. – Nie wiem, czy bez ostrzeżenia wytrzymałabym to wszystko.

Śmieję się.

– Wszystkiego najlepszego z okazji urodzin! – mówię. – Niespodzianka!

Śmiejemy się.

– Gdzie jest Gabriella?

– Zostawiłam ją z Paulą – mówię. Paula jest naszą dochodzącą babysitterką, może raczej nianią. To starsza kobieta, z którą pracowałam w gabinecie Carla. Przeszła na emeryturę i bardzo się nudziła, więc w ciągu dnia, kiedy chodzę do szkoły pielęgniarstwa, opiekuje się Gabriellą, albo kiedy Gabby, Ethana i mnie nie ma w domu. Gabriella uwielbia ją. Ethan i ja zawsze żartobliwie nazywaliśmy Gabby trzecim rodzicem, więc to oczywiste, że zaczęliśmy mówić, że Paula jest czwartym. Jak na kobietę, której rodziców naprawdę nie ma w pobliżu, dałam ich mojemu dziecku w nadmiarze.

– Mówiłaś już Pauli? – Gabby pyta konspiracyjnym szeptem. – O tej sprawie? – Mogę się tylko domyślać, że chodzi jej o to, że razem z Ethanem zaczęliśmy, właśnie w tym miesiącu, starać się o drugie dziecko.

– Nie – szepczę. – Nadal wiesz tylko ty.

– Chyba lepiej, żeby wszyscy się dowiedzieli, dopiero jak nam się uda – mówi Ethan. – Ale Hannah zapomniała ci powiedzieć tego, co najlepsze w tym wieczorze.

– Zapomniałam?

– Paula powiedziała, że zostanie na noc, więc jest czas na imprezę, przynajmniej jeśli chodzi o mnie! – mówi Ethan, stając przy mnie. – No i wszystkiego najlepszego z okazji urodzin! I jeszcze to. – Wręcza Gabby butelkę wina, które dla niej przynieśliśmy.

– Dziękuję – mówi Gabby. Obejmuje go mocno. – Kocham was, ludziska. Bardzo wam dziękuję za to wszystko.

– My ciebie też kochamy – mówię. – Widziałaś Flintów? Stoją z tyłu. – Pokazuję, ale ona już do nich idzie. Patrzę, jak ściska przyszłych teściów. Widać, że ją kochają.

– Całkiem nieźle, dzieciaku – mówi Carl, podchodząc do mnie. – Wy dwie o mało mnie nie nabrałyście.

Udaję, że nie wiem, o co chodzi.

– Nie mam pojęcia, o czym mówisz.

– Ona wiedziała. Znam swoją córkę, ona wiedziała. I wiem, że Jessie jej nie powiedział, bo on jeszcze za bardzo się mnie boi. Tylko ty masz tyle odwagi, żeby mi się sprzeciwić.

Śmieję się.

– Ona nie znosi niespodzianek – mówię na swoją obronę.

Carl kręci głową, spogląda na Ethana.

– Czy mam to przyjąć za przeprosiny ze strony twojej żony?

Ethan śmieje się i podnosi ręce w geście poddania się.

– Ja się w to nie mieszam.

– Przepraszam – mówię szczerze do Carla.

Macha na mnie ręką.

– Żartuję. Póki jest szczęśliwa, nic mnie nie obchodzi. A wygląda na to, że jest.

Tina przeciska się przez tłum, żeby z nami porozmawiać. Obejmuje mnie mocno, a potem zmierza prosto do celu.

– Kiedy odchodzisz z gabinetu, żeby zacząć dzienną szkołę?

– W przyszłym miesiącu – mówię. – Ale jeszcze nie jestem pewna.

Patrzę na Carla. Jak dotąd przepychałam się przez szkołę, pracując dla niego prawie w pełnym wymiarze godzin. Korzystałam też z jego programu refundacji kosztów kształcenia pracowników. To wspaniała okazja, ale z Gabriellą i ewentualnością drugiego dziecka, chcę ukończyć szkołę szybciej. Omówiliśmy to z Ethanem i odchodzę z pracy, żeby zacząć szkołę dzienną. Ale jeśli Carl będzie chciał, żebym została dłużej, to zostanę. Dla niego zrobię wszystko. Bez niego, a właściwie bez Hudsonów, nie wiem, co by ze mną było.

– Może przestaniesz? Zrób dyplom. A jak już go będziesz miała, to przynajmniej daj mi szansę, żebym zatrudnił cię jako pierwszy. Tylko o to proszę.

– Ale wy dwoje tyle dla mnie zrobiliście. Nie wyobrażam sobie, żebym mogła się wam kiedykolwiek zrewanżować.

– Nie będziesz się rewanżować – mówi Tina. – Jesteśmy twoją rodziną.

Uśmiecham się i kładę głowę na ramieniu Carla.

– Ale dziś wieczór będę cię prosił o przysługę – mówi Carl. – Jeśli zechcesz mi ją wyświadczyć.

– Oczywiście – mówię.

– Przyszedł do mnie Yates, żebym zatrudnił kogoś z jego starego gabinetu. Chyba chodzi o pielęgniarkę, która z nim tutaj jest. Z Yatesem jest jak z psem i z kością. Nie odpuści, jak czegoś chce.

Doktor Yates to nowy lekarz w przychodni. Carl i doktor Yates w wielu sprawach nie nadają na tych samych falach, ale to porządny facet. Zaprosiłam go na imprezę, chociaż Carl uważał, że to nie jest konieczne. Ale Carl chciał zaprosić całą przychodnię bez Yatesa. Więc… chyba miałam rację.

– Znasz mnie – kontynuuje Carl. – Nie jestem dobry w omawianiu spraw biznesowych na imprezach.

Carl wszędzie potrafi omawiać sprawy biznesowe. Po prostu nie chce rozmawiać z Yatesem.

– Jak na nich wpadnę, zrobię dla ciebie trochę badań kontrolnych.

– Chcę sprawdzić co z Gabrielle – mówi Ethan. Wchodzi do kuchni, patrzę, jak dzwoni do Pauli. Zawsze tak robi. Najpierw robi wielką sprawę z tego, że zostawia ją na noc, a potem dzwoni co dwie godziny. Musi wiedzieć, co z nią, co jadła. Jak na kogoś, kto nie był pewien, czy jest gotowy zostać ojcem, jest najbardziej obowiązkowym ojcem, jakiego w życiu widziałam.

W ubiegłym roku oficjalnie adoptował Gabrielle. Chciał, żebyśmy wszyscy nosili to samo nazwisko.

– Jesteśmy rodziną – mówi. – Zespołem. – Ona teraz nazywa się Gabriella Martin Hanover. Jesteśmy Martinami Hanoverami.

I chociaż między Gabrielle a Ethanem nie ma związ-ków krwi, to nie widać tego, kiedy się na nich patrzy, gdy się słucha, jak rozmawiają. Są rodziną tak, jak dwoje ludzi może nią być. Parę dni temu, w spożywczym, kasjerka powiedziała, że Gabrielle i Ethan mają takie same oczy. Uśmiechnął się i podziękował.

– Wiem, kochanie, ale tatuś musi porozmawiać z Pau-lą – słyszę, jak mówi do telefonu. – Pójdziesz do łóżka, kiedy Paula cię o to poprosi, a mama i ja pocałujemy cię, jak wrócimy do domu, okej? – Gabrielle musiała oddać telefon Pauli, bo następna rzecz, jaką słyszę z ust Ethana, to: – Okej, ale wyjęłaś jej tę kulkę z nosa?

Zazwyczaj jesteśmy zmęczeni. Nie wychodzimy razem na miasto tak często, jak byśmy chcieli. Ale kochamy się jak szaleni. Wyszłam za mężczyznę, który został ojcem, bo mnie kochał, a teraz mnie kocha, bo uczyniłam go ojcem. I rozśmiesza mnie. I jest przystojny, kiedy się wystroi, tak jak na ten wieczór.

Wraca do pokoju. Wkrótce robi się tak głośno, że ledwie się słyszymy. Kiedy impreza na dobre się rozkrę-ciła, ktoś prosi Jessiego, żeby opowiedział, jak spotkał się z Gabby. Powoli, ale nieubłaganie cały dom cichnie, żeby posłuchać. Jessie stoi na podstawie kominka, więc każdy go widzi i słyszy. Jest za niski, żeby bez tego można go zobaczyć.

– Pierwsza lekcja geometrii. Dziesiąta klasa. Popatrzyłem przed siebie i zobaczyłem najbardziej interesującą dziewczynę, na jaką kiedykolwiek trafiło moje oko.

Jessie tyle razy opowiadał tę historię, że mogłabym sama ją opowiedzieć.

– I ku mojej radości była niższa ode mnie.

Wszyscy się śmieją.

– Ale do niej nie zagadałem. Byłem zbyt zdenerwowany. Po trzech tygodniach szkoły zagadała do mnie inna dziewczyna, a ja powiedziałem tak, bo miałem piętnaście lat i chciałem to mieć za wszelką cenę.

Ludzie znowu się śmieją.

– Długo chodziliśmy z Jessicą. Zerwaliśmy w ostatniej klasie. I oczywiście, kiedy zerwaliśmy, natychmiast znalazłem Gabby i zagadałem do niej. To była wspaniała randka. A potem, następnego dnia rano, zadzwoniła do mnie moja dziewczyna i powiedziała, że chce, żebyśmy znowu byli razem. I… byliśmy. Razem z Jessicą byliśmy w college'u, zaraz potem pobraliśmy się, itede, itede, itede…

On zawsze mówi „itede, itede, itede".

– Zerwaliśmy z Jessicą dwa lata po ślubie. Po prostu nie wyszło nam. A potem, po paru latach, dostałem na Facebooku zaproszenie od Gabby Hudson. Tej Gabby Hudson.

To moja ulubiona część. Kiedy nazywa ją tą Gabby Hudson.

– Bardzo się spiąłem i zacząłem śledzić ją przez Facebooka i myśleć, czy jest singielką i czy w ogóle się ze mną umówi. Następne, co pamiętam, to wspólna wyprawa na kolację w jakiejś superrestauracji w Hollywood. I wtedy to poczułem. Nie mówiłem jej, bo nie chciałem jej przestraszyć, ale wreszcie zrozumiałem, dlaczego ludzie pobierają się powtórnie. Kiedy się rozwiodłem, nie byłem pewien, czy jeszcze raz będę miał na to ochotę. Ale potem wszystko się zazębiło i zrozumiałem, że moje małżeństwo za pierwszym razem nie udało się, bo znalazłem niewłaściwą osobę. I w końcu ta właściwa stała przede mną. Więc odczekałem kilka miesięcy randkowania i powiedziałem jej, co czuję. A potem zapytałem, czy wyjdzie za mnie, a ona powiedziała tak.

Tak zazwyczaj kończy się ta historia, ale Jessie mówi dalej.

– Ostatnio czytałem książkę o kosmosie – mówi, potem rozgląda się i mówi dalej. – Słuchajcie, wierzcie mi, to się łączy.

Tłum znów się śmieje.

– I czytałem o różnych teoriach na temat wszechświata. Naprawdę wzięła mnie teoria, którą fizycy nazywają teorią multiwersum. Chodzi o to, że zdarza się wszystko, co jest możliwe. To znaczy, że kiedy rzuca się monetą, spada orzeł i reszka. Nie orzeł albo reszka. Za każdym razem, kiedy rzuca się monetą i wychodzi orzeł, to tylko tyle, że jest się we wszechświecie, gdzie wychodzi orzeł. Gdzieś tam jest wasza inna wersja, stworzona w chwili rzutu niklówką, gdzie wychodzi reszka. To się dzieje co sekundę, codziennie. Świat rozdziela się coraz bardziej na niezliczoną liczbę wszechświatów równoległych, w których zdarzy się wszystko, co może się zdarzyć. Są pewnie miliony, tryliony, kwadryliony różnych wersji nas samych, żyjących poza zasięgiem skutków naszych wyborów. To jest możliwa interpretacja mechaniki kwantowej. Całkiem prawdopodobne, że za każdym razem, kiedy podejmujemy decyzję, jakaś wersja nas samych jest gdzieś tam i jej wybór jest inny. Niezliczona liczba wersji nas samych przeżywa konsekwencje każdej możliwości w naszym życiu. Zmierzam do tego, że gdzieś tam mogą być wszechświaty, w których dokonujemy innych wyborów, a te prowadzą nas do czegoś innego, mnie prowadzą do kogoś innego.

Patrzy na Gabby.

– I serce mi pęka za każdą wersją mnie, która nie jest z tobą.

Może to kwestia chwili, może to hormony, ale zaczynam płakać. Gabby i ja zerkamy na siebie, widzę, że ona też ma łzy w oczach. Jessie skończył mówić, ale nikt się nie odwraca. Wszyscy wpatrują się w Gabby. Wiem, że powinnam coś zrobić, ale nie wiem co.

– Na tym tle wszyscy wychodzimy gorzej – powiedział na głos Henry.

Ludzie roześmiali się i rozeszli. Patrzę na niego, wyciera mi łzy z oczu.

– Kocham cię tak samo, jak ten szpaner kocha ją – żartuje. – Po prostu nie oglądałem tego samego, specjalnego wydania programu popularnonaukowego *Nova*.

– Wiem – mówię. – Wiem. – Bo istotnie wiem. – Myślisz, że to prawdziwa teoria? – pytam Henry'ego. – Myślisz, że gdzieś tam są wersje nas samych, które nigdy się nie spotkały?

– Może jedna, gdy nie uległaś wypadkowi i skończyło się na twoim małżeństwie z szefem kuchni od bułek cynamonowych? – mówi.

– Wszystko, co jest możliwe, zdarzy się…

– Chciałabyś wyjść za szefa kuchni od bułek cynamonowych?

– Na pewno chciałabym, żebyś lepiej przyrządzał bułki cynamonowe – mówię. – Ale nie, ten wszechświat jest dla mnie w porządku.

– Jesteś pewna? Może spróbujemy sprzeciwić się przestrzeni i czasowi, i wybrać się na poszukiwania innego wszechświata dla ciebie?

– Nie – mówię. – Ten mi się podoba. Ty mi się podobasz. I ona. – Pokazuję swój brzuch. – I Gabby. I Jessie. I Carl, i Tina. Nie mogę się doczekać, kiedy dostanę licencję pielęgniarki. I pogodziłam się z faktem, że czasem, kiedy pada, boli mnie prawe biodro. Tak – mówię. – Zostaję.

– Okej – mówi, całując mnie. – Daj mi znać, gdybyś zmieniła zdanie.

Wymyka się do łazienki, a ja zaczynam iść w stronę Gabby i Tiny stojących przy małych serniczkach. Zainteresowana jestem głównie serniczkami, ale zatrzymuje mnie mężczyzna o wymiarach obrońcy w amerykańskim futbolu. Proszę, żeby się przesunął, nie słyszy. Już mam zrezygnować.

– Proszę pana. – Słyszę za plecami. – Czy ona mogłaby przejść?

Obrońca odwraca się razem ze mną. Za nami stoi Ethan.

– Och, przepraszam bardzo – mówi obrońca. – Jestem żarłokiem, jeśli chodzi o sernik. Kiedy przed nim stoję, wszystko inne się nie liczy.

Śmieję się i psuję mu podanie. Ethan kroczy za mną.

– Już szósty miesiąc? – pyta.

Bierze kawałek placka bananowego ze śmietaną.

– Siódmy – mówię, biorąc kawałek sernika.

– Co się dzieje? Nie ma dla ciebie bułek cynamonowych?

– To nocna impreza – mówię. – Więc jest okej. Ale ostatnio non stop je zajadałam. Henry mówi, że można wyczuć cynamon w moich włosach.

Ethan się śmieje.

– Wierzę w to. Na pewno ci mówiłem, że po tym, jak zerwaliśmy, nie mogłem powąchać bułki cynamonowej bez wpadania w depresję.

– Nigdy mi tego nie mówiłeś – mówię ze śmiechem. – Jak długo to trwało? Do przerwy na Święto Dziękczynienia?

Ethan odpowiada śmiechem.

– To dość długo – mówi. – Ale to prawda.

– Cóż, w takim razie nie powinieneś ze mną zrywać – mówię mu.

Ethan zanosi się śmiechem.

– To ty ze mną zerwałaś, prawda?

– Och, proszę – mówię. – Spróbuj to sprzedać komuś innemu.

– Cóż – mówi Ethan – kto by z kim nie zerwał, serce mało mi się nie rozerwało.

– Jak wyżej – mówię.

– Tak? – ripostuje, jakby dzięki tej informacji poczuł się lepiej.

– Żartujesz? Nie sypiałam potem z nikim, bo ciągle o tobie myślałam. Na pewno nie możesz powiedzieć tego o sobie.

Ethan się śmieje.

– Nie – mówi. – Na pewno sypiałem z różnymi kobietami. Ale to... to nie ma żadnego znaczenia.

– Zawsze myślałam, że wrócimy do siebie pewnego dnia – mówię. – Śmieszne jest funkcjonowanie mózgu nastolatka.

Wzrusza ramionami, zajadając placek.

– Nie takie śmieszne. Też tak myślałem. Od czasu do czasu. Prawie...

– Co prawie? – pytam.

– Kiedy wróciłaś do LA, tuż przed wypadkiem, pomyślałem, że może...

Wracam myślą do tamtych dni. To był ciężki czas. Prawie bez przerwy nadrabiałam miną. Naprawdę bardzo starałam się trzymać, ale kiedy teraz na to patrzę, myślę, jakie to wszystko było smutne. Myślę o dziecku, które straciłam, i zastanawiam się, czy… zastanawiam się, czy musiałam je stracić, żeby znaleźć się tu, gdzie teraz jestem. Zastanawiam się, czy musiałam stracić tamto dziecko, żeby mieć to.

– Ja chyba też myślałam, że może tak być – mówię.

– No to się nam nie udało – stwierdza.

– Chyba nie.

Widzę, jak Henry wychodzi z łazienki. Widzę, jak zatrzymuje się, żeby porozmawiać z Carlem. Uwielbia Carla. Gdybyśmy mogli trzymać popiersie Carla z brązu w naszym salonie, na pewno by je tam postawił.

– Kto wie? – mówię do Ethana. – Jeśli teoria Jessiego jest słuszna, ta o wszechświatach, może jest gdzieś taki, w którym się nam powiodło.

Ethan się śmieje.

– Tak – mówi. – Może. – Podnosi placek, jakby chciał wznieść toast. Ja podnoszę sernik, żeby się z nim stuknąć. – Może w innym życiu – dodaje.

Uśmiecham się do niego i zostawiam go przy stoliku z deserami.

Tęsknię za mężem.

Stoi teraz w kółku z Gabby, Jessiem, Carlem i Tiną. Dołączam do nich.

– Widzę, że znalazłaś sernik – mówi Gabby.

– Ciężarne paniusie zawsze znajdują sernik – odpowiadam. – Wiesz przecież.

Henry podchodzi bliżej mnie, nie przerywając rozmowy z Carlem. Obejmuje mnie ramionami. Ściska mnie. Szeroko otwiera usta, a ja się do niego uśmiecham. Karmię go sernikiem.

Okruszki zostają mu na twarzy.

## Podziękowania

Szczęście mi sprzyja, bo mam więcej niż jedną Gabby w moim życiu i cieszy mnie to każdego dnia. Dziękuję Erin Fricker, Julii Furlan, Sarze Arington i Tamarze Hunter, że są tak wspaniałymi ludźmi i bliskimi przyjaciółkami.

Tę książkę zadedykowałam wam, bo wasza przyjaźń trzymała mnie w ruchu, kiedy nie wiedziałam, czy zrobię kolejny krok. I dla Bea Arthur, Andiego Baucha, Emily Giorgio, Jessiego Hilla, Philipa Jordana, Ryana Powersa, Jess Reynoso, Ashley i Colina Rodgerów, Jasona Stameya, Kate Sulivan i pozostałych moich przyjaciół, nad wyraz oddanych i cudownych. Mam wielkie szczęście, że znam was wszystkich i że weszliście w moje życie.

Dla Carly Waters, najcudowniejszej agentki świata. Często dziękuję losowi (a przynajmniej przypadkowi), że zaprowadził mnie na twój blog w 2012 roku i pozwolił zadawać ci pytania. Że miałam tak wiele szczęścia, by reprezentował mnie ktoś, kogo tak bardzo lubię, to albo kwintesencja przeznaczenia, albo cudowny przypadek. Równie wdzięczna jestem Bradowi Vohnowi i Richowi Greenowi. Dziękuję ci Brad, że zrozumiałeś i przyjąłeś moją pracę we właściwy ci sposób. Rich, też dziękuję. Jestem podekscytowana tym,

– Kocham cię – mówi z pełnymi ustami. Ledwie udaje mi się rozróżnić słowa. Ale nie mam wątpliwości, co powiedział. Całuje mnie w czoło i gładzi dłonią mój brzuch.

Pewnej sobotniej nocy, gdy byłam przed trzydziestką, wpadłam pod samochód i ten wypadek doprowadził mnie do ślubu z moim nocnym pielęgniarzem. Jeśli to nie przeznaczenie, to nie wiem, co to jest.

Więc muszę myśleć, że o ile mogę istnieć w innych wszechświatach, żaden nie jest taki słodki jak ten.

co zrobiliśmy, pracując razem od tak niedawna. Nie sposób sobie wyobrazić wszechświata, w którym Greer Hendricks byłaby śliczniejsza. Dziękuję, że dałaś taką przyjemność rozmówcom i byłaś tak niewiarygodnie dobra w tym, co robiłaś. Moja praca nie mogła trafić w lepsze ręce. To samo dotyczy Sarah Cantin, Tory Lowy i reszty zespołu Atria.

Dziękuję rodzinom Hanesów i Reidów. Rose i Warren, Sally i Bernie, Niko i Zach; kiedy mówię przyjaciołom, jak bardzo kocham swoich teściów z rodzinami, unoszę do góry wzrok, jakbym była Zenicą, która przypomina nauczycielce, że zapomniała zadać pracę domową – ale nie przestanę tego powtarzać, choćbym miała zsinieć na twarzy. Mam szczęście, że wżeniłam się w tak wspaniałą rodzinę. Kocham was wszystkich.

Dziękuję rodzinom Jenkinsów i Morisów. Mojej matce Mindy i mojemu bratu Jake'owi, którego kocham. Jakie to szczęście, że mnie wspierasz. Dziękuję, że zawsze we mnie wierzyłeś.

Babciu Lindo, słowa nie wyrażą, kim dla mnie jesteś. To zaszczyt po prostu cię znać, nie mówiąc o tym, żeby być twoją wnuczką. Dziękuję ci za każdą chwilę, którą spędziłyśmy razem. Jestem, kim jestem, bo dorastając, chciałam, żebyś była ze mnie dumna. Uważaj to za uroczyste przyrzeczenie, że nie zapomnę zatrzymać się i powąchać róż.

I wreszcie Alex Reid: ta książka nie jest o nas. Ale jeden wiersz napisałam właśnie dla ciebie. „Zmierzam do tego, że gdzieś tam mogą być wszechświaty, w których dokonujemy innych wyborów, a prowadzą nas do czegoś innego. Mnie prowadzą do kogoś innego. I serce mi pęka za każdą wersją mnie, która nie jest z tobą".